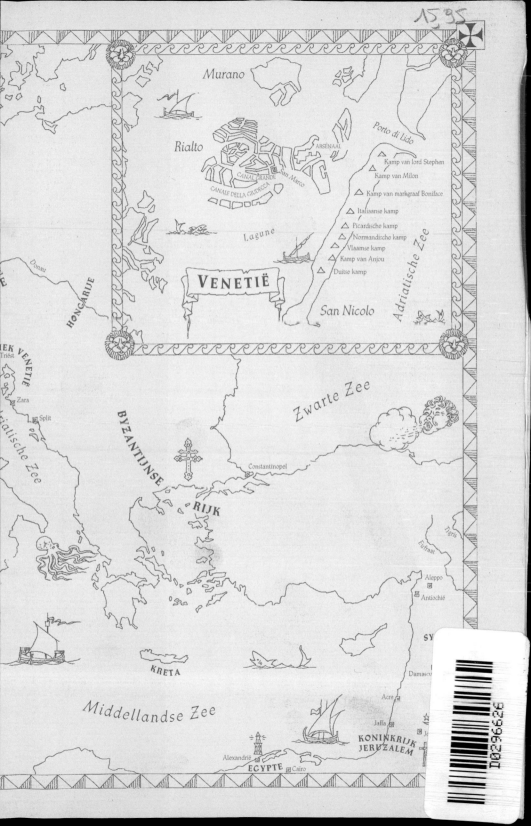

1595

Murano

Rialto

ARSENAAL

CANAL GRANDE

San Marco

CANALE DELLA GIUDECCA

Porto di Lido

△ Kamp van lord Stephen

△ Kamp van Milon

△ Kamp van markgraaf Boniface

△ Italiaanse kamp

△ Picardische kamp

△ Normandische kamp

△ Vlaamse kamp

△ Kamp van Anjou

△ Duitse kamp

Lagune

VENETIË

San Nicolo

Adriatische Zee

Donau

HONGARIJE

IEK VENETIË
Triëst

Zara

Split

riatische Zee

BYZANTIJNSE

RIJK

Constantinopel

Zwarte Zee

Eufraat

Tigris

Aleppo

Antiochië

SY

KRETA

Damascu

Acre

Jaffa

KONINKRIJK
JERUZALEM

Middellandse Zee

Alexandrië

EGYPTE Caïro

Kevin Crossley-Holland (North Buckinghamshire, 1941) studeerde aan St Edmund Hall in Oxford, waar zijn liefde voor Angelsaksische poëzie en voor de legende van koning Arthur ontstond. Crossley-Holland schreef verschillende gedichtenbundels voor volwassenen en maakte naam in Engeland met zijn hervertellingen en bloemlezingen van oude verhalen voor kinderen. In 2001 verscheen *Arthur – de zienersteen*, dat direct een groot succes was. Een jaar later verscheen het tweede boek over Arthur, *Arthur – in het tussenland*. Van de serie zijn inmiddels al meer dan 25.000 exemplaren verkocht. De boeken werden vertaald in 21 talen. Met *Arthur – koning van de Middenmark* is de trilogie compleet.

Meer lezen? www.lemniscaat.nl

LEMNISCAAT ROTTERDAM

ARTHUR
KONING VAN DE MIDDENMARK

Kevin Crossley-Holland

Arthur

koning van de Middenmark

Lemniscaat & Rotterdam

Voor Judith Elliott

NEDERLANDSE
KINDERJURY
2005

© Nederlandse vertaling Tjalling Bos 2004
De vertaler ontving voor deze vertaling een werkbeurs van de Stichting Fonds voor de Letteren
Omslagillustratie: Martijn van der Linden
Illustraties: houtsneden uit *Medieval Life Illustrations*, Dover Publications Inc.
Nederlandse rechten Lemniscaat b.v. Rotterdam 2004
ISBN 90 5637 570 9
Copyright © Kevin Crossley-Holland 2003
Kaarten en aanvullend illustratiewerk, gebaseerd op middeleeuwse bronnen:
Hemesh Alles © Orion Children's Books 2003
Oorspronkelijke titel: *Arthur: King of the Middle March*
First published in Great Britain in 2003 by Orion Children's Books, a division of The Orion Publishing Group, Orion House, 5 Upper St Martin's Lane, London WC2H 9EA

Druk: Drukkerij Haasbeek, Alphen aan den Rijn
Bindwerk: Boekbinderij De Ruiter, Zwolle

Dit boek is gedrukt op milieuvriendelijk, chloorvrij gebleekt en verouderingsbestendig papier en geproduceerd in de Benelux waardoor onnodig milieuverontreinigend transport is vermeden.

DE PERSONAGES

Op kruistocht
Arthur de Caldicot, *16 jaar, de schrijver van dit boek*
Lord Stephen de Holt
Turold, *de wapensmid*
Rhys, *de stalknecht*
Sir William de Gortanore, *Arthurs vader*
Lady Cécile, *sir Williams maîtresse*
Sir Serle de Caldicot, *Arthurs pleegbroer, 19 jaar*
Tanwen, *een kamermeisje*
Kester, *Tanwens zoontje, 2 jaar*
Milon de Provins
Bertrand (Bertie) de Sully, *Milons neef en schildknaap, 13 jaar*
Gennaro, *een Venetiaans raadslid*
Enrico Dandolo, *de doge van Venetië*
Silvano, *de meester-scheepsbouwer*
Simona, *Silvano's dochter, een tolk, 21 jaar*
Wido, *Milons wapensmid*
Giff, *een voetknecht van Milon*
Godard, *een voetknecht van Milon*
Saraceense kooplieden uit Alexandrië
Pagan, *Milons priester*
Kardinaal Capuano
Geoffroy de Villehardouin, *vroegere maarschalk van de Champagne*
Markgraaf Boniface de Montferrat, *leider van de kruistocht*
Fremling, *een Venetiaanse kruisvaarder*

Piero, *een roerganger*
Graaf Simon de Montfort, *een Franse aanvoerder*
Enguerrand de Boves, *een Franse edelman*
Robert de Boves, *zijn broer*
Taddeo, *de chirurgijn van de doge*
Abt Guy de Vaux
Een schoenmaker uit Milaan
Een jongen uit Zara
Chrétien, *een mijngraver uit Provins*
Giscard, *een mijngraver uit Provins*
Een Franse sergeant
Nasir, *een Saraceense zangleraar*
Nasirs twee vrouwen en zijn dochter
Zangi, *Nasirs assistent*
Zuster Cika, *een benedictijnse non*
Hamadat, *kapitein van een koopvaarder*
Een rondreizende geleerde
Een Lombardijse ridder
Een koopman in Piacenza

In de Mark
Sir Walter de Verdon
Lady Anne de Verdon, *zijn vrouw*
Winnie de Verdon, *hun dochter, 14 jaar*
Lady Judith de Holt
Izzie, *een kamermeisje in Holt*
Rahere, *de muzikant en nar in Holt*
Sir John de Caldicot
Lady Helen de Caldicot, *zijn vrouw*
Sian, *hun dochter, 12 jaar*
Oliver, *de priester in Caldicot*
Gatty, *de dochter van Hum de opzichter, 15 jaar*

Slim, *de kok in Caldicot*
Robbie, *de keukenjongen in Caldicot*
Ruth, *het keukenmeisje in Caldicot*
Lady Alice de Gortanore
Tom de Gortanore, *17 jaar*
Grace de Gortanore, *zijn zusje, 15 jaar*
Thomas, *een vrij man en boodschapper in Gortanore*
Maggot, *de vrouw van Thomas*
Mair, *de moeder van Arthur de Caldicot*
Merlijn

In de steen
Koning Arthur
Koningin Guinevere
Sir Lancelot
Koning Pellam, *de bewaker van de Heilige Graal*
De Vrouwe van het Meer, *de pleegmoeder van Sir Lancelot*
Lady Gisèle
Sir Kay
Sir Gauter
Sir Gilmere
Sir Arnold
Sir Sagramour
Sir Ector de Maris
Sir Uwain le Blanchemains
Sir Gawain
Sir Perceval
Nascien, *een kluizenaar*
Sir Mador
Sir Bors
Sir Agravain
Sir Mordred

Sir Urry
Agatha, *sir Urry's moeder*
Fyleloly, *sir Urry's zuster*
Sir Tor
Sir Gaheris
Sir Gareth
De bisschop van Rochester
Sir Lionel
De aartsbisschop van Canterbury
Sir Galahad
Sir Lucan
Sir Bedivere
Ygerna, *de moeder van koning Arthur*

Dieren
Bonamy, *Arthur de Caldicots strijdros*
Kortnek, *sir Serles strijdros*
Gigant, *lord Stephens strijdros*
Pip, *Arthur de Caldicots paard in Engeland*
Kincaled, *sir Gawains paard*
Een luipaard, *in een Kroatische kerk*
Een luipaard, *in het bezit van een Lombardijse ridder*
Bries en Storm, *twee jachthonden*

Dankwoord van de schrijver

Ook deze keer heb ik veel hulp gekregen.
Hemesh Alles heeft aantrekkelijke kaarten getekend en voor aanvullende tekeningen gezorgd op basis van middeleeuwse bronnen. Gillian Crossley-Holland heeft me boeken geleend over bijenhouden en de sterren, Maryann Johnson heeft mijn gebrekkige Italiaans verbeterd, Ann Jones heeft me over 'hiraeth' en andere Welshe zaken verteld, Mike Tapper heeft waardevolle informatie over vroegmiddeleeuwse galeien weten te vinden, en de Tree Advice Trust heeft me verteld over olijven en abrikozen.
Ik heb 'Het hart dat wacht' en enkele regels van 'Zwerm en honingraat' gebruikt uit mijn *Selected Poems* (Enitharmon Press, 2001), en twee korte passages uit mijn vertaling van *Beowulf* (Oxford University Press, 1999). Ik ben de BBC dankbaar voor de uitnodiging om te komen praten over de problemen en genoegens van het schrijven van deze trilogie in de bewonderenswaardige en helaas beëindigde reeks radioprogramma's over 'Werk in uitvoering'.
Ik was heel blij toen Rodney Slatford afgelopen zomer zo gul was me een stil huis aan te bieden, waar ik kon schrijven toen de onderbrekingen in mijn eigen huis me te veel dreigden te worden. De middeleeuwse historicus en Arthur-kenner Richard Barber heeft me niet alleen boeiend onderzoeksmateriaal geleend, maar hij en zijn vrouw Helen hebben mijn vrouw en mij vergezeld op een reis naar de Dalmatische kust om Zara (Zadar) te bekijken en te ontdekken hoe het kan worden belegerd. Bij het uittypen en corrigeren van de vele versies van dit boek is Claire Conway eindeloos geduldig en fantastisch goedgehumeurd gebleven, zelfs al werd ze letterlijk met duizenden veranderingen geconfronteerd. Ik ben haar heel dankbaar.

Mijn vrouw Linda heeft een heel bijzondere bijdrage geleverd door de onderwerpen van dit boek met me te bespreken, uitdagende oplossingen voor te stellen om ze in het verhaal te verwerken, de tekst te polijsten, de illustraties te kiezen en mij moed te geven met haar verdraagzaamheid, onwankelbare steun en liefde. Deze trilogie heeft ons tweeën bijna vijf jaar beziggehouden.

Veel van mijn buitenlandse uitgevers en vertalers zijn vrienden geworden en hebben me gesterkt met hun gastvrijheid en vele aanmoedigingen, misschien vooral Joukje Akveld van Lemniscaat en Asfrid Hegdal van N.W. Damm. Ik ben bijzondere dank verschuldigd aan Arthur Levine voor zijn snelle en uitgebreide reactie op een vroege versie van dit boek, en voor zijn scherpzinnige opmerkingen.

Het succes van een boek, en zeker van een trilogie, is altijd een teamprestatie. Daarom wil ik vooral de kinderboekenafdeling van Orion nadrukkelijk bedanken: Judith Elliott, Fiona Kennedy, Alex Webb, Jane Hughes, Rowan Stanfield en Iona Campbell. Judith heeft het boek verscheidene keren zorgvuldig gelezen en veel nuttige opmerkingen gemaakt, terwijl ze ook wist hoe ze me moest aansporen, en wanneer ze dat beter niet kon doen. Het is dertig jaar geleden dat ik voor het eerst voor haar heb geschreven, en ze is een goede vriendin en een geweldige uitgeefster. Aan haar draag ik dit boek op.

Ten slotte: alle namen in de Middenmark zijn afkomstig van Ordnance Survey landkaarten, met uitzondering van Caldicot, Holt, Verdon, Gortanore en Catmole. Maar dit zijn eenvoudig mijn namen voor vijf prachtige vroegmiddeleeuwse vindplaatsen. Misschien komen sommige van mijn lezers in de verleiding om ze te gaan opzoeken.

Burnham Market, 16 juni 2003

INHOUD

1

Zwaard en kromzwaard

In het oosten, boven de duizendtongige zee met al zijn zoete beloften, zijn snelle stoten en onverhoedse bewegingen: één zilvergouden lemmet van licht.

Een zwaard. Nee! Een kromzwaard. Dat zag ik toen ik de flap van onze tent optilde, die plakkerig was van het zout.

Lord Stephen en ik zijn gisteren op het middaguur in Venetië aangekomen samen met Turold, onze wapensmid, en onze stalknecht Rhys. De avond voor Sint-Jan. De dag dat Winnie me vol op mijn mond zoende, twee jaar geleden, lang voordat we verloofd waren.

We mochten Venetië zelf niet binnengaan. Alle kruisvaarders zijn hierbuiten ondergebracht, op het eiland San Nicolo. Maar wij zijn uitgenodigd voor een zeefeestmaal in de stad, net als Milon de Provins en zijn schildknaap Bertie, die pas dertien is.

Fransen die rode kruisen dragen, Duitsers en Italianen, Vlamingen met hun groene kruisen: er zijn duizenden en duizenden kruisvaarders op dit eiland, maar we hebben nog geen andere Engelsen ontmoet.

De hele nacht sliep en woelde en sliep ik bij de geluiden van water. Ze spoelden onze reis van zeven weken weg.

De zon kwam op en ik was herboren.

2

Gods leger

Pas toen ik vandaag op Bonamy over de ruggengraat van dit eiland reed, begreep ik wat een leger in werkelijkheid betekent.

En ik ben er deel van!

San Nicolo is heel lang maar niet meer dan een halve mijl breed, en lord Stephen en ik en Rhys en Turold hebben een heel klein kamp helemaal aan het noordelijke uiteinde. Ongeveer een kwart mijl verderop zijn vijftig mannen uit Provins gelegerd, geleid door Milon, en voorbij hen kwam ik bij de legerplaats van honderden Italianen. Toen ik hun kamp binnenreed, begon een trompetter te spelen. Zijn trompet vlamde in het zonlicht, en ik kwam overeind in mijn zadel en schreeuwde.

Toen zag ik een monnik staan te midden van een grote groep zittende mannen. '*Lei!*' riep hij uit. '*La Francia? La Germania?*'

'Engels,' zei ik.

'*Inglese,*' riep de monnik. '*L'Inghilterra!*'

Hij stak zijn stok tussen zijn benen en waggelde rond met een kwispelende staart, en iedereen lachte. Ik heb gehoord dat de Sicilianen en Grieken denken dat alle Engelsen een staart hebben, maar ik wist niet dat de Italianen dat ook geloven.

Ik steeg af en de monnik wees naar mij met zijn vinger. 'Ik zeg dat de kruisvaart een nieuw soort oorlog is,' riep hij uit. 'Een heilige strijd. Hier zijn soldaten als monniken.'

De Italiaanse soldaten zagen er helemaal niet uit als monniken. Ze hadden vette haren en waren slecht geschoren. Ze zagen eruit als bandieten.

'Ze zeggen dat ze niet van San Nicolo houden,' vertelde de monnik me. 'Niet veel vrouwen. Niet veel wijn. Ik zeg: trek de wapenrusting van God aan.'

'De hele wapenrusting van God,' antwoordde ik. 'De gordel van de waarheid, het zwaard van de geest en de helm van de verlossing!'

'*Bravo!*' riep de monnik uit. Hij stak zijn hand in de zak van zijn pij en haalde een houten doosje te voorschijn. Toen stapte hij op me af en maakte het open.

Er lag een soort leerachtig bruin stokje in met een zwarte punt, op een kussentje van scharlakenrode zijde.

'Vinger!' zei de monnik. 'Vinger van San Runcimano. Kus!'

Hij deed het doosje weer dicht en hield het omhoog. Ik sloot mijn ogen en hield mijn adem in. Ik kuste het deksel.

Daarna reed ik naar het kamp van een troep soldaten uit Picardië. Ze waren allemaal aan het schreeuwen en joelen. Toen ik dichterbij kwam, zag ik twee mannen die vochten met zwaarden. De ene zat op zijn knieën en hijgde. Zijn linkerarm bungelde naast hem en er droop bloed van zijn hand.

Toen herkende ik Milons schildknaap Bertie, die maar een paar stappen verderop stond.

'Bertie!' riep ik. 'Wat doe jij hier?'

Bertie maakte een hoofdbeweging, maar verloor de twee vechtende mannen geen moment uit het oog. 'Moet je zien!'

'Weet Milon het?'

'Dat kan me niet schelen.'

'Waarom vechten ze?'

17

'Het is een wedstrijd. Hij wil zich niet gewonnen geven.'

'Hoe kunnen we de Saracenen verslaan als we elkaars bloed gaan vergieten?'

'Bij een wedstrijd horen een winnaar en een verliezer,' zei Bertie.

'Hij heeft twee vingers verloren. Tot nu toe. Kijk!'

Ik wilde niet kijken en ik weet niet waarom de man die op zijn knieën zat, zich niet overgaf. Ik trok mijn paard heftig rond, en Bonamy snoof.

'Waar ga je heen?' riep Bertie. 'Arthur!'

Over het hele eiland waren kampen: kegelvormige tenten en piramiden, luifeltenten en klapperende maaksels die eruitzagen alsof ze zouden wegwaaien zodra de zeewind zijn mond opendeed. En in elk kamp liepen ridders, schildknapen en soldaten rond, en soms ook vrouwen en kinderen.

Ik zag schildknapen met z'n tweeën worstelen of oefenen in stokvechten, ik zag groepjes hardloopwedstrijden houden of zwaardslagen oefenen op de staak, en plotseling hoorde ik in mijn hoofd de stem van Alan, de eerste wapensmid van lord Stephen: 'Het is zó met je gebeurd op kruistocht. Ze maken gehakt van je!'

Maar sindsdien ben ik acht centimeter gegroeid, en ik heb hard geoefend, zelfs als ik er geen zin in had, zelfs als lord Stephen er niet was. Ik ben veel sterker dan vroeger.

Ik zag mannen bidden, hun wapens slijpen, elkaar scheren met een mes, hun paarden water geven en rauwe liederen zingen. Ik zag een rij mannen dode kippen en duizenden broden uitladen uit een Venetiaanse galei. Twee hele bergen, naast elkaar op het strand! Ik zag een Vlaamse valkenier die zijn vogel losliet, en keek hoe de valk opsteeg en neerdook op een zeevogel. Turold zegt dat meeuwen taai zijn en naar vis smaken, en dat ze zelfs nog zouter zijn dan ons gezouten varkensvlees aan het eind van de winter.

Ik had net het Duitse kamp verlaten, toen de duivel Bonamy in zijn rechteroor fluisterde.

18

Bonamy snoof. Hij gilde bijna. Hij steigerde op zijn achterbenen. Daarna sprong hij naar voren, en ik moest mijn uiterste best doen om in het zadel te blijven.

'Bonamy!' riep ik. 'Godsamme! Blijf staan!'

Het had geen zin.

Bonamy daverde dwars door het kamp van de kruisvaarders uit Anjou. Hij schopte een van de haringen van de keukentent uit de grond en sleepte het touw met zich mee. De hele tent stortte in. Ik hoorde mensen schreeuwen, honden woedend blaffen en kookpotten rinkelen, maar ik kon Bonamy niet laten stoppen. Hij trapte het touw van zich af en galoppeerde terug over de ruggengraat van het eiland, langs de Vlaamse en Normandische kampen, voordat ik hem weer onder controle kon krijgen.

Een van de koks uit Anjou schreeuwde vloeken naar me en schudde dreigend met zijn pollepel. God bewaar me! Bij dat kamp blijf ik voortaan uit de buurt.

Toen we terug waren, keek Bonamy me aan met zijn ogen als donkere pruimen, alsof er helemaal niets was gebeurd. Hij hinnikte vriendelijk naar me.

Ik onderzocht zijn hoeven, en daarna zijn geslachtsdelen. Ik keek in zijn mond, zijn linkeroor, zijn rechter… Dat was gezwollen en zat bijna dicht. Een wesp misschien, of een horzel. In elk geval een steek van de duivel!

Ik kon merken dat lord Stephen zich ergens zorgen over maakte.

'Wat is er, heer?' vroeg ik.

'Er zijn net twee ridders van het Ile-de-France aangekomen. Ze hebben Milon verteld dat nog vijf ridders hun eed hebben gebroken.'

'Hoe kan dat?' vroeg ik. 'Ze hebben het kruis aangenomen.'

'Precies,' zei lord Stephen. 'Ze zeggen dat ze hun eigen weg willen volgen vanuit de haven van Marseille.'

'Nou, dan is het niet zo erg,' zei ik.

19

'Het is heel erg,' antwoordde lord Stephen. 'We hebben de Venetianen gevraagd om schepen te bouwen voor drieëndertigduizend man. Maar zoveel zijn er nog lang niet aangekomen, en Sint-Jansavond is al voorbij. Als er nog veel meer ridders hun eigen keuzes maken in plaats van hun mannen en hun geld hierheen te brengen, kunnen we de Venetianen niet voor hun schepen betalen.'

'Wat gebeurt er dan?' vroeg ik.

'Dan komt er geen kruistocht,' zei lord Stephen kortweg.

'Geen kruistocht!'

'Zonder schepen kunnen we de kruistocht niet beginnen,' zei lord Stephen, 'en de doge geeft ons geen schepen als we hem niet betalen.'

'Maar nadat we het kruis hebben aangenomen,' riep ik, 'en na al onze voorbereidingen en al onze reizen, heer…'

'Allemaal voor niets,' zei lord Stephen. 'Trouwens, hoe kunnen we het land overzee het best bevrijden? Vertel me dat eens. Door de voordeur? Of moeten we proberen de bevoorrading van de Saracenen af te snijden?'

'Wat bedoelt u, heer? Zegt u dat we niet rechtstreeks naar het Heilige Land gaan?'

Lord Stephen glimlachte zwakjes naar me. 'Hoeveel mijl is het naar Betlehem?' vroeg hij.

'Dat vroeg Gatty me,' zei ik.

'Wie?'

'Gatty. In Caldicot.'

'O ja,' zei lord Stephen met een glimlachje. 'Ze is helemaal naar Holt gelopen, is het niet? Smoorverliefd op je!'

'Nee, heer,' zei ik. 'Maar ze heeft me eens verteld…'

'Een andere keer!' zei lord Stephen kortaf. 'Vooruit! Je bent de hele dag weg geweest en je hebt me nog niet eens verteld wat je gezien en gehoord hebt. En daarna heeft Turold een karweitje voor je, en Rhys wil dat je Bonamy schoonspoelt.'

'Zeewater droogt plakkerig op,' zei ik.

'Daar is niets aan te doen,' antwoordde lord Stephen.

Toen ik vandaag over San Nicolo reed, dacht ik dat er vast meer dan drieëndertigduizend man waren. Niet minder, zoals lord Stephen zegt, maar veel, veel meer! Drie keer drieëndertig.

Ik weet bijna zeker dat hier genoeg ridders zijn om het geld bijeen te brengen voor de Venetiaanse schepen.

3

Zweef en duik

Het is moeilijk om te schrijven in deze tent.

In Holt kwam er bijna niemand mijn kamer binnen, en ik kon mijn perkament op de vensterbank laten liggen. En in Caldicot kon ik op mijn plaats in de vensternis zitten met mijn inkttafeltje bij mijn elleboog.

Daar had ik gezelschap van torren en spinnen, en soms een naaktslak of een wriemel – zo noemde mijn pleegzusje Sian ze altijd. Maar hier zijn zwermen vliegen, die janken en zoemen, en ze steken me achter in mijn nek, en in mijn knieholten en mijn knokkels.

Er is hier geen tafel en geen vensterbank. Dus ga ik soms tegen mijn zadeltas zitten en prop een kussen tussen mijn knieën en gebruik dat als tafel. En soms strek ik me helemaal uit, schop mijn hielen omhoog en schrijf liggend op mijn buik. Maar elke keer moet ik mijn perkament weer opbergen zodra de inkt droog is en ik de bladzijde gepolijst heb. Ik weet dat ik er eigenlijk een tand van een zwijn voor moet gebruiken, maar voordat ik wegging heeft Winnie me een van haar tanden gegeven en die doet het bijna net zo goed.

Ik heb een heleboel galappels meegenomen, en acaciasap, en groene vitriool in een geglazuurde fles, maar het is niet gemakkelijk om hier inkt te maken, want er is geen vers regenwater en als ik niet voorzichtig ben, komen er bovendien zandkorrels in het mengsel.

Op weg hierheen zijn de meeste van mijn ganzenveren vernield. Turold heeft ze geknakt doordat hij zijn hamer in mijn zadeltas duwde. Toen ik naar de schrijfzaal in Wenlock ging, vertelde broeder Austin me dat de buitenste slagpennen van ganzen en zwanen de beste schrijfveren zijn, maar hier zijn alleen veren van zilvermeeuwen. Die zijn harig aan de binnenkant, maar ze zijn in elk geval sterk en gemakkelijk te schaven.

Lord Stephen en ik hadden zoveel te doen voordat we vertrokken dat ik maandenlang helemaal niets heb kunnen schrijven, hoewel ik vaak in mijn steen heb gekeken en Camelot ben binnengestapt. Er was zelfs geen tijd om over mijn verloving met Winnie te schrijven. Maar nu wil ik alles opschrijven.

Als we aan boord gaan van onze galei en naar het zuiden varen, zal mijn pen zweven en duiken, roepen en krijsen terwijl we het water klieven.

4

Zeebanket

Ik zat aan tafel tegenover Milon en Bertie. Zijn volledige naam is Bertrand de Sully, en hij is een neef van Milon en bovendien zijn schildknaap. Hij is even stevig gebouwd als zijn oom, maar zo klein als een garnaal.

'Arthur!' riep Milon uit.

Ik boog naar hem.

Milon tuitte zijn lippen. 'Ik heb vergeten, jij denkt,' zei hij.

'Nee,' antwoordde ik behoedzaam.

'Ja,' zei Milon. 'Ik niet vergeet, ik jou ridder.' Milon wendde zich tot onze Venetiaanse gastheren. 'Arthur dapper!' zei hij met luide stem. Milon was net begonnen de Venetianen uit te leggen hoe ik in Soissons een man had tegengehouden die een vrouw wilde neersteken, toen de eerste gang werd gebracht.

Op mijn bord lagen drie beesten die op heel sappige, witte wormen leken. Ze waren wit met roze, droegen een pantser en hadden lange snorharen.

Lord Stephens ogen glinsterden. 'Dit is geen moment voor weekhartigen,' zei hij fluisterend.

Milon en Bertie propten hun servet onder hun kin en de vier Venetianen legden dat van hen over hun rechterarm. Daarna verslonden ze hun wormen alsof ze een week niet gegeten hadden.

Een van de Venetiaanse raadsleden, Gennaro, hief zijn glas. 'Welkom!' zei hij. 'Onze vrienden voor God. Onze bondgenoten!'

Toen tikten we allemaal met onze knokkels op tafel en we hieven onze glazen.

Ik had amper een mondvol gegeten voordat een bediende een schaal binnenbracht met een berg vreemde zwarte, gele en groene klonten en rolletjes, als het neuspulksel van reuzen.

'Nou, nou!' zei lord Stephen. 'U verwent ons.'

Maar de Venetiaan naast me liet zich niet voor de mal houden.

'Zeeslakken,' zei hij. 'Uit hun schelp! U houdt ervan?'

Ze smaakten weerzinwekkend, maar dat gaf niet. Ik was zo opgewonden.

Toen ik bij lord Stephen in dienst ging als zijn schildknaap, nam ik aan dat we ons meteen bij de kruistocht zouden aansluiten. Maar dat was tweeëneenhalf jaar geleden, en sindsdien heb ik Bonamy uitgekozen en getraind, er is een wapenrusting voor me gemaakt en ik heb mijn gevechtstechnieken geoefend, ik heb Frans leren spreken en ik heb het kruis ontvangen van onze jonge aanvoerder graaf Thibaud, voordat hij plotseling stierf.

De eerste keer dat we hierheen reisden, zestien maanden geleden, hebben we de oude doge ontmoet. Hij is minstens vierentachtig, net zo oud als Sint-Lucas is geworden. Zijn ogen zijn helder en stralend, maar hij is stekeblind. Hij zwaait als een baby met zijn armen en houdt nooit op met praten.

Milon en de andere afgezanten zeiden tegen hem dat er geen zeemacht is die te vergelijken is met de republiek Venetië, en vroegen de doge de schepen te bouwen om de kruisvaarders en hun paarden te vervoeren.

'U vraagt heel veel van ons,' zei de doge, maar uiteindelijk stemde hij erin toe schepen te bouwen voor vijfenveertighonderd ridders en evenveel paarden, negenduizend schildknapen en twintigduizend voetknechten, zodat elke gezonde man in de stad de afgelopen vijftien maanden bezig is geweest met boten bouwen. En dat niet alleen. De Venetianen hebben ook beloofd de eerste negen maanden voor eten te zorgen voor ons en onze paarden.

Ik slaagde erin een van de wormen en drie van de neuspulksels weg te spoelen met nog meer wijn en toen brachten de bedienden de volgende gang binnen. Levend!

'*Magnifique!*' riep Milon uit.

'*Bellissimi!*' riepen de vier Venetianen.

'Wat zijn dat?' vroeg ik.

'Kreeften!' zei Gennaro lachend.

De acht kreeften bliezen smerig zeespuug uit en staarden me aan op een wat moedeloze manier.

De bedienden droegen de kreeften weer weg om ze te laten koken en brachten ons klonten dof bloed en glanzende bruine ballen op een zilveren schaal.

'O!' bracht lord Stephen uit.

'Koeienogen,' zei ik. 'Ik weet het zeker.'

'*Ceriglie e cipolle!*' zei een van de raadsleden. 'Kersen. Uien! *Marinati!*' Ze schudden allemaal hun hoofd en lachten.

Milon en de andere Franse afgezanten werden het eens over een prijs van vijf mark voor elk paard en twee voor elke man, en daarna leenden ze vijfduizend mark van Venetiaanse geldschieters en gaven die meteen weer terug aan de doge, zodat het werk op de werven kon beginnen. Ze zwoeren alles volledig te zullen betalen zodra we hier allemaal bijeen zijn, terwijl de doge beloofde dat alle schepen vaarklaar zouden zijn op het feest van Sint-Petrus en Sint-Paulus. Dat is overmorgen.

Ik moest mijn kreeft eten met een lange metalen haak en een tang.

'Deze vijand moet u verslaan met wapens,' zei een van de Venetianen. 'Eerst de kreeften en dan de Saracenen, ja?'

Het smaakte best lekker. Eigenlijk meer als vlees dan als vis.

Daarna kwamen de bedienden terug met witte wijn en een reusachtige schaal met fruit: granaatappels, druiven, komkommers en citroenen. Er waren ook sinaasappels, en dadels, die eruitzien als dassenkeutels en harde pitten hebben.

'Uit Egypte,' zei Gennaro.

'Saraceense vruchten!' riep ik uit. 'Net als de vruchten die Saladin naar Leeuwenhart stuurde toen hij de rode koorts had.'

Het raadslid glimlachte. 'Handel,' zei hij.

'Dan hebben de Saracenen dus cijfers in hun hoofd en dadels in hun mond,' zei lord Stephen.

'En sterren in hun ogen,' voegde ik eraan toe. 'Sir William heeft me verteld dat de Saracenen boeken hebben geschreven over sterrenkunde.'

'Wij zijn klaar,' zei Gennaro. 'U ook?'

Milon knikte. Hij pulkte een stukje van iets tussen zijn tanden uit en schoot het naar de grond. 'Ik ben klaar,' zei hij, en hij haalde zijn schouders op. 'Maar niet iedereen is hier. Iedereen moet geld brengen.'

Het raadslid leunde achteruit in zijn stoel. 'Dan wachten we,' zei hij.

'Mannen uit heel Europa,' voegde lord Stephen toe. 'Uit Provins, Picardië en Champagne, uit Anjou, Bourgondië, Duitsland en Italië. Zelfs een paar uit Engeland! Allemaal op deze ene plaats en allemaal tegelijk. Dat is niet eenvoudig.'

'Het is niet eenvoudig om schepen te bouwen,' zei Gennaro. 'Galeien. Transportschepen voor paarden. Tweehonderd schepen in vijfhonderd dagen.'

'Incroyable!' riep Milon uit.

'We wachten,' zei de Venetiaan koel. 'Als u ons geld geeft, geven wij u schepen.'

'Onze nieuwe aanvoerder is onderweg,' voegde lord Stephen eraan toe. 'Markgraaf Boniface.'

5

Kaakslagen en een ongelukkige pissebed

Ik was van plan bij zonsondergang voor mijn moeder te bidden. Maar terwijl het zwakke licht onze tent binnenscheen, begon ik aan Oliver te denken, onze priester in Caldicot. En toen hoorde ik ons redetwisten.

'Nee, Arthur. Je hebt geen gelijk. Lijden doet er nauwelijks toe.'

'Als je niets te eten hebt, doet het er wel toe,' riep ik uit. 'Hoe denk je dat Gatty het vindt om hongerig naar bed te gaan? En met pijn in alle botten van haar lichaam?'

'Beste jongen,' zei Oliver geduldig, 'je bent een dwaas kind van God. Ik heb het je al eerder verteld: armoede is ook Gods wil.'

'Hoe kan dat nou?' vroeg ik fel.

Oliver zoog krachtig zijn adem naar binnen. Nee! Het was de wind die aan de zijkanten van onze tent zoog. En toen hoorde ik iemand die me riep. Ver weg, meer dan eens, en schel.

'Arthur! Help! Arthur!'

Ik pakte mijn mes en dook de tent uit. Bertie stond tot zijn borst in het water; vier schildknapen porden lachend naar hem met gevechtsstokken.

Ik rende zo hard ik kon over het strand, maar twee van de schildknapen zagen me aankomen en waadden het water uit om me op te wachten.

Ze jouwden naar me, en een van hen greep mijn rechterarm. De ander dook naar mijn rechterbeen.

'Pas op!' schreeuwde ik. 'Ik heb een mes!'

Ik zwaaide met het mes. Ik schopte met mijn linkerbeen. Maar ze sleurden me met zijn tweeën het water in, en een van hen zette

zijn voet op mijn borst en hield me onder tot ik naar adem snakte.

Het water stroomde rond me, en in me.
Mijn oren zaten dicht en suisden, maar
ik kon ze nog horen lachen. Ik schopte.
Ik wrong. Ik was aan het verdrinken.

Toen lieten ze me los. Ik hees me bra-
kend op mijn knieën en hoestte het zoute water uit mijn neus en mijn keel. Ik
wreef in mijn prikkende ogen. Nu zag ik
dat de twee andere schildknapen Bertie
ook onder hielden.

Ik hief mijn linkerhand op, nog steeds op mijn knieën in het water, en hield mijn mes dreigend naar achteren.

De schildknapen jouwden. Ze hoonden ons. Daarna gingen ze er
brullend van het lachen vandoor.

Bertie krabbelde overeind. Hij had ook al zijn kleren aan.

'Wat riepen ze?' vroeg ik schor.

'Waterratten!' zei Bertie. 'Weekdieren!'

'Wat is er gebeurd?'

'Niets.'

'Je hebt iets gezegd.'

'Ze hebben me kaakslagen gegeven.'

Ik keek naar Berties rode kin. 'Waarom? Wat heb je gezegd?'

'Alleen wat ze zijn. Hansworsten! Duits uitschot!'

'Bertie,' zei ik, 'je moet geen ruzie zoeken. Weet je wat mijn vader
zei toen ik dertien was en hem vertelde dat ik op kruistocht wilde gaan?'

'Nou?'

'"Garnalen leven niet lang als ze naar zee spoelen."'

'Ik ben geen garnaal,' zei Bertie boos.

Mijn vader. Sir William de Gortanore. Elke dag dank ik de gena-

29

dige God dat hij heeft besloten niet mee te gaan op deze kruistocht. Hij gelooft dat christenen en Saracenen in Gods ogen gelijk
zijn, en dat kun je van Oliver niet zeggen, maar hij is nu zevenenzestig en helemaal blind aan zijn jeukende linkeroog, en de helft
van de tijd is hij woedend.

Ik haat mijn vader. Hij heeft verhinderd dat ik mijn moeder zou
vinden. En hij heeft haar man, Emrys, vermoord – of anders heeft
hij hem laten vermoorden – en hij slaat zijn vrouw, lady Alice. De
eerste keer dat ik met hem praatte als mijn echte vader, waarschuwde hij me: 'Als mensen beginnen te graven, vinden ze misschien hun eigen botten.' Zijn rechteroog glinsterde.

Ik weet dat het gevaarlijk is om iets achter de rug van mijn vader
om te doen, maar vreemd genoeg heb ik het gevoel dat hij op de
een of andere manier bang voor me is. Misschien maakt hij zich
zorgen omdat hij niet precies weet hoeveel ik heb ontdekt.

Bertie en ik waadden het water uit. 'Hoe zit dat met jouw vader?'
vroeg ik hem. 'Milon heeft me verteld dat hij half Engels is.'

'Dat is zo.'

'Waar is hij?'

'Thuis. Zijn hele lichaam beeft en zijn haar is uitgevallen. Hij kan
niet eens een mes of een lepel vasthouden.'

'En je moeder?'

Bertie plofte neer op het natte zand. Het was heel hard, en even
gerimpeld als de wolken boven ons. Hij spreidde de vingers van
zijn rechterhand en stak ze in het zand. Daarna rolde hij zich op
als een ongelukkige pissebed.

'Is ze dood?' vroeg ik.

Bertie gaf geen antwoord. Hij knikte alleen en ik hurkte naast
hem.

'Mijn moeder moest me afstaan toen ik twee dagen oud was,' zei
ik. 'Ik kan haar nog steeds niet tot leven brengen.'

Bertie bleef naar het zand staren. 'Wat bedoel je?' vroeg hij.

'Je rilt,' zei ik. 'Ga droge kleren aantrekken. Ik zal het je een andere keer vertellen.'

Ik stond op en sjokte langs de kust terug naar onze tent. Er was niemand, dus groef ik naar de bodem van mijn zadeltas en controleerde of mijn zienersteen veilig was. Daarna haalde ik het grijze katoenen bundeltje te voorschijn. Ik vouwde het open, en ook het opgevouwen lapje slappe roomkleurige zijde dat erin zat. Ik pakte de glanzende gouden ring van mijn moeder eruit, met het gegraveerde portretje van de kleine Jezus in de armen van zijn moeder. Ik schoof hem aan mijn vinger.

Toen Thomas, de knecht van mijn vader, hem aan me gaf, heb ik beloofd dat ik niemand erover zou vertellen. Maar ik ben nu honderden en honderden mijlen verwijderd van Engeland en sir William.

Ik ga tegen lord Stephen zeggen dat mijn moeder me de ring in het geheim heeft gestuurd, en ik ga hem vragen of het goed is dat ik hem draag.

Mijn moeders ring aan mijn rechterhand, en mijn verlovingsring aan mijn linker. Dan ben ik goed gewapend!

Ik knielde neer. In het stille sacristielicht van de tent zei ik avondgebeden voor mijn moeder en Winnie...

Dat had ik willen gaan doen toen Oliver me onderbrak.

6

Galeien en transportschepen

Ze zijn zo doelbewust, zoals ze elk met open mond over het water turen, vastgemeerd aan de achtersteven.

Hoog oprijzende meibomen met zacht kwetterend tuig; ra's versierd met hangende, opgerolde zeilen; duizelingwekkende uitkijkposten als de nesten van roeken in een droog jaar; kettingen en ijzeren snebben; een slagorde van zwaaiende zeekastelen; een heel koninkrijk van stille rompen, krakende dekken, galmende ruimen, hutten, gangpaden, trappen en roeibanken: ik weet niet goed hoe ik de schepen moet beschrijven, maar ik kon mijn ogen niet van ze afhouden.

Silvano, de meester-scheepsbouwer van het Arsenaal, leidde ons rond op de werf. Hij vertelde ons dat het grootste schip bijna tweehonderd voet lang is en plaats biedt aan duizend kruisvaarders. Ze heet *Violetta*. Ik vond dat ze haar beter *Zonnebloem* hadden kunnen noemen, of zelfs *Gog* of *Donderstorm* of zo, maar Silvano schudde zijn hoofd en gaf me een knipoog.

'Mijn vrouw!' zei hij. '*Violetta*.'

De eiken romp van elke galei is gemaakt van tweehonderdveertig verschillende houten delen, maar ze worden allemaal bevestigd op niet meer dan twee grote kielbalken. Zo ingewikkeld en zo eenvoudig. Geen wonder dat iedereen zegt dat de Venetianen de beste scheepsbouwers van de wereld zijn.

'Waar komt al het hout vandaan?' vroeg ik.

'Niet uit Dalmatië!' zei Silvano, en hij stak zijn onderlip naar voren. 'De stad Zara is al twintig jaar opstandig.' Hij zwaaide met zijn armen. '*Foresta Umbra*,' zei hij. 'Het Woud van Schaduwen diep in het zuiden van Italië. Erg moeilijk. Erg duur.'

'Dus alles is klaar!' zei lord Stephen. 'Tot de laatste spaander.'

'*Pronto*,' antwoordde Silvano. 'Tweehonderd schepen.' Hij wreef met zijn rechterduim over zijn wijsvinger. 'Nu geld!' zei hij.

Lord Stephen glimlachte op die melancholieke manier van hem, een glimlachje dat alleen even rond de hoeken van zijn kleine mond speelt. 'Nou, al deze schepen zijn jong en ongeduldig, is het niet, Arthur? We mogen ze niet laten wachten.'

'Wanneer betaalt u?' vroeg de scheepsbouwer. 'Wij Venetianen hebben onze belofte gehouden. Jullie kruisvaarders hebben die van jullie gebroken.'

Voordat we van de werf naar San Nicolo vertrokken, stak een van onze roeiers een fakkel aan en zette hem op het achterschip. Het water om ons heen vatte vlam en veranderde in flitsende dolken en sterren.

7

Glazen Venetianen

In Holt is in drie van de kasteelramen glas-in-lood aangebracht, en lord Stephen heeft een hemelsblauwe drinkbeker van Venetiaans glas met een gedraaide steel.

Hier wordt glas op allerlei manieren gebruikt. Voor karaffen, terrines en drinkglazen. En voor legpuzzelvoorstellingen van Maria en Jezus. Ik heb vrouwen gezien die halskettingen droegen waaraan glazen balletjes geregen waren, in bleekgroen, violet en mistig blauw. Het leken zee-ogen.

Als je je ogen halfdicht doet, zou Venetië helemaal van glas kunnen zijn. Glanzende ramen, schitterende koepels, water dat huppelt en opspringt alsof poppenspelers in de hemel aan onzichtbare zijden draden trekken.

Venetianen hebben een gelige huid. De mannen zijn gouden boeven. Zelfs als ze zich scheren, zien ze er ongeschoren uit, en er groeit weerbarstig haar over hun hele lichaam. De vrouwen zijn mooie leeuwinnen, met twee of zelfs drie kleuren haar - taankleurig, brons en koper. Ze lachen altijd en de meeste hebben een hese, omfloerste stem. Ze praten heel snel, alsof ze lang niet genoeg tijd hebben om alles te zeggen wat ze willen.

Hun ogen zijn zo groot en helder dat ik eerst dacht dat Venetianen wel zacht of zelfs breekbaar moesten zijn. Maar eigenlijk zijn ze ook heel hard, en zelfzuchtig en berekenend.

8

Hoe we ook ons best doen

Schapenwolkjes, de blauwe banen van de hemel, en daarna mijn eigen gezicht, nogal wazig. Mijn grote oren. Mijn ogen, wijdopen en oplettend. Dat is alles wat ik in het begin kon zien.

En daarna, toen ik mijn zienersteen ophield naar de zon, op deze laatste dag van juni, dacht ik dat ik er echt doorheen kon kijken. Alsof ik in een vijver tuurde, in de diepte dwars door de waterlagen, voorbij het kikkerdril en de muggenlarven.

Maar mijn steen is veel, veel meer dan een spiegel of een vijver. Hij is een wereld. Ik bewaar hem nog steeds in de vuile, oude, gelige doek waarin Merlijn hem mij gegeven heeft, alleen is die nu nog vuiler, en elke keer dat ik erin kijk zie ik mijn naamgenoot, koning Arthur, of de ridders van de Ronde Tafel. Zijn edele verbond.

Ooit dacht ik dat ik Arthur-in-de-steen was. Soms lijkt wat koning Arthur overkomt een herhaling van wat mij overkomt, maar soms is het andersom. Hij en Ygerna, zijn echte moeder, hebben elkaar gevonden, en ik geloof dat ik ten slotte de mijne zal vinden. Ik heb hetzelfde gehoopt als Arthur, en hetzelfde gevreesd. Ik heb Arthurs ridders zien uitrijden, naar het noorden en zuiden, het oosten en westen, op hun queeste naar de Heilige Graal, en ik heb sir Lancelot en koningin Guinevere naakt bij elkaar gezien, tegelijkertijd verheugd en bedroefd, en ik vraag me telkens af wat er zal gebeuren als de koning het ontdekt.

Mijn steen probeert me iets te vertellen. Ik moet er alleen achter zien te komen wat het is. Plicht, opoffering, eer en hartstocht, beledigingen en verraad: dat heb ik allemaal gezien in mijn steen, en ik zie telkens meer. Vanaf de dag dat Merlijn hem mij gegeven heeft, ben ik nooit ergens naartoe gegaan zonder mijn steen.

Toen ik onze tent inliep en weer in mijn steen keek, was de koning er. Hij zat alleen aan de reusachtige Ronde Tafel en staarde erin. Een reusachtig stuk bergkristal. Een halve bol. Te zwaar om met honderd man op te tillen. Dus moet Merlijn, de man met de kap, hem Camelot binnen getoverd hebben. In het kristal zitten knobbeltjes en zwarte wratten, barsten en spleten. Er zijn sterren en donkere gaten. En er zijn een heleboel dunne draadjes, zilverkleurig en glinsterend, als spinrag op een mistige ochtend in de herfst. Het doet me eraan denken dat alles in de wereld met elkaar verband blijkt te houden, ook al beseffen we dat niet meteen.

Koning Arthur staart, en dan schrikt hij plotseling op en kijkt om zich heen. Hij hoort een stem, maar hij weet niet waar die vandaan komt.

'Waar zijn je ridders, Arthur? Waar zijn ze allemaal?'

Een mannenstem, donker van de pijn.

'Arthur! Je edele verbond. Verwaaid op de vier winden. Is er dan geen ridder die het waard is de Heilige Graal te zien?'

Zodra ik hem hoorde wist ik wie hij was. Koning Pellam, de bewaker van de Heilige Graal, die verwond werd door sir Balin, doorstoken met dezelfde lans die door Jezus' ribben drong.

'Niet één ridder van de Ronde Tafel?' vraagt de stem treurig en boos. 'Kan niet één man van hier naar Corbenic rijden door deze jammerlijke wereld en de zonde van Judas goedmaken? Kan niemand de juiste vraag stellen?'

Koning Arthur balt allebei zijn vuisten. 'Welke vraag?' gromt hij.

'De woorden die mij zullen genezen en me zullen verlossen van deze ondraaglijke pijn,' antwoordt de stem. 'De woorden die de ellendige woestenij zullen genezen, zodat die weer groen kan worden.'

Toen zweeg koning Pellam. Mijn steen werd blind.

Ik wachtte. Ik sloeg allebei mijn handen eromheen. Ik tuurde er
zo diep in dat er niets anders meer in de wereld bestond.

De woestenij… Opeens dacht ik aan Haket, de priester van lord
Stephen. Hij heeft me verteld dat het hele christendom een woestenij is, een wildernis van de geest. Hij zei dat mensen het recht in
eigen handen nemen en zich niet als christenen gedragen, maar
als beesten.

'Hoe kunnen we ooit Jeruzalem binnengaan,' zei hij, 'voordat we
niet alleen in naam christen zijn, maar ook in daden?'

Maar hoe kunnen mensen volmaakt zijn? Dat kunnen we niet,
hoe we ook ons best doen. Dus zullen we de Heilige Stad niet alleen door onze eigen inspanningen bereiken, maar ook door Gods
genade, omdat Hij wil dat we alle Saracenen verdrijven.

9

Niets is gemakkelijk

'Denk je echt dat ik opgesloten wil zitten in deze benauwde tent om jou de tien categorieën te leren?' vroeg ik. 'Ik zou op Bonamy kunnen galopperen, of mosselen kunnen zoeken, of mijn wapenrusting kunnen oliën en met Turold praten. Ik moet lord Stephens kleren borstelen. Ik zou kunnen gaan schrijven.'

'Ik hou je niet tegen,' zei Bertie.

Ik schudde mijn hoofd. 'Je weet heel goed wat Milon en lord Stephen tegen ons hebben gezegd. Vier lessen per week. Twee voor mijn Frans. En twee voor jouw kennis.'

'Wat heeft het voor zin? Milon weet niets over hoedanigheden en hoeveelheden en zo.'

'Hoe meer je leert, hoe meer je begrijpt. Ik leer graag Frans. De klank bevalt me. Het ene moment hees en het volgende moment als helder vogelgezang.'

'Dapperheid kun je niet leren,' zei Bertie met fonkelende ogen. 'Laten we naar buiten gaan.'

'Nee,' zei ik. 'Buiten werk je niet.'

Bertie grijnsde. Hij heeft een spleetje tussen zijn twee voortanden. 'Ik hoef niet te begrijpen hoe je iets zegt om te weten wat het betekent,' zei hij.

'Welke categorie bestaat zelfstandig?' vroeg ik.

'De substantie,' zei Bertie, terwijl hij zijn gezicht vertrok alsof hij iets vreselijk smerigs proefde.

'Noem eens een substantie.'

'Een zwaard.'

'En verder?'

'Ik weet het niet. Een paard. Een vinger.'

'Goed,' zei ik. 'En hoe zit het met twee?'

'Twee wat?'

'Twee vingers.'

Bertie keek me aan alsof ik probeerde hem erin te laten lopen. 'Dat is een substantie en een hoeveelheid,' zei hij behoedzaam.

'Eindelijk!' riep ik uit. 'En wat zijn de andere categorieën, die nooit in hun eentje kunnen bestaan, maar altijd bij een substantie horen?'

'Ik weet het niet meer,' zei Bertie. 'Het is zo saai!'

'Laten we het dan snel afhandelen. Kom op! Tijd. Activiteit.'

'Het heeft geen zin,' zei Bertie. 'Ik doe het toch niet.' Hij stond op en haalde zijn handen door zijn haar alsof hij zijn tollende hoofd wilde ontdoen van alle categorieën, oordelen, substanties en accidenten. 'Jij kunt het me toch niet leren. Je bent geen priester.'

Niets is gemakkelijk als het nieuw is. Hoe kan ik met de Venetianen praten die geen Engels spreken? Hoe kun je een tent opzetten in los zand? Hoe moet je een kreeft openmaken? Vanaf het moment dat we hier kwamen, zijn we telkens nieuwe moeilijkheden tegengekomen.

Ik hou van uitdagingen, maar ik ben er nog niet achter hoe ik Bertie iets kan leren. Als ik Serle was zou ik gewoon tegen hem schreeuwen. Maar zo ben ik niet. Bovendien is Bertie veel jonger dan ik, en we moeten weken en maanden met elkaar samenleven.

Vanavond heb ik lord Stephen verteld over de ring van mijn moeder, die ze me in het geheim heeft gestuurd. Ik heb uitgelegd dat ik aan Thomas, de knecht van sir William, heb beloofd dat ik er niemand iets over zou vertellen.

'En je hebt je belofte gehouden,' zei lord Stephen. 'Dat kun je van Thomas niet zeggen. Hij heeft het laten afweten. Hij zei dat hij een ontmoeting met je moeder voor je had geregeld, maar ze is niet gekomen.'

'Misschien wil ze me niet ontmoeten,' zei ik.

'Natuurlijk wil ze dat wel.'

'Dat denk ik soms ook,' zei ik.

'In elk geval heb je groot gelijk dat je me nu alles vertelt,' zei lord Stephen.

Toen liet ik lord Stephen mijn ring zien.

Hij moest hem heel dicht bij zijn ogen houden om de kleine Jezus te zien die zijn handje uitsteekt en iets aan zijn moeder geeft… Ik weet nog steeds niet wat het is.

'Ja,' zei lord Stephen. 'Draag hem en houd hem warm. Je moeder geeft om je. Je zult haar vinden.'

10

Angst voor de strijd

'Hoe is het?' vroeg ik. 'Vechten? In een veldslag?'
Wido, Milons wapensmid, snoof. Daarna keek hij de kring van Milons voetknechten rond, die in de zon zaten, en kneep zijn ogen samen. 'Vooruit, Giff! Vertel het Arthur.'
Giff stond op en keek op me neer. Hij glimlachte een beetje, geloof ik. Hij heeft een litteken dat vanaf zijn mondhoek over zijn wang tot onder zijn rechteroor loopt. Daardoor is het moeilijk te zeggen.
'Ben je weleens bang geweest?' vroeg hij.
'Ja,' zei ik. 'Een paar keer.'
'Natuurlijk,' zei Giff. 'Net als wij allemaal. Wanneer?'
'Toen ik op mijn buik over het ijs moest kruipen om Sian te redden. Ze is mijn zusje. Nou ja... dat was ze.'
'Is ze dood?' zei Giff.
'Nee! Nee, het is te moeilijk om uit te leggen.'
'Is dat alles?' vroeg Giff. Hij keek eerst Wido aan, en toen de hele groep rond. Ik zag dat hij knipoogde. Plotseling sprong iedereen overeind en brulde en stapte op me af. Ik hapte naar adem en hield mijn vuisten omhoog, maar toen ik weer rondkeek, lachten ze alleen.
Giff trok zijn lippen naar achteren, zodat ik zijn tanden kon zien. 'Wat zei je ook alweer?'
'Over het ijs,' zei ik, en ik besefte dat ik buiten adem was, 'en ik ben ook een keer bang geweest toen Alan de wapensmid zijn gevechtsstok op mijn luchtpijp drukte. En toen ik met Jehan vocht. Je weet wel, Milons hoefsmid.'

'Jehan,' herhaalde Wido. 'Die kenden we, hè jongens?'

'Hij heeft me verwond,' zei ik, en ik hield mijn linkerarm omhoog en liet hun het lange litteken zien.

'Hij was stapelgek,' zei Wido.

'Wat is er met hem gebeurd?'

Wido greep met zijn handen zijn keel vast en bewoog zijn hoofd met een ruk naar achteren. 'Maar jij, Arthur,' zei hij, 'jij bent dapper!'

'Dapper!' herhaalde de hele kring voetknechten, en ze lachten allemaal weer.

'Je wordt ridder,' zei Wido.

'Nog niet,' antwoordde ik. 'Dat hangt van Milon af.'

Wido keek een andere man aan. 'Godard! Ik dacht dat je je tong had ingeslikt.'

Godard kwam op me af. Hij is helemaal niet zo groot, maar taai en gespierd. 'Angst voor de strijd is anders,' begon hij, en hij wreef met zijn rechterhand over zijn mond. 'Zodra je weet dat er gevochten gaat worden, is het net of je koorts hebt. Je krijgt kippenvel. Je gaat aan de schijterij. Daarna begin je te trillen, en het houdt niet op. Ja toch, jongens?'

Al Milons mannen knikten. Een van hen leek even oud als ik. Zijn adamsappel ging op en neer.

'Je mond is kurkdroog,' zei Wido.

'En de Nachtfeeks loopt over je heen,' zei Giff.

Godard wreef weer met zijn hand over zijn mond. 'En je angst galoppeert met je mee de strijd in. Je leeft! Je bloed staat in brand. Je bent bang. iedereen is bang. Sommigen laten het zien, anderen niet.'

'En sommigen zijn dapper,' voegde Wido eraan toe, 'en anderen niet.'

'Milon zegt dat je niet kunt leren om dapper te zijn,' zei ik. 'Het zit gewoon in je.'

'Trouw kun je leren,' zei Wido. 'En plichtsgevoel. Je kunt doorbijten.'

'Maar als een Saraceen krijsend op je afrent?' vroeg ik.

'Dan komt het erop aan,' antwoordde Wido. 'In het heetst van de strijd.'

'Lafaards!' zei Godard vol afkeer. 'Die zijn erger dan grasslangen.'

'Ze zouden gevild moeten worden,' zei Wido.

'Herinneren jullie je die verdomde Gotiller nog?' vroeg Godard.

'Ja, hij heeft ons laten barsten,' zei Wido. 'Door hem verloren we vijf man. Daarom hebben we na de veldslag zijn buik opengesneden en zijn darmen eruit getrokken en rond een paal gewonden.'

'De Saracenen zijn het ergst,' zei Giff. 'Ik heb tegen Duitsers en Angevijnen gevochten, maar de Saracenen zijn het ergst. Ze krijsen en gillen. Ze gillen afgrijselijk.'

Godard sloeg zijn armen rond zijn borst. 'Saracenen weten wat trouw en plicht is. Die verdomde ongelovigen! Ze zijn zo wreed als vishaken en ze denken dat God aan hun kant staat.'

'Wil je weten wat ze met een maat van mij hebben gedaan?' vroeg Giff aan mij.

De hete zon brandde, maar ik merkte dat ik rilde. 'Wat dan?' vroeg ik.

'Hij komt er gauw genoeg achter,' zei Wido.

Waar ik gauw achter zal komen is of ik goed genoeg ben. Of alles waarvan ik weet dat het juist is – plicht, trouw en moed – sterker is dan mijn angst als ik echt meedoe aan een veldslag.

Niet alleen angst. Erger dan dat. Verlammende lafheid. Dodelijke vrees voor de strijd.

Ik heb hard geoefend, ik vertrouw Bonamy en ik weet wat ik moet doen, maar toch ben ik bang.

11

Vijanden van God

'Het zijn moordenaars, de mannen van Milon! Wido en Godard en Giff.'
'Doders van het kwaad,' zei lord Stephen. 'Dat zei Sint-Bernardus.'
'Nee, heer, u begrijpt het niet. Ze hebben een van hun eigen mannen gedood omdat hij laf was en hen in de steek liet.'
Lord Stephen knipperde een paar keer met zijn ogen. 'Of omdat ze bang waren voor zijn angst,' zei hij.
'Ik wou dat ik niet met hen had gepraat.'
'Ga zitten!' zei lord Stephen. 'Je staat daar maar, eerst op het ene been, en dan op het andere.'
'Het spijt me, heer.'
'Die zon is erg genoeg zonder dat ik er recht tegenin moet kijken. Luister, Arthur! Wat is onze kruistocht?'
'Een godsvruchtige daad,' antwoordde ik. 'Een queeste waarvoor we goed moeten zijn in gevechtstechnieken en die ons veel eer kan brengen. Een oorlog tegen de vijanden van God.'
'Ja, dat allemaal,' zei lord Stephen. 'We vechten alleen omdat het verkeerd zou zijn om de vrede te bewaren. We doden niet om het doden.'
'De mannen van Milon wel,' zei ik.
'Bekijk het eens vanuit hun gezichtspunt,' zei lord Stephen. 'Ze hebben er niet voor gekozen om mee te gaan. En wat brengt het hun op? Gezelschap. Avontuur. Af en toe een vrouw. Dat is alles.'
'Ja, heer.'
'Zoals ik je in Soissons heb verteld, zijn er veel redenen waarom mensen het kruis aannemen,' zei lord Stephen. 'Sommige zijn edel,

andere niet, en aanvoerders moeten zich behelpen met allerlei soorten mannen, uit allerlei standen. Maar als we tegenover God staan, moet elk van ons verantwoording afleggen voor zichzelf.'

Lord Stephen sloeg een lawaaiige vlieg weg.

'Herinnert u zich Salman nog?' vroeg ik.

'Natuurlijk,' zei lord Stephen. 'De stervende Saraceense koopman.'

'Zoals hij naar me glimlachte, en ons daarna bedankte en ons zegende... Ik denk dat hij er klaar voor was om voor God te verschijnen.'

'Niet voor God,' verbeterde lord Stephen me. 'Voor een valse profeet.'

'Ik kan maar niet begrijpen waarom de Saracenen zulke vijanden zijn van God. Oliver zegt dat ze dat zijn. En graaf Thibaud zei het.'

'Ik zeg het ook,' zei lord Stephen met een kalme, vastberaden stem. 'Als ik dat niet geloofde, zou ik hier niet zitten. Maar dat betekent niet dat we tegen hen moeten schreeuwen, tieren en tekeergaan.'

'De Saracenen schrijven boeken over sterrenkunde, algebra en zingen,' zei ik. 'Fustein is in Egypte voor het eerst gemaakt. De Venetianen drijven handel met de Saracenen! En degene die ik heb ontmoet, was een zachtmoedige man. Waarom zijn de Saracenen dan vijanden van God?'

'Omdat ze Christus loochenen,' zei lord Stephen. 'Omdat ze Allah vereren in plaats van de ware God. Omdat ze knielen voor een valse profeet. Omdat ze de heilige plaatsen in Bethlehem en Jeruzalem bezoedelen. Is dat voldoende?'

'Ja, heer.'

'Natuurlijk zijn er ook wel goede Saracenen, zoals er slechte christenen zijn.'

'Mijn vader heeft me over Saladin verteld.'

'Precies. Een groot aanvoerder en een voortreffelijk man. Als je vader hier was, zou hij zeggen...'

'Ik ben blij dat hij niet hier is!' riep ik uit.

'Ja,' zei lord Stephen, en hij glimlachte vriendelijk. 'Wel! Ik ook!'
'Is het waar dat Saladin een beter mens was dan koning Jan?' vroeg
ik.
Lord Stephen sloot zijn ogen. 'Hoogstwaarschijnlijk wel,' antwoordde hij.
'De koning heeft geprobeerd zijn eigen broer te onttronen!'
Lord Stephen zuchtte. 'Leiders moeten vaak in twee richtingen tegelijk kijken,' zei hij.
'Wat zeggen de Saracenen over ons?' vroeg ik. 'Sir John vertelde
me dat zij ook geloven dat ze een heilige oorlog voeren. Een *jihad*!'
'We hebben veel gemeen,' zei lord Stephen, 'maar er is veel meer
dat ons scheidt. Zij geloven dat Jezus zal afdalen uit de hemel en
de levenden en de doden zal oproepen om hun godsdienst te volgen. De islam.'
'Wanneer?'
'Ze geloven dat de zon tijdens de laatste dagen in het oosten onder zal gaan. Ik weet niet precies wat ze over ons zeggen. Jij met al
je vragen… Ik heb goed nieuws voor je.'
Toen vertelde lord Stephen me dat Milon was komen aanrijden
terwijl ik onze portie kaas, brood en fruit van de ochtendboot ging
halen, en aankondigde dat hij me, als ik er klaar voor ben, over
drie weken tot ridder zal slaan. Op de zevenentwintigste dag van
de maand juli.
Ik wou dat ik op de negende dag geridderd werd, want negen is
mijn getal. Maar zevenentwintig is in elk geval drie keer negen, en
Oliver zou zeggen dat dat nog beter is. Ik kan zijn stem nu horen:
'Beste jongen! Het is toch duidelijk. Drie keer negen! Eén negen
voor de Vader, één voor de Zoon en één voor de Heilige Geest.'
Kon ik Tom maar hierheen toveren zodat we samen geridderd
konden worden! Mijn halfbroer en mijn beste vriend. In een veldslag zou ik niemand liever naast me hebben dan Tom. Hij versloeg
Serle met zwaardvechten toen hij pas veertien was.

Maar ik wou dat hij niet had gezegd wat hij zei op de dag dat Winnie en ik ons verloofden. Dat hij graag met Winnie zal trouwen als ik niet terugkom van de kruistocht.

12

Het lichaam en het hart

Ik kon niet slapen. Daarom keek ik in mijn obsidiaan, en ik zag hen meteen. Koningin Guinevere die bij het raam van haar kamer staat en haar wangen tegen de koude tralies drukt, en sir Lancelot die beneden in de tuin staat met een lange ladder onder zijn linkerarm en een zwaard in zijn rechterhand voor het geval iemand hem opwacht.

De maan is romig en zacht, en de juwelen op de jurk van de koningin twinkelen. Het zwaard van sir Lancelot schittert.

'Ik doe het!' zegt sir Lancelot fluisterend. 'Ik kan het!'

Guinevere hapt naar adem. 'Je kunt het niet!' zegt ze zacht. 'Ik wou dat je het kon, net zo graag als jij.'

'Hoe graag? Hoe graag wil je dat ik het zou kunnen?'

'Met mijn hele hart.'

'Dan doe ik het!' zegt sir Lancelot schor. 'Ik zal je laten zien hoe sterk jouw liefde mij maakt.'

Nu zet sir Lancelot de ladder onder het raam van de koningin. Hij steekt zijn zwaard in de schede en klimt tegen de ladder op.

'Nee!' zegt de koningin.

Sir Lancelot grijpt twee van de dikke ijzeren tralies. Hij trekt met al zijn kracht. Ik kan zien hoe zijn neusgaten zich opensperren. Hij wringt de tralies helemaal uit de stenen muur.

'Je hebt je gesneden!' roept de koningin uit. 'Laat eens zien.' Ze steekt haar hand uit en pakt Lancelots linkerhand. 'Tot op het bot,' fluistert ze.

'Tot in mijn hart, vrouwe,' antwoordt Lancelot.

Nu grijpt sir Lancelot de derde tralie met zijn rechterhand en gaat

op de bovenste sport staan. Met een kreet trekt hij zich op en springt in de door kaarsen verlichte kamer van de koningin.

Koningin Guinevere en de ridder die koning Arthur het meest vertrouwt, slaan hun armen om elkaar heen.

'Laat me je wond verbinden,' zegt de koningin zacht.

'Ik ben wel erger gewond,' zegt sir Lancelot. 'Mannen die vechten, verwachten gewond te raken.'

Hij trekt de koningin weer naar zich toe.

'Geen ridder is zo sterk als jij,' fluistert de koningin. 'En je weet hoe een sterke man de liefde van een vrouw opwekt. Ga hier zitten, dan zal ik je wond verzorgen.'

Guinevere pakt een wit zijden hemd dat zo dun is dat je het zou kunnen verfrommelen om het in je vuist te verbergen. Ze neemt de zoom tussen haar tanden en scheurt een reep af om die rond Lancelots linkerhand te wikkelen.

'Toen ik een jongen was,' zegt sir Lancelot, 'werd ik grootgebracht door de Vrouwe van het Meer, en ik verlangde ernaar om ridder te worden.

"Weet je het zeker?" vroeg ze. "Weet je wat het betekent om een ridder te zijn?"

"Ik weet dat sommige mannen het waard zijn vanwege de deugden van het lichaam en andere vanwege de deugden van het hart," antwoordde ik.

"Wat is het verschil?" vroeg de Vrouwe van het Meer aan me.

"Sommige mensen hebben zware botten of veel energie, of zijn erg knap als ze uit de schoot van hun moeder komen, en andere niet," vertelde ik haar. "Als een man tenger is of geen uithoudingsvermogen heeft, kan hij daar niets aan doen. Maar iedereen kan de deugden van het hart verwerven."

"Wat zijn die deugden?" vroeg de Vrouwe van het Meer.

"Goede manieren. Tact. Zelfbeheersing. Trouw en grootmoedigheid.'"

Koningin Guinevere slaat allebei haar armen om sir Lancelot heen. 'Van het lichaam…' fluistert ze. 'En van het hart… Jij hebt ze allebei, Lancelot. Wat antwoordde de Vrouwe van het Meer?'

'Ze zei dat het niet voldoende was om ridder te willen worden. Ze vertelde me dat een ridder verantwoordelijkheden heeft. Hij moet ruimdenkend en gul zijn, en vrijgevig tegenover mensen die van hem afhankelijk zijn, vooral de arme. Hij mag dieven en moordenaars geen genade schenken. Een ridder moet de Heilige Kerk beschermen tegen boosdoeners en ongelovigen.'

'Is er ooit een man geweest met zulke deugden?' vraagt Guinevere glimlachend.

'Dat vroeg ik de Vrouwe van het Meer, en zij noemde me heel wat namen. Ze zei dat ik het ridderschap waardig zou zijn zolang deze verantwoordelijkheden mijn ware doel waren. En ze zei dat een ridder nooit door zijn eigen daden het ridderschap mag onteren. Een ridder moet schande meer vrezen dan de dood.'

Sir Lancelot en koningin Guinevere kijken elkaar aan.

'Tussen ons is geen schande,' zegt sir Lancelot. 'In wat we zeggen of wat we doen. Onze liefde is zuiver.'

'Zolang ze alleen van ons is,' antwoordt de koningin, 'en we de koning niet kwetsen of onteren.'

'Zolang niemand haar uit afgunst of kwaadaardigheid vergiftigt,'
zegt sir Lancelot.
'Ik hou van je, Lancelot,' zegt Guinevere. 'Maar ik ben Arthurs ko-
ningin.'
'Mijn nachtegaal!' zegt sir Lancelot hees.
De koningin zegt niets. Haar hart bonst. Het bonst.

13

Iets heel akeligs

Er is vanmiddag iets heel akeligs gebeurd.

In plaats van de voedselboot kwam er een boodschapper uit Venetië gevaren met een geschenk voor lord Stephen. Een houten kistje zo groot als de voederzak van een paard, dichtgebonden met veelkleurige linten.

Toen lord Stephen zijn kistje openmaakte, zat het vol met rottend, stinkend visafval, met starende ogen en gapende bekken. Vissendarmen, vissenstaarten en een warboel van graten.

Lord Stephen deinsde terug en de boodschapper hield een octavo van perkament op.

'Lees voor!' snauwde lord Stephen naar mij.

Raadsleden van Venetië aan lord Stephen de Holt
en Milon de Provins
op de feestdag van Sint-Andreas van Jeruzalem

Wij tekenen en bezegelen een verdrag met u. We maken tweehonderd schepen klaar voor het feest van Sint-Petrus en Sint-Paulus. We geven een feestmaal voor u en uw schildknapen.

En u? U tekent en bezegelt een verdrag met ons. U belooft ons vijfentachtigduizend zilveren marken te betalen. Bovendien eet u elke dag ons voedsel, en u drinkt wijn en bier.

U bent geen goede partner. We hebben geen vertrouwen in u. Uw woorden zijn niet meer waard dan vissenkoppen!

Wanneer betaalt u ons?

Geschreven op Rialto
door vier raadsleden

Lord Stephen klapte in zijn handen. 'Zadel Gigant!' zei hij tegen mij. 'Ik rijd naar Milon om met hem te spreken.'

14

Koorts

Ik heb een vers bedacht.
Eerst wist ik niet zeker waarover het zou gaan, maar het woord
'koorts' keerde telkens terug in mijn hoofd. Ik begon over Winnie
te denken, en over wat Wido en de mannen van Milon me hebben
verteld over vechten, en toen heb ik deze veer geslepen.

Vurig haar, goudbruine ogen! Sproeten op je vel!
Winnie, als ik je in gedachten voor me zie,
Krijg ik het koud en warm, mijn hart klopt snel.

Toen we elkaar ontmoetten, wisten we het zo gauw.
We hebben ons verloofd, en ik geloof je echt,
Waarom zou ik dan twijfelen aan je trouw?

Voor een veldslag krijg je koorts, je voelt je rot,
Je rilt en zweet, je straalt, je vloekt,
En smeekt om genade van God, de Wever van ons Lot.

Dat is pas het begin. Er komt veel ergers.
Je krijgt de schijterij, je glimlach is een grijns,
Maar toch, zo levend voelde je je nog nergens.

Zouden liefdeskoorts en angst voor het gevecht
hetzelfde zijn?
Allebei vol pijnlijke vreugde, en vreugdevolle pijn.

Ik wil graag dat Winnie mijn vers leest, maar ik weet niet of het ooit mogelijk zal zijn om het haar te sturen.

15

Een moeder om te zoeken

'Wat zing je?' vroeg ik aan Rhys.
'Niets,' zei Rhys.
'Namen?'
'De kleuren van paarden.'
'Ga dan verder.'
Dus floot en zong Rhys:

> 'Hoe word jij genoemd?
> Zwartbont!
>
> Hoe heet jij, strijdros?
> Vurige Vos!
>
> En jij, rare stippel?
> Ik? Appelschimmel!'

'Vurige Vos,' zei ik. 'Dat vind ik mooi. De eerste keer dat ik Bonamy zag, vlamde zijn vacht even vurig als een paardekastanje die uit zijn schil barst. Wat ben je trouwens aan het doen?'
'Waar lijkt het op?' antwoordde Rhys. 'Het hoofdstel van Gigant ligt in stukken.'
'En zo te zien, ligt ook zijn mondstuk uit elkaar, in stangen, schakels, pinnen en ringen!'
Rhys grijnsde.
'Wat vind je van die wrat van Bonamy, net boven zijn linkervetlok?'
'Dat is niets ernstigs,' zei Rhys. 'Maar ik hou het in de gaten.' Hij

keek op naar de woelige lucht. 'Regen!' zei hij. 'De eerste druppel.'

Toen ik terugging naar onze tent, was lord Stephen nog steeds niet terug uit het kamp van Milon – zijn tweede bezoek in twee dagen – en het was te vochtig om zijn kleren te luchten, dus ging ik op mijn rug liggen en begon na te denken over koningin Guinevere en sir Lancelot.

Kan het waar zijn dat hun liefde zuiver is?

Guinevere is getrouwd met koning Arthur.

De waarheid komt altijd aan het licht. De mensen zullen het ontdekken en dan zal er veel bitterheid en verdriet zijn.

Het zeildoek boven me werd donker en klapperde. Ik herinnerde me hoe de koning zich voelde toen hij Guinevere voor het eerst zag: wankel en toch sterk, zoals ik me voel wanneer ik naar Winnie kijk. Merlijn zei tegen Arthur dat hij verblind werd door liefde. 'Zeg niet dat ik je niet gewaarschuwd heb,' zei hij. 'Als je niet zo vreselijk verliefd was, zou ik een mooie en trouwe vrouw voor je kunnen vinden.'

Ik denk dat de koning Merlijn nog steeds nodig heeft, en ik ook. De laatste keer dat ik hem zag, was op een dag in mei toen hij opdook in Holt en ik hem vertelde dat ik halverwege was tussen schildknaap en ridder. In het tussenland...

'Waar kun je anders zijn tijdens een queeste?' antwoordde Merlijn. Maar toen verdween hij. Dat is echt iets voor Merlijn.

Ik geloof nog steeds niet helemaal dat hij deze wereld verlaten heeft. Hij kan toveren. Hij heeft de sprong van de zalm gemaakt. Ruim veertien meter! En hij is een keer zomaar verdwenen op de top van Tumber Hill. Ik geloof half dat ik Merlijn zal terugzien.

Het is nu nog maar twee weken tot Milon me tot ridder zal slaan, en voordat het zover is wil ik er nog meer over nadenken wat het werkelijk betekent en wat er zal veranderen als ik een ridder ben. Ik was er net mee begonnen toen Bertie zijn hoofd door de tentopening stak.

'Kom mee!' riep hij.

'Waarheen?'

'Rialto. We kunnen meevaren op de voedselboot.'

'Dat kan ik niet doen.'

'Ja hoor!'

'Niet zonder het aan lord Stephen te vragen.'

'Ga nou mee!' zei Bertie enthousiast.

Ik weet niet waarom, misschien kwam het door Berties grijns; in elk geval sprong ik op, hoewel ik wist dat het verkeerd was. 'Vooruit dan maar!' zei ik.

'Echt?' riep Bertie.

We renden met zijn tweeën naar de lege voedselboot die op het punt stond terug te varen naar Venetië.

Zodra de roeiers wegvoeren van de kade, stond Bertie op en schreeuwde: 'San Nicolo is een gevangenis en wij zijn ontsnapt!'

'Wat gebeurt er met ontsnapte gevangenen als ze weer worden gegrepen?' vroeg ik.

'Dat kan me niet schelen!' zei Bertie, en hij stak zijn kin naar voren. 'Vertel me nu over je moeder!'

Dat deed ik. Ik vertelde Bertie dat ze Mair heet en dat het me nog steeds niet gelukt is haar te ontmoeten.

'Bedoelde je dat toen je zei dat je haar niet tot leven kon brengen?' vroeg hij.

'Ja! Ze is een arme vrouw uit het dorp, en ze was getrouwd en mijn vader heeft haar misbruikt. Maar het is zelfs nog erger. Ik heb ontdekt dat Emrys, de man van mijn moeder, mijn vader openlijk heeft beschuldigd in de kerk en kort daarna is verdwenen.'

Bertie floot schel.

'Ik ben weggenomen van mijn moeder en naar pleegouders gestuurd,' vertelde ik hem.

'Om page te worden?'

'Nee, ik was pas twee dagen oud. Om van me af te zijn, zodat mijn vader kon doen alsof er niets was gebeurd. Hij moet bang zijn geweest dat mijn moeder het mij zou vertellen.'

'Maar je bent het toch te weten gekomen,' zei Bertie.

'Pas twee jaar geleden,' zei ik, 'en sir William heeft me gewaarschuwd dat ik niet moet proberen mijn moeder te ontmoeten. Hij is gevaarlijk. Ik denk dat hij Emrys heeft vermoord, en hij weet wat er zou gebeuren als de waarheid bekend wordt. Dan komt hij aan de galg.'

'Ik zou toch proberen haar te ontmoeten,' zei Bertie.

'Ik heb het geprobeerd,' zei ik, 'en lord Stephen heeft me geholpen. Mijn moeder heeft deze ring toevertrouwd aan twee van mijn vaders bedienden, Thomas en Maggot, om hem aan mij te geven. En toen ik ze gunsten beloofde, vertelden ze dat ze een ontmoeting voor me hadden geregeld.'

'Maar je zei dat je haar niet had ontmoet.'

'Ik werd zó opgewonden wakker op de dag dat we elkaar zouden ontmoeten! Ik ging op mijn handen staan en zei het hele alfabet achterstevoren op terwijl ik met mijn benen in de lucht trappelde.'

'Wat gebeurde er?'

'Lord Stephen en ik reden naar de ontmoetingsplaats. De Groene Stam. Een reusachtige oude omgevallen olm, bedekt met stoffige klimop. We wachtten en wachtten. De hele middag. We wachtten...'

Bertie kneep zijn ogen tot spleetjes en schudde zijn hoofd.

'Maggot zei dat mijn moeder ziek was, maar zij en Thomas zijn onbetrouwbaar. Ze zijn in dienst van mijn vader, en ze hebben mijn moeder waarschijnlijk niet eens verteld over de ontmoeting met mij, en dat er voor mij niets belangrijkers in de wereld bestaat. Maar soms ben ik bang dat ze mij niet wil ontmoeten.'

'Ze heeft je toch die ring gestuurd,' zei Bertie. 'Ze moet van je houden. Kun je haar niet zelf gaan zoeken?'

'Dat heb ik aan lord Stephen gevraagd, en hij zei dat hij er niet aan

durfde te denken wat er zou gebeuren als sir William zou ontdekken dat we iets achter zijn rug om proberen.'

'Waarom? Wat zou hij kunnen doen?'

'Ik weet het niet. Misschien iets tegen mijn moeder. Ik wil haar
niet in gevaar brengen,' zei ik. 'Ik had nooit gedacht dat het zo
moeilijk zou zijn.'

'Toch heb je geluk,' zei Bertie. 'Jij hebt in elk geval een moeder om
te zoeken. Ik zie mijn moeder pas als ik sterf.'

16

Saraceense kooplieden

Toen we in Venetië kwamen leek Bertie meer op een jachthond
dan op een mens. Hij rende heen en weer, stak zijn neus in van al-
les en nog wat en gilde van opwinding. Het zou me niet verbaasd
hebben als hij zijn been had opgetild.
'Kom mee!' zei ik.
'Welke kant op?'
'Ik weet het niet. Laten we naar het noorden gaan.'
'Waarom?'
'Omdat we dan later naar het zuiden kunnen lopen om de weg terug te vinden naar de boot.'
'Jij denkt altijd overal over na,' zei Bertie.
Maar naar het noorden lopen is in Venetië helemaal niet zo gemakkelijk. De straten en stegen zijn vol bochten en hoeken, om alle ka-
nalen te vermijden die een heel netwerk vormen door de stad, zoals
er in ons lichaam overal aderen zijn. Sommige lopen dood, sommige gaan een stenen brug over, en sommige zijn zo smal dat de mensen elkaars vingertoppen kunnen aanraken als ze vanuit de ramen
op de tweede of derde verdieping aan weerskanten hun armen uitsteken. Het is er duister en je hebt geen idee of je naar het noorden,
oosten, of westen loopt, of zelfs weer terug naar het zuiden.
Maar na een tijdje kwamen Bertie en ik bij een *campo*, een soort
vierkant plein met gebouwen eromheen, waar een markt was. In
de achterafstraten is het zo stil dat je de echo's van stemmen en
voetstappen kunt horen, en het ruisen van water. Maar de *campo*
was lawaaiig en vol mensen.
Eén kraam was net een kleine open tent, gemaakt van tapijten die

versierd waren met karmozijnrode en donkerbruine draken, tur-quoise pauwen, een feniks boven wervelende oranje vlammen, en allerlei andere beesten. Op bankjes in de kraam zaten drie koop-lieden met een donkere huid.

Bertie en ik stonden naar deze kraam te staren toen iemand zijn hand zwaar op mijn rechterschouder legde.

Ik draaide me om en keek in het gebruinde gezicht van Silvano, de meester-scheepsbouwer.

'Artù?' zei hij. 'Ja, jij bent Artù.'

'Ja, ik ben Arthur.'

'Waar is lord Stephen?'

'Niet hier,' zei ik zenuwachtig.

'Ah!' zei Silvano. 'Geld! Heeft hij geld?'

'Ik weet het niet,' antwoordde ik. 'Gauw. Heel gauw.'

'Wie is hij?' vroeg de scheepsbouwer.

'Bertie,' zei ik. 'Bertrand de Sully. De schildknaap van Milon de Provins.'

'Hoe oud?'

'Dertien,' zei Bertie.

'Nee!' zei Silvano lachend. 'Negen-dertien. Tien-dertien.'

Bertie trok een lelijk gezicht. 'Ik zei dertien,' herhaalde hij.

'Dit is een prachtige kraam,' zei ik.

'*Si!*' zei Silvano. 'Saraceense tapijten.'

'Saracenen!' riep Bertie uit. 'Tegen wie we gaan vechten, bedoelt u?'

Silvano schudde zijn hoofd. 'Kooplieden! Geen krijgers.'

De drie kooplieden stonden op en kwamen uit de kraam naar bui-ten. Ondanks de warmte droegen ze allemaal gewaden die tot aan hun polsen en enkels kwamen, en hun gezichten waren nog don-kerder dan die van de donkerste Venetianen. Hun waakzame ogen deden me denken aan de vriendelijke koopman met wie ik in Coucy had gesproken. Maar ze droegen geen schedelkapje, en de haren van de vrouw waren bedekt met een soort sluier.

'Maar het zijn Saracenen,' zei Bertie.

'Man en vrouw en broer,' zei de scheepsbouwer. 'Oude vrienden! Saracenen handelen in Venetië zonder problemen…'

'In de Champagne ook,' voegde ik eraan toe.

'Dat wist ik niet,' zei Bertie.

'En Venetianen handelen in Damascus,' zei Silvano. 'In Aleppo en Amman. We betalen belasting voor onze veiligheid. Venetianen handelen veel in Egypte. Heel belangrijk.' Daarna stapte hij naar voren en begroette de kooplieden. Hij gaf de mannen elk een hand en maakte een kleine buiging voor de vrouw.

'Ze vragen waar je vandaan komt,' zei de scheepsbouwer.

'Engeland,' zei ik.

'*L'Inghilterra*,' vertaalde Silvano, en een van de kooplieden greep naar zijn nek, en ze lachten alle vier.

'Hij zegt dat hij een kaart heeft gezien,' zei de scheepsbouwer. 'Een kaart van je land aan de overkant van de Donkere Zee. Het lijkt op de kop van een struisvogel.'

'Wat is een struisvogel?' vroegen Bertie en ik tegelijk.

De Saraceense vrouw hield verbaasd een hand voor haar mond. Daarna wees ze naar een heel rare vogel waarmee een van de tapijten versierd was, en ze lachten weer alle vier.

Ik heb nog nooit een kaart van Engeland gezien. Ik wist niet wat ik moest zeggen.

'Ik ben Frans en Engels,' verkondigde Bertie. 'Vertel ze dat maar.' Toen ze dit hoorden, lachten de kooplieden weer en wezen naar een dier op een ander tapijt dat half vogel, half beest was.

'Ze zeggen dat je witte huid bijna blauw lijkt,' zei Silvano tegen Bertie.

'Nee hoor,' protesteerde Bertie. 'Zíj zien er raar uit, wij niet.'

'Waar komen ze vandaan?' vroeg ik. 'En wat verkopen ze?'

'Alexandrië,' antwoordde de scheepsbouwer. En toen hij mijn niet-begrijpende gezicht zag, voegde hij eraan toe: 'Egypte! Ze ver-

kopen veel. Peper en gember, kaneel en foelie. Sponzen. Parfum.'
Silvano glimlachte. 'Parfum voor mijn dochter! Ze verkopen goud.'
'Goud!' riep Bertie uit. 'Laat eens zien.'
'De kooplieden willen je toekomst voorspellen,' zei Silvano tegen
mij.
'Hoe?'
'Uit je hand.'
'Nee, bedankt,' zei ik. 'Ik ontdek het liever zelf.'
'Ik wil wel!' zei Bertie, die zijn rechterhand uitstak. 'Voorspel mijn
toekomst!'
Een van de kooplieden pakte Berties smalle pols vast. Hij keek naar
zijn handpalm, en plotseling was ik me bewust van zijn zwijgen, de
stille blik van de anderen, en het rumoer van de markt om ons heen.
'Wat staat er in mijn hand?' vroeg Bertie.
'Niets,' zei Silvano. 'Hij zegt dat er niets in staat.'
'Hoezo – niets? Waarom wil hij het niet zeggen?'
De Saraceen haalde zijn schouders op.
'Staat erin dat ik doodga?'
'We gaan allemaal dood,' antwoordde Silvano.
'Ik bedoel…' begon Bertie, maar toen aarzelde hij. 'U weet wat ik
bedoel.'
De koopman keek Bertie strak aan, maar toen werd zijn uitdruk-
king zachter, en even dacht ik dat hij hem ging omhelzen. In plaats
daarvan zei hij heel zacht iets.
'Bertie,' zei Silvano, 'hij zegt dat hij je niets kan vertellen dat je zelf
niet weet.'
In een hoek van de *campo* begon iemand op een trommel te slaan.
Boem. Boem-boem. Boem. Boem-boem.
Toen zag ik vier monniken die een ruw uitgehouwen kruis droegen, en een vijfde die met een wierookbrander zwaaide. Als ze stil
bleven staan, schoten de marktkooplieden naar voren om het
kruis te kussen, en de monniken kwamen onze kant op.

'*Baciate! Baciate il crucifisso!* Kus het kruis.'

De kooplieden vertrokken hun gezicht, en ik ook vanwege de stank van de wierook. De mensen om ons heen schreeuwden en de kooplieden schreeuwden terug.

'Ze zeggen dat wierook van uitwerpselen wordt gemaakt,' zei de scheepsbouwer tegen ons. 'Uitwerpselen van de patriarch van Constantinopel, en van andere christelijke priesters. Dat weten alle Saracenen!'

'Dat mogen ze niet zeggen!' riep ik uit. 'Waarom laat u het toe?'

Maar nadat de mensen naar de Saraceense kooplieden hadden geschreeuwd en gejouwd, trok de menigte verder, achter de priesters aan die riepen: '*Baciate! Baciate il crucifisso!*' De kooplieden haalden hun schouders op en grijnsden naar de scheepsbouwer.

'Elke dag!' zei Silvano tegen ons. 'Ze zeggen dat er elke dag hetzelfde gebeurt. Christenen leren het nooit.'

'Waarom denken zij dat ze beter zijn?' protesteerde ik. 'Ze vereren een valse profeet.'

Silvano glimlachte en legde zijn grote hand op mijn rechterschouder. 'Voor kooplieden,' zei hij, 'is handel het belangrijkst.'

'Dat is verkeerd,' zei Bertie.

Een van de kooplieden kwam naar voren en gaf me een hand.

'Hij zegt dat de profeet Mohammed… een koopman was,' zei Silvano tegen mij. 'Overzee.'

En toen ik in de donkere ogen van de koopman keek, zag ik dat ze dansten.

'Hij zegt: God zij geloofd! Moge de Heer van het Heelal jullie beiden beschermen,' zei de scheepsbouwer.

Op de terugweg vroeg ik Bertie wat er in zijn handpalm stond en waarom hij bang was.

'Ik ben niet bang.'

'Nee… maar je vroeg iets over je dood.'

Bertie stak zijn hand buitenboord en liet hem door het water slepen.

'Iedereen is bang om te sterven,' zei ik. 'Ik ook.'

Bertie spoelde zijn hand. Hij reinigde hem. 'Dit is de derde keer dat iemand mijn toekomst heeft voorspeld,' zei hij toonloos. 'De eerste man zei dat ik niet oud zou worden. De vrouw op de markt van Soissons vertelde me dat ik zou sterven voordat ik een man was.'

17

Mijn stralende belofte

Onze wapensmid wachtte me op. Toen ik terugreed nadat ik Bonamy wat beweging had gegeven, kwam hij me een flink eind buiten het kamp tegemoet.

'Wat is er?' vroeg ik.

Turolds gezicht leek meer gebarsten en verkreukeld dan ooit. Het was net een stuk varkensperkament dat niet goed gerekt of geschraapt is.

'Lord Stephen is nijdig. Woedend.'

'Nee hoor,' antwoordde ik. 'Hij begrijpt het. Bertie heeft slaag gekregen, maar lord Stephen zei dat ik mijn vleugels begin uit te slaan omdat ik binnenkort geridderd word. Als ik een ridder ben moet ik me voortdurend verantwoordelijk gedragen, zei hij, niet alleen af en toe.'

Turold luisterde geduldig naar me. Toen deed hij zijn ogen wijd open, en zijn voorhoofd werd een wirwar van rimpels. 'Dat is het niet,' zei hij. 'Er zijn bezoekers!' Hij stompte met zijn rechtervuist in de palm van zijn linkerhand en draaide ermee.

'Wie?'

Maar de wapensmid keerde me zijn brede rug toe en sjokte over het pad terug naar ons kamp.

'Zeg het!' riep ik.

Turold keek over zijn schouder; hij hield zijn pas niet in. 'Dat is niet aan mij,' zei hij nors. 'Je zult het wel zien.'

Zodra ik het doek van onze tent oplichtte, zag ik ze.

Sir William. Mijn vader.

En mijn pleegbroer Serle, die lui op mijn bed lag.

En een vrouw, een dame, die ik nog nooit had gezien. Die drie, en lord Stephen die op zijn kruk zat en met zijn ogen knipperde, bijna zo blind als een mol.

Hoe lang staarde ik naar hen voordat ik de tent inliep? Niet langer dan het kost om in en uit te ademen. Maar het leek mijn halve leven.

'H… hh… heer,' stamelde ik, en ik liet me op mijn rechterknie zakken.

'Waar ben jij geweest?' bulderde sir William.

'Nergens.'

'Je was zeker bezig je wilde haren kwijt te raken.'

'Ja, heer. Ik bedoel: nee, heer.'

'Wat is het nou?'

'Ja, heer.'

'Alleen dwazen doen hun mond open voordat ze weten wat ze gaan zeggen.'

'Ik wist niet dat u zou komen, heer.'

'Natuurlijk niet!' zei mijn vader. 'We wisten het zelf amper, hè Serle? Vooruit! Sta op!' Mijn vader stak zijn hand uit, maar in plaats van me overeind te helpen gaf hij me een zet. Ik wankelde opzij en viel boven op Serle.'

'Hé, kijk uit!' schreeuwde Serle.

Sir William brulde van het lachen. 'Daar had ik je!' zei hij. 'Altijd blijven opletten, Arthur.'

Terwijl ik overeind krabbelde keek ik naar lord Stephen. Hij stond op, als een bezetene met zijn ogen knipperend, en sloeg zijn dikke handen in elkaar voor zijn buik, zoals hij altijd doet als hij zich probeert te beheersen.

'Arthur,' zei hij met een vlakke stem, 'dit is lady Cécile.'

Sir William gromde.

Ik boog naar lady Cécile. Ze heeft helderblauwe ogen en een heel

lichte huid, en ze kijkt en beweegt heel statig, bijna als een koningin.

'Is Tom hier ook, heer?' vroeg ik.

Mijn vader veegde zijn neus af met de rug van zijn hand en schudde zijn hoofd.

'Ik dacht...'

'Dat heb je verkeerd gedacht,' zei sir William. 'Ik heb hem thuis
nodig om samen met lady Alice Gortanore en Catmole te beheren.'

Hij staarde me aan met zijn glinsterende rechteroog. Hij keek omlaag. Ik volgde zijn blik en toen besefte ik waar hij naar keek.

'Wat is dat voor ring?' snauwde hij.

Ik bedekte mijn rechterhand met mijn linker. Ik kreeg het warm.
En koud. Mijn adem stokte.

'Laat zien.'

'Nee, heer.'

'Je hebt me gehoord.'

'Hij is van mij.'

'Laat zien, zei ik.' Sir William sprong op me af, greep me bij mijn
polsen en rukte mijn handen van elkaar. Daarna pakte hij mijn
ringvinger vast, boog hem naar achteren en tuurde woedend naar
de ring.

Een lieve, tedere moeder met haar baby in haar armen, die zijn
handen uitsteekt en haar iets aanbiedt. Haar zoon, veilig voor al
het leed in deze wereld. Mijn ring! De ring van mijn moeder!

'Ik ken die ring!' gromde sir William. 'Hij is van mij!'

'Nee, heer. Ik heb hem gekregen.'

'Hoe durf je?' bulderde sir William.

Toen trok hij de ring van mijn vierde vinger.

'Alstublieft, heer! Alstublieft!' zei ik ademloos. 'Nee! Alstublieft!'

'Sir William! Nee!' hoorde ik lord Stephen roepen, en lady Cécile
riep: 'William! William!'

Het had geen zin.

Hij liep met grote stappen de tent uit en het strand over. Lord Stephen en ik gingen achter hem aan.

'Man!' riep lord Stephen, die moest hollen om hem bij te houden. 'Kalmeer! Dit is je zoon. Je zoon.'

'Heer! Alstublieft, heer!' Ik hield sir Williams arm vast, maar hij trok zich er niets van aan en het maakte geen verschil.

'Je zoon!' schreeuwde lord Stephen. 'Stop!'

Maar sir William stapte regelrecht het water in. Hij bracht zijn arm naar achteren en gooide mijn ring zo ver mogelijk in de golven.

Mijn stralende belofte. Mijn ring die verwarmd werd door het bloed van mijn moeder, en door dat van mij. Zij heeft hem me gestuurd, en hij was mijn enige hoop. Hij leidde me. Hij leidde me naar haar. En mijn vader heeft hem weggegooid.

18

Een klein wonder in de Mark

Sinds hun komst heeft de zon drie keer gegrauwd en de hemel in het westen met bloed gekleurd, en nog gedraagt sir William zich alsof er niets is gebeurd.

In het halfduister lijkt elke golf op de Groene Stam. Het zoute water rijst, breekt en snikt. In het halfduister en het duister heb ik gestaan waar sir William mijn ring heeft weggeworpen.

Mijn moeder! Elke keer dat ik mijn ogen sluit kan ik haar zien, maar ze wil me haar gezicht niet tonen.

Tot nu toe haatte ik mijn vader om wat hij mijn moeder heeft aangedaan, en om de lage manier waarop hij lady Alice behandelt. Nu hoop ik dat de aarde zich onder hem opent en zich boven hem sluit. Ik hoop dat de zee hem zal verslinden.

Lord Stephen weet hoe ik me voel.

'Bitterheid is gif,' waarschuwde hij me. 'Je gevoelens doen sir William geen kwaad. Maar jou wel.'

'Ja, heer.'

'Vergeet het niet! Nog maar tien dagen en dan slaat Milon je tot ridder.'

Toch weet ik dat het lord Stephen ook heel erg dwarszit.

Wat ik eerst niet wist is dat Serle Tanwen en hun zoontje Kester heeft meegenomen. Toen ik gisteren terugreed naar het kamp, waren ze bij de voedselboot.

Ik ben blij voor Tanwen omdat ze van Serle houdt, en voor ons omdat hij niet zo gemeen en venijnig is als zij erbij is. Bovendien vind ik haar aardig. Toch had Serle haar niet mogen meenemen.

Ze is het kamermeisje van lady Judith en ze durfde lady Judith niet te vertellen dat ze wegging. Ze is er zomaar 's ochtends vroeg vandoor gegaan, met Kester op haar rug.

Lord Stephen is hier heel boos over en sir John zal ook woedend zijn, want Tanwen en Serle kunnen niet met elkaar trouwen. Ze is maar een bediende en heeft geen ouders of bezittingen.

Kester is op de negende dag van mei geboren. Dus is hij twee jaar, twee maanden en twee weken oud. Met zijn donkere haar, donkere ogen en grappige, puntige kin lijkt hij meer op Tanwen dan op Serle, en dat is goed. Als hij lacht is het een mengeling van grinniken en snuiven.

Tanwen heeft me veel meer nieuwtjes verteld dan Serle, en het belangrijkste nieuws gaat over Gatty. Ik bedoel, over haar vader, Hum, en over Lankin.

Kort nadat wij de Mark waren uitgereden, kreeg Hum pijn in zijn buik. Hij wilde niet meer eten, en toen ging hij dood. Lankin kwam naar zijn begrafenis.

'Het was de eerste keer in dit hele jaar dat hij zijn hut uit kwam,' vertelde Tanwen me, 'en zijn haar was tot op zijn schouders gegroeid. De stomp van zijn rechterpols was helemaal paars en gezwollen. Midden in de dienst brulde Lankin: 'Schorem! Vuile leugenaar! Hij zal tienduizend jaar rotten in de hel!'

'Dat is vreselijk!'

'Nou ja, Hum heeft over hem gelogen bij de rechtspraak op het kasteel, hè?' zei Tanwen. 'In elk geval kunnen Gatty en Jankin zich nu nooit meer verloven. Nu zijn vader die van haar heeft onteerd.'

Later vroeg ik Serle wat er met Gatty gaat gebeuren, nu haar vader en moeder allebei dood zijn en alleen haar grootmoeder er nog is, die als een lijk in haar huisje ligt.

Serle staarde me aan en krulde zijn dunne lippen. 'Wel, Arthur, nu jij er niet bent om zelf voor haar te zorgen…' Twee jaar geleden zou ik boos geworden zijn, maar nu niet. '… heeft sir John aan

Oliver gevraagd om haar een beetje in de gaten te houden. Het vreemde is dat Gatty sinds de dood van Hum is gaan zingen.'
'Wat bedoel je?'
'Je kunt haar overal horen zingen. Droevige liedjes. Vrolijke liedjes. Niemand heeft ze haar geleerd. Oliver zegt dat het een klein wonder is in de Mark.'

Wat ik ook heb ontdekt is dat lady Cécile sir Williams maîtresse is. Ik herinner me dat sir John me een keer vertelde dat sir William de helft van de tijd van huis was om zijn landgoed in de Champagne te bezoeken. En ik geloof dat hij zei dat hij daar ook een vrouw bezocht. Maar het was toen allemaal zo ver weg.
Lady Cécile is Frans, en vriendelijk en vastberaden. Ze behandelt alle mensen alsof ze haar kinderen zijn, zelfs sir William. Ze is nogal topzwaar, en als ze Kester tegen zich aandrukt zou je haast denken dat hij stikt. Maar hij kraait en lacht, en schijnt het fijn te vinden. Sir William blijkbaar ook.
Ik begrijp niet waarom lady Cécile van mijn vader houdt. Hoe kan ze? Ik vind haar best aardig, maar als ik haar en sir William samen zie moet ik aan lady Alice denken.
Haar krul die onder haar kap uit danst. Haar oranje mantel. Onze

wekelijkse Franse lessen en ons gelach. Hoe ze me geholpen heeft bij mijn pogingen om mijn moeder te ontmoeten.

'Sir William schreeuwt tegen lady Alice,' vertelde Tom me een keer, 'en soms slaat hij haar, maar toch aanbidt hij haar.'

Grace vertelde me dat lady Alice vaak huilt als sir William in de Champagne is. Ze moet al het werk van de kasteelvrouwe doen en ook nog de helft van dat van de heer: de boeken bijhouden en het daglonerswerk regelen op de twee landgoederen. Ze gaat moe slapen en wordt moe wakker, en dan moet ze weer huilen.

Sir William en lady Cécile hebben hun tent opgezet aan de andere kant van de tent die Rhys en Turold delen. Ik vind dat ze lady Alice net zo onteren als koningin Guinevere en sir Lancelot koning Arthur onteren.

Sir William is een eenogig, zilvergrijs, stekelig wild zwijn. Hij is misschien een moordenaar. En hij heeft mijn moeder misbruikt en haar toen weggeworpen.

Mijn ring! Onze ring zonder einde...

19

Winnies brief

Nu pas! Vijf hele dagen nadat hij hier is gekomen, heeft mijn vader me een brief van Winnie gegeven.
Of eigenlijk heeft hij hem bij lord Stephen achtergelaten voordat hij en Serle het kamp uitreden om San Nicolo eens goed te gaan bekijken. Hij is al ongeduldig over het uitstel van de kruistocht, en moppert de hele tijd.
Toen ik Winnies brief openrolde, begon ik te beven.

Winnie aan Arthur
op de vijfde dag van juni

Aan mijn verloofde

Het is vijf weken sinds je me mijn ring hebt gegeven, maar het lijkt eerder vijf maanden, en sir William zegt dat het minstens nog tien weken duurt voordat hij je deze brief overhandigt.

Er is een zanger naar Verdon gekomen. Hij zong:

God, help de pelgrim!
Ik vrees voor hem
Want de Saracenen zijn verraderlijk.

Het bevalt me *helemaal* niet dat je twee jaar wegblijft, of nog langer.

Toen sir William hierheen kwam om weer met mijn vader
te praten over de voorwaarden van ons huwelijk, bracht
hij Tom mee, en we gingen jagen met mijn vaders haviken.
Mijn vader zegt dat sir William heel lastig en driftig is.
Hij zegt dat we pas alle voorwaarden kunnen afspreken
als sir William terugkomt van de kruistocht.

Het heeft me de hele ochtend gekost om deze brief te
schrijven.

Mijn moeder stuurt je *une fleur de souvenance*, en ik ook.

Haast je!

Ik weet niet of er heiligen bestaan die kruisvaarders tegen
de Saracenen beschermen, maar moge Sint-Bonifatius je
redden van de Duitsers en Vlamingen en Sint-Clotilda van
de moordlustige Fransen. Denk je aan me?

van je liefhebbende en ongeduldige Winnie

Toen sir William terugkwam, vertelde ik hem dat ik Winnies brief
had gelezen. Hij snoof luid.
'Sir Walter lijkt misschien een fatsoenlijk mens, maar hij is een
duivel. Als hij mijn voorwaarden niet aanvaardt, stopt hij zijn lieve dochter maar in een klooster.'
'We zijn verloofd, heer,' zei ik.
'Ik heb je gezegd dat ik alleen in je verloving heb toegestemd omdat je op deze verdomde kruistocht ging,' snauwde sir William.
'Het betekent niet dat je ook met haar trouwt. Dat gebeurt alleen
als sir Walter en ik het eens worden.'
'Ik hou van haar, heer.'

Sir William haalde zijn neus op. 'Eerlijk gezegd zou het beter zijn als je met Sian trouwde.'

'Sian!' riep ik geschrokken. 'Ze is mijn zusje.'

'Je nicht!'

'Nou ja, mijn pleegzusje.'

'Spreek me niet tegen!' zei sir William. Hij wreef over zijn blinde oog. 'Je houdt van haar! Wat weet jij nou van liefde?'

Ik keek naar de grond. Ik dacht aan mijn moeder.

'Nou!' zei sir William. 'Ben je er klaar voor?'

'Waarvoor, heer?'

'Wat denk je?' bulderde sir William. 'De kruistocht! Als we binnenkort niet onderweg zijn, gaan de Fransen de Vlamingen te lijf, of de Duitsers vliegen de Italianen aan. Let op mijn woorden! Er zijn over het hele eiland ruzies en vuistgevechten.'

'De markgraaf van Montferrat is er nog niet, heer,' zei ik.

'Dat weet ik,' antwoordde sir William.

'En lord Stephen zegt dat we de Venetianen niet kunnen betalen. We hebben lang geen vijfentachtigduizend mark.'

'De Venetianen doen er wel wat af,' zei mijn vader. 'Ze zullen wel moeten.'

'Ze hebben lord Stephen en Milon aanmaningen gestuurd,' zei ik. 'Heel akelige.'

'Milon,' zei sir William. 'Ik heb die Milon eindelijk ontmoet. Dat is een goede kerel. Zo sterk als een beer.'

'Ja, heer.'

'Hij zegt dat ik net op tijd ben gekomen.'

'Heer?'

'Hij slaat je volgende vrijdag tot ridder.'

'Ja, heer.'

'Dat heb je me niet eens verteld.'

'Ik was het van plan, heer.'

'Dan ben jij eerder ridder dan Tom!'

77

'Ik wou dat hij hier was, heer.'

'Ik ben blij van niet,' zei sir William bars. 'Tom is precies waar hij moet zijn. Maar jij, Arthur, ben jij blij dat ik op tijd ben om te zien hoe je geridderd wordt? Nou?'

20

De beroemdste naam van alle ridders

Mijn steen.

'Vanaf dit ogenblik, hier op Tumber Hill, tot de dag dat je sterft, zul je nooit iets bezitten wat zo kostbaar is als deze steen.' Dat zei Merlijn tegen me. 'Niemand mag weten dat je hem hebt.'

Als sir William het wist, zou hij mijn steen waarschijnlijk ook weggooien.

Sir Lancelot zit aan één kant van een laaiend haardvuur en aan de andere kant zit een edelvrouw. Ze zijn in een hal met net zo'n galerij als die van ons in Caldicot. Onder aan de stenen trap staan twee bedienden.

'Ik kan het nauwelijks geloven: sir Lancelot heeft ervoor gekozen om onder mijn dak te verblijven,' zegt de edelvrouw. 'Wel, zoals u ziet is dit maar een bescheiden woning, en toch kan ik me het onderhoud ervan nauwelijks veroorloven. Een zwerm wilde bijen heeft de torenkamer in bezit genomen. Ik zal u het kamertje boven de poort moeten geven.'

'Lady Gisèle,' zegt sir Lancelot, 'u herinnert me aan een lied dat mijn pleegmoeder vaak zong:

Een zwerm wilde bijen wervelde rond deze toren.
Ze zoemden door de openingen en nestelden zich
in de kamer. Daar maakten ze honing…

Ik ben maar al te blij dat ik in zo'n gastvrij huis mag verblijven!'

Lady Gisèle glimlacht. 'En u, sir Lancelot, hebt honing op uw tong,' zegt ze. 'Het enige waarop ik hoop is dat u, als mijn zoon oud genoeg is, zo goed wilt zijn hem tot ridder te slaan.'

'Een ridder die een schildknaap tot ridder slaat, heeft plichten tegenover hem,' zegt sir Lancelot heel ernstig. 'Om hem te leiden, en te steunen.'

'Maar ik weet niet of hij sterk genoeg zal zijn,' zegt lady Gisèle.

'Er zijn goede en slechte ridders van het lichaam,' antwoordt sir Lancelot, 'maar geen slechte ridders van het hart.'

Ze praten tot diep in de nacht, en dan staan ze op en omhelzen elkaar. Een bediende die twee kaarsen draagt, leidt sir Lancelot weg naar zijn kamer.

Maar toen begon mijn steen te fonkelen, en alles wat ik erin kon zien waren kleine lichtpuntjes. Ik begon erover te denken dat ik overmorgen tot ridder word geslagen, en vroeg me af of Milon plichten tegenover mij heeft. Toen ik weer in de steen kon kijken, stond de volle maan hoog aan de hemel, en sir Lancelot sprong uit bed.

Hij kijkt vanuit zijn raam naar beneden en ziet een ridder die met beide pantserhandschoenen op de grote eiken deur bonst.

'Help!' roept de ridder. 'Is er niemand thuis? Red me!'

Nu hoor ik het geluid van hoeven, en er komen nog drie ridders aangalopperen. Zonder een woord te zeggen trekken ze hun zwaarden, zwaaien ermee en slaan naar de ridder.

Sir Lancelot wapent zich snel, bindt zijn twee lakens aan elkaar en knoopt één eind aan een spijl van het raam.

'Drie tegen één!' roept hij. 'Jullie maken jezelf te schande.'

Nu klimt sir Lancelot uit het raam. Hij laat zich omlaag glijden langs de lakens en komt rinkelend neer.

'Laat ze maar aan mij over!' schreeuwt hij. 'Als vroeg ontbijt!'

Eén… twee… drie… na precies zes slagen van sir Lancelot liggen alle drie de ridders op de grond. Geen van hen doet zelfs maar een poging om weer op te staan.

'Ik geef me aan u over… Ik ook… We geven ons aan u over.'
'Nee!' zegt sir Lancelot, terwijl hij zich omdraait naar de man die hij zojuist heeft gered. 'Geef je aan hem over!'
Nu klapt de man zijn vizier omhoog, en tot zijn verbazing herkent sir Lancelot hem. Het is sir Kay.
Een van de drie ridders worstelt, kraakt verschrikkelijk en gaat rechtop zitten.
'Heer,' zegt hij tegen sir Lancelot, 'wie u ook bent, ik geef me niet over aan sir Kay. Zonder u zou hij nu dood zijn.'
'Schamen jullie je niet?' antwoordt sir Lancelot fel. 'Drie tegen één. Als een van jullie met sir Kay gevochten had, zou hij gewonnen hebben.'
'Sir Kay! Hij is een en al gebral.'
'En geblunder.'
'En vuilspuiterij.'
'Luister naar me!' gromt sir Lancelot. 'Als jullie je niet overgeven aan sir Kay, moeten jullie sterven.'
'We geven ons over,' mompelen de drie ridders.
'Aan sir Kay,' zegt sir Lancelot.
'Aan sir Kay.'
'Goed,' zegt sir Lancelot. 'Rijd van hier regelrecht naar Camelot, op tijd voor het pinksterfeest. Vertel koningin Guinevere dat sir Kay jullie heeft gezonden en dat ze met jullie mag doen wat ze wil. Zweer het!'
'We zweren het,' zeggen de drie mannen.
'Op jullie zwaarden,' zegt sir Lancelot.
'Op onze zwaarden.'
Sir Kay en sir Lancelot blijven staan kijken terwijl de drie kreunende ridders opstaan, weer op hun paarden klimmen en stapvoets in de nacht verdwijnen.
Nu keert sir Lancelot zich naar de eiken deur, en een bediende doet open en leidt hen naar de hal.

Lady Gisèle zit op hen te wachten en sir Lancelot zet zijn helm af.

'Sir Lancelot!' roept de edelvrouw uit.

'Ben jij het?' roept sir Kay.

'Ik dacht dat u sliep,' zegt lady Gisèle.

'Dat was ook zo, vrouwe, maar ik moest opstaan om een goede vriend te helpen.'

Lady Gisèle schudt haar hoofd en glimlacht. 'Uit de zoetsprakige kwam kracht voort,' zegt ze.

'Vrouwe,' zegt sir Lancelot, 'dit is sir Kay.'

'U bent welkom,' zegt de edelvrouw.

'Mag ik hem meenemen naar mijn kamertje om de wapens af te leggen, zich te wassen en te slapen?'

'Het is de enige kamer die ik heb.'

'En het is meer dan genoeg,' antwoordt sir Lancelot.

Zodra ze alleen zijn, beginnen de ridders met elkaar te praten.

'Wie waren dat?' vraagt sir Lancelot. 'Die drie ridders.'

'Slecht, slechter, slechtst,' zegt sir Kay. 'Een man die zijn vrouw verraadt. Een man die zijn zoon verraadt. En een moordenaar. Je hebt mijn leven gered.'

'Elke andere ridder zou hetzelfde hebben gedaan,' zegt sir Lancelot.

'Was dat maar waar,' zegt sir Kay.

'Ik hoop het,' antwoordt sir Lancelot. 'Ik hoop altijd dat een ridder voor een andere man zal vechten als hij in gevaar is, en zo eer zal verwerven. Laat me je helpen om je wapenrusting uit te trekken.'

Sir Lancelot knoopt sir Kays handschoenen los en houdt zijn maliënkolder vast terwijl Kay eruit stapt. En dan gespt sir Kay zijn maliënbroek los en doet zijn gewatteerde dijstukken af. Hij kijkt het kamertje rond en gaapt.

'Wat een armoe hier!' zegt hij.

'Je moet dankbaar zijn!' zegt sir Lancelot.

'Het is armoedig en sjofel.'

'Pas op je woorden,' zegt sir Lancelot. 'Lady Gisèle heeft me alles gegeven wat ze heeft.'

'O ja?' zegt sir Kay, en hij trekt een wenkbrauw op. 'Uit de zoetsprakige kwam kracht voort! Wat bedoelde ze daar nou mee?'

'Niet wat jij denkt,' zegt sir Lancelot.

Zodra sir Kay uitgekleed is en alleen nog zijn lange onderbroek en zijn hemd aanheeft, stapt hij in het bed. Hij laat het aan sir Lancelot over om zelf zijn wapenrusting uit te trekken.

'Je bent uitgeput,' zegt sir Lancelot. 'Ga maar slapen.'

'Ik slaap al,' antwoordt sir Kay, en hij gaapt weer.

Binnen een paar tellen slaapt sir Kay werkelijk. Hij beweegt zich zelfs niet als sir Lancelot naast hem in het bed gaat liggen.

Maar sir Lancelot blaast de kaars niet uit. Hij ligt met zijn handen onder zijn hoofd en denkt na. Dan werpt hij een snelle blik op zijn metgezel en staat geruisloos weer op. Zachtjes, zo zacht als mogelijk is met een knarsende, piepende, klagende wapenrusting, trekt sir Lancelot Kays maliënbroek en dijstukken, zijn aketon en zijn maliënkolder aan. Nu kijkt hij weer naar Kay, maar Kay zou nog niet wakker worden als Lancelot zich over hem heen boog en in zijn handen klapte.

'Nou,' zegt Lancelot tegen zichzelf, 'ik denk dat Kay de grap ervan inziet. En andere ridders zullen te weten komen of ik mijn naam waard ben.'

Sir Lancelot neemt sir Kays schild onder zijn linkerarm, pakt Kays helm en de brandende kaars, en verlaat de kamer.

Maar zodra sir Lancelot de gang inloopt, blaast een tochtvlaag zijn kaars uit. Hij staat in het donker.

En mijn steen lag donker in mijn rechterhand.

Tom lijkt op sir Lancelot. Ze hebben allebei een edel, breed voorhoofd en heel heldere blauwe ogen zonder vlekjes erin. Niet zo licht als deze Venetiaanse hemel, en niet zo donker als saffier. Vergeet-mij-niet-blauw.

83

Soms denk ik dat ik bijna in oorlog ben met mijzelf, omdat ik zo onrustig en haastig ben, maar sir Lancelot en Tom zijn allebei heel ontspannen. Ik heb gezien dat vrouwen, zowel oude als jonge, warmlopen voor sir Lancelot en hopen dat hij met hen zal flirten, en dat geldt ook voor Tom. Lady Anne is altijd opgewekt als Tom er is, en Nain kijkt naar hem, knippert met haar ogen en toont haar tandeloze grijns.

Als ik iemand mocht uitkiezen om hier te zijn als ik tot ridder word geslagen, zou het Tom zijn. Had sir William hem maar meegebracht in plaats van Serle.

Op San Nicolo lijkt het soms of de hele nachtelijke hemel beeft en flitst, en dat gebeurde ook in mijn steen. Daarna kon ik er meteen weer diep in kijken. Ik was aan het hof. In Camelot.

Koning Arthur en koningin Guinevere zitten op hun verhoogde zitplaatsen, sir Mordred staat dicht bij hen, en de grote hal is vol ridders, schildknapen, edelvrouwen, meisjes, muzikanten en bedienden. Als ik de hal inkijk, is het net of ik kijk naar het braakveld van Caldicot in juli: een zee van klaprozen en ereprijs, korenbloemen en kievitsbloemen, verfbrem en rode klaver; honderd verschillende soorten lange grassen, die allemaal zachtjes wuiven.

'Ik ben sir Gauter,' zegt een ridder, 'en mijn broers en ik herkenden sir Kay. Aan zijn schild: azuur met twee zilveren sleutels. We hebben allemaal Kays scherpe tong gevoeld en daarom besloten we hem een lesje te leren. Met de scherpe punt van onze lans.'

Er klinkt een zacht geruis in de hal. Een lichte wind uit het niets, die opsteekt en bijna meteen weer is verdwenen.

'Toen hij langs ons paviljoen reed, daagde ik hem uit,' zegt sir Gauter. 'Maar sir Kay stootte me uit het zadel, en mijn paard brak zijn nek.'

'Ik ben sir Gilmere,' zegt de tweede broer, 'en ik wist dat die ridder sir Kay niet kon zijn. Die had mijn broer nooit uit het zadel kunnen stoten. Hij kan niet goed mikken! We denken dat deze ridder sir Kay heeft gedood en zijn wapenrusting en schild heeft gestolen.'

'Ik ben sir Arnold,' zegt de derde broer, 'en sir Gilmere en ik reden de ridder achterna, maar hij wierp ons allebei neer.'

'Ik rende hen achterna,' zegt sir Gauter, 'en toen zei de ridder tegen ons dat we goede ridders zijn. "Ridders van het lichaam en van het hart." Daardoor wisten we dat hij sir Kay niet kon zijn.'

'"Geef je over aan koningin Guinevere." Dat zei de ridder. "Vertel haar dat sir Kay je naar haar heeft gezonden."'

'Bij ons ging het net zo!' roept een ridder achter in de hal, en ik herken een van de drie ridders die sir Kay achtervolgden tot aan het kasteel van lady Gisèle.

Alle bloemen in het veld met vele kleuren, alle bladeren en lange grassen fluisteren.

Sir Sagramour en sir Ector de Maris, sir Uwain en sir Gawain: vier ridders aan de Ronde Tafel staan op.

'We lagen uit te rusten onder een eik,' zegt sir Sagramour, 'toen we een ridder langs zagen rijden, en vanwege zijn schild dachten we dat hij sir Kay was. We wilden weleens weten of hij nog van iets anders gemaakt was dan hete lucht. Dus daagde ik hem uit, en bij het eerste treffen stootte hij me uit het zadel.'

'En u kunt zien wat hij met mij heeft gedaan,' zegt sir Ector, sir Lancelots eigen broer. 'Hij dreef zijn lans dwars door deze schouder.'

'Toen hij zijn lans tegen mijn helm ramde,' zegt sir Uwain, 'was ik zo duizelig dat mijn hoofd draaide als een tol.'

Sir Gawain schudt langzaam zijn hoofd. 'Die ridder heeft mij en mijn paard binnenstebuiten gekeerd. En weet u? Hij heeft geen woord gezegd, maar ik kon hem door zijn mondstuk zien glimlachen.'

'Wie is hij?' vroeg sir Sagramour.

'Hij komt van de duivel,' antwoordt sir Ector, terwijl hij naar zijn schouder grijpt.

'En hij kan naar de duivel lopen,' voegt sir Uwain eraan toe.

'Dat dachten wij ook,' zegt sir Gawain tegen koning Arthur en Guinevere. 'En ik zei: "Het is sir Lancelot. Ik weet het zeker. Zoals hij in zijn zadel zit! Ik durf mijn hoofd erom te verwedden."'

Gefluister, gemompel, uitbarstingen van gelach. Maar het sterft allemaal weg als een enkele trompetter drie stoten geeft en Arthur-in-de-steen opstaat.

'Wat hebben we gehoord?' roept hij uit. 'Het ene verhaal na het andere, en flarden van hetzelfde verhaal. Wonderlijke woorden om onze eetlust op te wekken voor dit pinkstermaal. Veel ridders van mijn Ronde Tafel zijn nog weg in de wildernis, op zoek naar de Heilige Graal, maar wij hebben lang genoeg gewacht. Laat het feestmaal beginnen!'

Nu krijgt de gouden trompetter gezelschap van drie fluitspelers en drie trommelaars.

En nu klinkt er gebons! Gebons en dan geknars, en de deuren van de hal worden opengeworpen.

Twee ridders komen rinkelend binnen, en zodra ze het hof betreden, nemen ze hun helm af.

Iedereen in de grote hal begint te schreeuwen – te schreeuwen en te lachen. Zonder ook maar een moment hun pas in te houden lopen sir Lancelot, die sir Kays wapenrusting draagt, en Kay in Lancelots wapenrusting door het kleurrijke mensenveld, tot bij koning Arthur en koningin Guinevere.

'Gegroet!' zegt de koning.

'Ik ben hierheen gereden vanuit Cornwall,' zegt sir Kay, 'en niet één ridder heeft me uitgedaagd.'

'En ik ben hierheen gereden door een hagel van schimpscheuten,' zegt sir Lancelot. 'Beledigingen en uitdagingen, bespottingen en aanvallen.'

'Dat hebben we gehoord,' zegt Arthur glimlachend.

'Mijn pad was geëffend,' zegt sir Kay.

'En dat van mij,' zegt sir Lancelot, 'was scherp en puntig.'

'Welkom op het feestmaal,' zegt Guinevere.

'Er is nog meer te vertellen,' zegt sir Lancelot. 'Morgan le Fay heeft me betoverd terwijl ik onder een appelboom lag te slapen, en de dochter van sir Bagdemagus heeft me gered. Ik heb twee reuzen gedood en hun gevangenen gered, zestig vrouwen en meisjes. En dan is er nog sir Turquine!'

'Morgen en daarna zullen we naar je hele verhaal luisteren,' zegt koning Arthur. 'En jij, Kay. Jij hebt nooit een tweede uitnodiging nodig.'

Kays minachtende lippen verstrakken tot een soort glimlach en hij bijt op zijn tong.

'Sir Lancelot!' zegt de koning. 'Niet veel meer dan een jaar geleden was je nog een schildknaap. Maar er is nauwelijks een week voorbijgegaan zonder dat we over je hebben gehoord.'

Koningin Guinevere kijkt naar sir Lancelot en haar ogen staan in vuur en vlam.

'Het is niet veel meer dan een jaar geleden dat je nog een schildknaap was,' zegt de koning weer, 'en je hebt zoveel eer voor jezelf verworven. Ja, de beroemdste naam van alle ridders in de wereld.'

21

Was en diamant

'Ken je mijn wandkleed?' vroeg lord Stephen me.

'Het verhaal van uw leven, heer?'

'Tot nu toe.'

'Lady Judith heeft het me laten zien, heer. Het tafereel toen u zeven was en uit een boom viel, en uw verloving, en toen u koningin Eleanor ontmoette.'

'Herinner je je het vak met twee harten?'

'Naast elkaar op een schild? Het ene was keel en het andere argent.'

'Precies. Wel, op de dag voordat ik geridderd werd…'

'Wie heeft u geridderd, heer?'

'Wil je me laten uitpraten? Je bent even erg als een ongetrainde terriër.' Lord Stephen keek me boos aan. 'Sir Williams vader… die heeft me geridderd als je het met alle geweld wilt weten. Wel, op de dag ervóór zei mijn eigen vader tegen me dat een ridder twee harten moet hebben: het ene hard als adamant…'

'Adamant, heer?'

'Diamant. En het andere hart, zei hij, moet zacht zijn als warme was. Een ridder moet hard en scherp zijn als hij te maken heeft met wrede mannen. Hij moet hun geen genade schenken. Maar hij moet zich laten vormen en kneden door vriendelijke, zachtaardige mensen. Een ridder moet oppassen dat hij wrede mannen niet in de buurt van zijn hart van was laat komen, want elke vriendelijkheid tegenover hen zou verspilling zijn. Maar hij mag nooit hardvochtig of onverzoenlijk zijn tegenover vrouwen en mannen die zorg of mededogen nodig hebben.'

'Wat we anderen aandoen, doen we God Zelf aan,' zei ik.

'Heel goed, Arthur. Je had priester moeten worden.'

'Heer!'

'Het was maar een grapje.'

'Denkt u…'

'Ja, Arthur, dat denk ik. Ik ben trots op je. Trots op je, en trots voor jou. Heb ik dat al eens gezegd?'

'Nee, heer.'

'Nee, nou, één keer is genoeg! Je hebt me goed gediend als schildknaap en je uiterste best gedaan, en je zult me goed blijven dienen als jonge ridder.'

'Ja, heer.'

'Morgen is een grote dag voor je.'

'De belangrijkste dag van mijn leven.'

'Morgen, ja,' zei lord Stephen, 'maar het zijn de volgende dag en de dag daarna die er echt toe doen.'

'Heer?'

'Bepaalde gebeurtenissen in ons leven markeren onze tocht door deze wereld. Doop, confirmatie, verloving en huwelijk… Maar het gaat erom hoe we gebruikmaken van deze overgangsplaatsen. Wat we er de rest van ons leven mee doen. Dat is toch zo?'

Lord Stephen vertelde me dat Milons priester morgenochtend vroeg hierheen komt om mijn kruin kaal te scheren, en de ceremonie uit te leggen en me de volgorde van de woorden te vertellen. Daarna moet ik witte kleren dragen, en Milon zal me een wit bovenkleed geven, en een nieuw zwaard.

Ik schrijf dit allemaal vrij kalm alsof het iemand anders overkomt, maar het overkomt mij. Arthur.

Ik weet dat ik nog jong ben om geridderd te worden. Tom is zeventien en hij is nog geen ridder, en Serle is het pas vorig jaar geworden, toen lord Stephen en ik weg waren.

In werkelijkheid heb ik de ceremonie nog nooit gezien, maar in mijn steen heb ik gezien hoe sir Kay geridderd werd, dus ik weet hoe het is. De grote kerk van Sint-Paulus ving al Kays woorden op en weerkaatste ze. Hoewel mijn eigen ceremonie niet in een kerk gehouden wordt, denk ik dat het voor mij net zo zal zijn. Mijn geloften zullen weergalmen en me de rest van mijn leven vergezellen.

22

Merlijns vraag

Ik heb Merlijn teruggezien.

Ik lag te slapen, opgerold in een duinpan. Eerst was de zee een en al glinstering, maar toen zag ik een mistige gedaante boven het water zweven, en de gedaante kwam naar me toe.

'Merlijn!' riep ik.

Hij reed op Sorry, zijn schamele oude rijpaard, en droeg zijn donkere kap. Toen hij me aankeek, leken zijn grijze ogen op leisteen die net is schoongespoeld door de vloed.

'Wat heb ik je gevraagd?'

'Gevraagd?'

'Wat heb ik je gevraagd?' vroeg hij met zijn diepe stem. Hij glimlachte en glimlachte niet, en hij begon meteen weer te vervagen.

'Merlijn!' riep ik.

Maar hij verdween. Hij loste pal voor mijn ogen op in de lucht.

Gevraagd? Eigenlijk stelde Merlijn me voortdurend vragen. Nou, Arthur? Is dat wat je denkt? Is dat wat je bedoelt, Arthur? Wat zal jouw queeste zijn?

Merlijn zei dat kennis zo dor is als dode bladeren tenzij je er klaar voor bent, en dat je dingen alleen echt kunt begrijpen als je voortdurend de juiste vragen stelt.

Dus zou je kunnen zeggen dat Merlijn hier is, ook al is hij er niet. Hij helpt me nog steeds om mezelf te helpen. Door wat hij me heeft geleerd.

Zou dat niet de betekenis van mijn droom zijn? Dat Merlijn me vraagt om vragen te blijven stellen?

23

Sir Arthur

Deze zevenentwintigste dag van juli in het jaar des Heren 1202 mag dan de feestdag van de Zevenslapers zijn geweest, maar ik was niet een van hen. Ik wilde niets missen, en ik zal me mijn hele leven alles herinneren. Zelfs de kleine dingen: hoe Rhys Bonamy's haar bijknipte en repen wit linnen boven zijn vetlokken bond; hoe Serles rechterstijgbeugel brak, en zijn lelijke vloeken; Milon die zei dat Turolds gezicht op een landkaart lijkt, zoals de Saracenen die maken; de gouden knopen op kardinaal Capuano's tunica die fonkelden in het zonlicht; ja, en Bertie die met twee vuisten in de lucht sloeg nadat Milon me tot ridder had geslagen.

Ik bleef een tijdje op mijn bed liggen. Ik luisterde naar de zee die voor mij ademde. Ik keek hoe onze tent zijn wangen inzoog en weer bol blies. Ik hoorde een verre trompetter, die me riep, als een verborgen verlangen. Toen sprong ik overeind.

Nog voordat lord Stephen en ik hadden ontbeten, reed Milons priester Pagan het kamp binnen. Zodra hij een kroes bier achterover had geslagen, schoor hij een ronde plek boven op mijn hoofd. 'Toen je in Soissons het kruis aannam,' zei hij, 'nam je dienst in Gods leger. En nu, met deze tonsuur, bereid je je erop voor om een van Gods ridders te worden.'

'Waarom word je Pagan genoemd?' vroeg ik hem. 'Een heidense christen. Dat is heel raar.'

Pagan glimlachte vermoeid. 'Woorden veranderen soms,' zei hij. 'Vroeger betekende pagan dorpeling. Nu betekent het heiden.'

Pagan vertelde dat ik me vereerd moest voelen omdat kardinaal

Capuano erin had toegestemd om me de vaste vragen te stellen. Hij is hier nog maar net aangekomen vanuit Rome.

En daarna, toen ik mijn nieuwe witte kleren had aangetrokken, niets dan wit, leidde Pagan ons allemaal naar Milons kamp.

De zon wierp één blik op me en dreef haar gouden lans in mijn schedel. Recht door mijn arme kale fontanel! Mijn hersenen kookten de hele dag, en Serle zegt dat mijn tonsuur eruitziet als een van die eieren die vol rode strepen en vlekken uit de schaal komen.

Toen we het kamp binnenreden – lord Stephen en ik, gevolgd door sir William en Serle, met lady Cécile achter hen, daarna Rhys en Turold, en ten slotte Tanwen met Kester – hief Milons trompetter zijn glinsterende trompet. Hij blies snel en fel als de stoten van een jager. Ik zag Bertie, die naar me grijnsde, en Wido, en Godard en Giff, en nog minstens een dozijn andere mannen.

Milon stapte op me af en hield Bonamy's hoofdstel vast terwijl ik afsteeg.

'Jij bent gereed?' vroeg hij me.

'Ik weet het niet, heer.'

'Niet?' zei Milon fronsend.

'Ik probeer het, bedoel ik. Ik heb nagedacht en gebeden. Ik heb geprobeerd te begrijpen wat een ridder moet...'

'*Bon!*' zei Milon, en hij sloeg me op mijn rug en leidde me naar kardinaal Capuano. Toen leunde hij op mijn schouders tot ik me op mijn knieën liet zakken.

De kardinaal is heel stil en oplettend, maar zijn lichaam is op de een of andere manier ingezakt. Hij is een vrij grote man die nogal klein lijkt, het omgekeerde van lord Stephen die een kleine man is die vrij groot lijkt.

'God zij met je! *Saluti!*' zei kardinaal Capuano. Hij hield zijn hoofd een beetje opzij en stak me toen zijn borstkruis toe om te kussen.

Toen ze dit zagen, knielden alle anderen ook. Allemaal behalve mijn vader. Hij probeerde het wel, maar kon het niet.

'Die vervloekte gewrichten!' gromde hij.

Iedereen zat geknield in een kring om mij, Milon en de kardinaal heen.

Wat dachten Wido, Giff en Godard? Dat ik zo groen ben als een onrijpe vrucht? Dat ik tekort zal schieten tegenover mezelf en alle anderen zodra ik werkelijk oog in oog kom te staan met krijsende Saracenen?

Lady Cécile knielde met gesloten ogen naast sir William. Haar roze-met-lichtblauwe oogleden trilden als vlinders op een tak.

En Bertie: zijn benen stevig op de grond, zijn schouders naar achteren, zijn borst vooruit. Stevig en gedrongen, oplettend en opgewonden.

De dag werd stil onder het gewicht van de zon, en overal om me heen hoorde ik heldere uitbarstingen van geluid. Roepende mensen en trappelende hoeven, rinkelende bellen en knerpende kiezels, zingende doedelzakken en dreunende trommels: alle geluiden van een leger dat zich klaarmaakt…

Ik sloot mijn ogen en begon de oude lucht binnen in me uit te blazen. Mijn hele oude leven. Ik perste alles naar buiten, met kleine kuchjes, tot mijn longen zo plat waren als opgevouwen perkament. Toen ademde ik langzaam weer in, nieuwe lucht, frisse, zilte lucht. Ik opende mijn ogen en keek de kardinaal aan.

'Arthur de Gortanore!' begon de kardinaal.

De Gortanore? Ben ik dat?

'Waarom wil je ridder worden?'

Waarom? Ik heb altijd ridder willen zijn. Al zolang ik me kan herinneren. Maar ik wist niet zeker of sir John ook wilde dat ik ridder werd, en of mijn vaardigheden in het oefenperk ooit goed genoeg zouden zijn.

'Om rijk te worden?' vroeg de kardinaal. 'Om Saraceense schatten

buit te maken? Goud, juwelen, wapens, paarden? Is dat de reden?'
Nee. Nee, dat is helemaal niet de reden.
'Arthur de Gortanore, is dat de reden?'
'Nee, heer.'
'Wat dan?'
'Ik wil ridder worden om onze Heer Jezus Christus te kunnen die-
nen. Zuiver van hart en sterk van lichaam.'
'Een ridder is een waker,' ging de kardinaal verder. 'Over wie wil je
waken?'
'Ik zal doen wat ik kan om mensen die minder fortuinlijk zijn dan
ik te verdedigen en voor hen te zorgen,' antwoordde ik.
Terwijl ik dit zei dacht ik meteen aan Gatty. Ik zag haar schoffelen
op haar landje, en zingen. Ik dacht aan Jankin en Howell, en alle
dorpelingen in Caldicot. Ik dacht aan Tanwen en Kester.
'In het koninkrijk Brittannië zijn veel mensen die lijden,' zei ik.
'Velen gaan hongerig naar bed. Dat is niet rechtvaardig.'
Kardinaal Capuano keek op me neer en wreef over zijn kin. Ik
weet dat dit niet precies was wat hij verwachtte dat ik zou zeggen.
'Mijn kind,' zei hij, 'in de ogen van God zijn we allemaal gelijk.'
Dat zei Oliver ook tegen me. En hij vertelde me dat armoede ook
Gods wil is. Dat geloof ik niet. Ik vind dat een ridder verplicht is
alles te doen wat hij kan om voor de mensen op zijn landgoed te
zorgen.
'Arthur de Gortanore,' zei de kardinaal, 'beloof je weduwen en we-
zen te verdedigen?'
Gatty! Ze is nu een wees. En mijn moeder is een weduwe.
'Ja, dat beloof ik.'
'En zul je het kwaad bestrijden waar je het aantreft?'
'Ja, dat zal ik.'
'Het is gezegd en goed gezegd,' ging de kardinaal verder. 'De Sa-
racenen zijn slecht. Twijfel daar geen moment aan. Ze schenden
de heilige plaatsen van Jeruzalem. Ze ontlasten zich erop. Oorlog

is gewelddadig, oorlog is wreed, oorlog is bloedig, maar ook natuurlijk. Oorlog is natuurlijk en vrede is onnatuurlijk. Heb God lief en verwerf eer door zijn vijanden te vernietigen.'

Is dat waar, vroeg ik me af. Is oorlog echt natuurlijk?

Daarna ging kardinaal Capuano langzaam de kring rond. Iedereen kuste zijn kruis, behalve lady Cécile en Tanwen. Hij liep hen botweg voorbij. Ik weet niet waarom.

De kardinaal keek Milon aan en knikte. Onmiddellijk trok Milon zijn zwaard en stapte op mij af. Ik boog mijn hoofd, maar ik kon de punt van de kling nog zien trillen boven mijn rechterschouder. Terwijl in Caldicot de eerste straal zonlicht Tumber Hill raakt en in vlam zet...

Drie keer tikte Milon me zacht op mijn schouder.

'In naam van God en al Zijn heiligen,' zei Milon, 'sla ik je tot ridder. Sir Arthur! *Le chevalier* Arthur! *Courage! Courtoisie! Loyauté!*'

Onmiddellijk riep iedereen in de kring: 'Sir Arthur! Sir Arthur!' Tien keer. Honderd keer! Toen kwamen ze allemaal overeind en grepen mijn handen en armen vast, omhelsden me en streken me door mijn haar - nou ja, wat ervan over is.

Hierna hing Milon zelf een nieuw zwaard aan mijn riem. Toen ik het uit de schede trok, bedekte iedereen zijn ogen omdat het zo schitterde.

'De dappere!' riep Milon. 'Sir Arthur de dappere!' En toen liet hij me zien wat zijn wapensmid vlak onder het gevest in mijn zwaard had gegraveerd.

Een ring. Mijn ring! Hoe wist Milon daarvan? Dezelfde vierkante, platte bovenkant. Een moeder en haar kind. Zou mijn moeder nu niet trots op me zijn? Ja toch?

Ik keek Milon aan. Zijn uitdrukking veranderde niet, maar zijn ogen dansten. De mijne begonnen te prikken.

'Een ring van hoop, een ring van geduld,' zei Milon zacht. 'Een ring zonder eind.'

Ik durfde niet naar mijn vader te kijken. Ik wilde het niet. En ik mocht hem de ring niet laten zien. Ik boog mijn hoofd en mijn ogen sprongen vol tranen.

'Kom op!' zei Bertie enthousiast. Hij hielp me een nieuw wit over-kleed aan te trekken waarop aan de voor- en achterkant een bloed-rood kruis was geborduurd, en toen gaf Serle me een smal pak van stof, dat langer was dan ik.

'Hier!' zei hij. 'Van sir John.'

'Sir John!' riep ik uit.

Ik rolde het pak open en erin zat een prachtige boog van taxus-hout.

'Hij zegt dat hij weet dat het niet bepaald het juiste geschenk is voor een ridder,' zei Serle, 'en taxus is nog onwettig ook omdat je nog geen zeventien bent.'

'Hij heeft jou de jouwe ook gegeven toen je zestien was,' protes-teerde ik.

'Maar omdat hij het je nou eenmaal heeft beloofd…'

'Hij is geweldig!' riep ik uit. 'Geweldig. Heb je hem helemaal mee-gebracht uit Caldicot? Kijk! Hij heeft precies de goede lengte.' Ik betastte het oude taxushout en even dacht ik terug aan de boog van glanzend olmenhout die sir John bijna drie jaar geleden door Will voor me heeft laten maken. 'Ik groei nu niet meer,' zei ik. 'Dat geloof ik tenminste, en de boog is precies een halve vingerlengte langer dan ik.'

Rond het middaguur hielden we een feestmaal, en daarna reden we allemaal naar het strand. Ik liet een truc zien die Rhys me heeft geleerd, door in volle galop uit mijn zadel omlaag te leu-nen en een dolk te grijpen die in het zand was gestoken. De eer-ste keer miste ik hem, maar daarna kreeg ik hem twee keer te pakken. Ter ere van sir John liet ik daarna zien hoe goed ik kan boogschieten over tweehonderd meter. Gevechtstechnieken zijn nooit mijn sterkste punt geweest, maar ik heb altijd snel mijn boog kunnen spannen en goed geschoten. Zo was het vandaag ook.

Hierna gingen Serle, Bertie en ik steken naar de staak, en toen vocht ik tegen hen met gevechtsstokken en zwaarden.

'Arthur,' zei Milon goedkeurend, 'je bent zo scherp als een Venetiaanse tong.'

'Niet echt, heer. Ik wou dat het zo was.'

'Ik heb uitgenodigd de raadsleden van het zeebanket,' zei Milon. 'Maar ze komen niet. De scheepsbouwer komt niet.'

'Het verbaast me niet,' zei lord Stephen. 'De Venetianen zijn heel erg ongeduldig en boos.'

'Sir Arthur! Sir Arthur!' mompelde mijn vader. 'Wel! Laten die vervloekte Saracenen maar uitkijken!' Ik keek hem aan, en toen nog eens omdat ik mijn ogen niet kon geloven. Hij knikte me toe en glimlachte. 'En die Venetianen worden hier met veel te veel ontzag behandeld,' bulderde hij.

Ver in het oosten, boven de zee, zag het er erg onheilspellend uit, en even later hoorde ik een zacht gerommel. Het gapen van een oude zeegod. Een korzelige waarschuwing.

24

Een brandend kruis

'Herinner je je nog die Saracenen die je toekomst voorspelden?'
zei ik.
'Wat is daarmee?' antwoordde Bertie.
'Je hoeft ze niet te geloven, hoor. Het is niet het evangelie.'
'Wie zegt dat ik ze geloof?' zei Bertie, en hij sloeg met zijn stok
naar het lange gras.
'Maar...'
'Ik heb het toch gezegd!' zei Bertie boos. 'Ik wil er niet over pra-
ten.'
'Ik heb eden gezworen toen ik ridder werd,' zei ik, 'maar ik geloof
eigenlijk niet dat alle Saracenen slecht zijn. Ik hoop dat het niet verkeerd is om een gelofte af te leggen waarin je niet helemaal gelooft.'
Een tijdje liepen Bertie en ik zwijgend verder naar de voedselboot.
De kwartiermeester herkent ons nu en geeft ons soms extra eten.
Een ruiter kwam ons langzaam tegemoet en ik kon aan zijn
zwaard zien dat hij een ridder was. Toen we dichterbij kwamen, zag ik dat hij een kruis op zijn voorhoofd had.
Het kruis was niet gemaakt van perkament of
linnen of zo, en het was geen verf of kleur-
stof. Het was een litteken. Het was in zijn
huid gebrand met een gloeiende stok of
een mes. Een etterend, paarsbruin kruis,
van zijn haarwortels tot aan zijn neus-
brug, en van de bovenkant van zijn ene
oor naar het andere.

'God zij met jullie!' zei de ridder.

'En met u,' antwoordden we.

Het gezicht van de ridder was zo mismaakt dat ik er bijna niet naar kon kijken, maar hij gedroeg zich vriendelijk en beleefd.

'Veel succes bij de kwartiermeester, Bertie,' zei de ridder. 'Ik wens jou en je vriend veel succes.'

'Hij heet sir Arthur,' zei Bertie nogal trots. 'Sir Arthur de Gortanore.'

De ridder glimlachte en boog zijn hoofd, en reed toen verder.

'Ik heb hem al eens ontmoet,' legde Bertie uit. 'Hij komt uit Provins en hij heeft me een keer twee kwarteleieren gegeven.'

'Hij ziet er vreselijk uit,' zei ik.

'Ik weet het,' zei Bertie, 'en hij zei dat het kruis nog steeds brandt. Hij vertelde me dat deze kruistocht een boetedoening is. Hoe meer we lijden, hoe zekerder het is dat we in het hemelse paradijs komen.'

'Door onszelf te verwonden?' vroeg ik.

'Ik weet het niet,' zei Bertie.

'Sommige mensen zijn mismaakt doordat hun ouders prettige gedachten hadden terwijl ze hen verwekten,' zei ik. 'Dat heb ik geleerd. En sommigen zijn mismaakt doordat ze in zonde zijn verwekt. Maar ik ben niet mismaakt. En Kester ook niet.'

'Wat bedoel je?' zei Bertie. 'Wie is zijn vader dan?'

'Serle,' zei ik. 'Wist je dat niet?'

Bertie floot zacht.

'Sommige mensen zijn mismaakt door wat hun ouders hebben gedaan,' zei ik nog eens, 'en andere doordat ze gewond raken. Maar hoe kan het Gods wens zijn dat we onszelf toetakelen?'

'Serle?' zei Bertie grijnzend. 'Is Serle Kesters vader?'

Lang geleden heeft Gatty een kruis op mijn voorhoofd getekend. Ze zei dat ik op een kruisvaarder leek en dat Serle een Saraceen was.

Ik wou… er is zoveel dat ik zou willen. Ik wou dat ik meer te weten kon komen over Gatty en haar zang.

Ik hoop dat Oliver ervoor zorgt dat lord Stephens muzikant Rahere haar lesgeeft. Hij weet meer over zingen dan wie ook. Hij heeft me verteld over de Saraceense zangleraar Ziryab, en over ademhalingsoefeningen.

'Vooruit!' zal hij zeggen met zijn schrille stem. 'Do, re, mi… Een stem is een menselijk instrument, Gatty. Fa, sol, la… Je moet jezelf, en alles wat je bent, in het geluid leggen dat je maakt.'

25

In de Ooievaar

Een jonge ridder staat bij zijn plaats aan de Ronde Tafel en ik herken hem. Het is Perceval. Ik heb hem niet meer gezien sinds hij Blanchefleurs ring met een smaragd heeft gestolen, en acht zoenen. Hij was toen nog niet geridderd.

'Sir Perceval,' zegt koning Arthur. 'Vertel ons een wonder. Dan kunnen we aan het feestmaal beginnen.'

Perceval spert zijn ogen wijd open. 'Deze wereld is een wonder,' antwoordt hij.

'Nee toch, hè!' zegt koningin Guinevere.

'Prikkel alleen onze eetlust!' zegt de koning.

Sir Perceval krabt zich achter zijn rechteroor. 'Nou ja, ik heb gisteravond iets gehoord. Ik was te gast in een nieuw klooster en na het avondmaal nam de abt me mee naar zijn kamer. We dronken zoete gele wijn en dat maakte onze tongen los.

"Niet ver van hier," vertelde de abt me, "is een herberg die de Ooievaar heet omdat een gast een keer op een tafel is gaan staan en met krijt hoog op de muur een ooievaar heeft getekend. Hij had een lange snavel, reusachtige vleugels en stijve poten."

"Wat is daar zo vreemd aan?" vroeg ik. "Toen ik een jongen was en met mijn moeder in een klein huisje woonde, tekenden we al onze muren vol met vogels en dieren."

De abt nam nog een slokje van zijn gele wijn en liet het door zijn mond spoelen.

"De volgende ochtend," zei hij, "vertrok de gast. Maar diezelfde avond vloog de ooievaar omlaag van de muur! Hij klapwiekte met zijn reusachtige vleugels en vloog de deur uit en drie keer rond de herberg. Toen kwam hij weer naar binnen en verdween fladderend in de muur."

"Bedoelt u…"

"Ja," zei de abt. "De ooievaar werd weer gewoon een krijttekening. Het verhaal over dit wonder ging als een lopend vuurtje rond en algauw stroomden de mensen naar de herberg. De ooievaar stelde hen nooit teleur. Elke avond kwam hij omlaag van de muur en vloog drie keer rond de herberg. De herbergier verkocht zoveel eten en drinken dat hij snel heel rijk werd."

"Wie was die gast die de ooievaar op de muur tekende?" vroeg ik de abt.

"Ah! Dat wilde ik net gaan vertellen. Op een dag kwam hij terug naar de herberg, en zoals je begrijpt, onthaalde de herbergier hem als een vorst. De gast glimlachte en zei tegen de herbergier dat hij God moest eren door altijd vrijgevig te zijn tegenover al zijn bezoekers. Toen knipte hij met zijn vingers naar zijn kalktekening, en de ooievaar kwam omlaag van de muur en de gast klom erop. Ze vlogen weg en geen van beiden is ooit nog gezien.'"

Koningin Guinevere klapt in haar handen.

'Een wonder!' roept koning Arthur.

'Was hij een heilige?' vraagt sir Perceval. 'Of een engel? Niemand weet wie de gast van de herberg was. Maar de abt vertelde me dat de herbergier altijd vrijgevig was tegenover zijn bezoekers. En dat niet alleen. Met al het geld dat hij had verdiend stichtte hij een nieuw klooster: het klooster waar ik gisternacht verbleef. Hij betaalde voor elke balk en steen ervan.'

'Amen,' zegt koning Arthur, en hij wijst naar zijn trompetter. 'Laat het feestmaal beginnen!'

26

Levensbloed

Vandaag heeft een boodschapper een brief gebracht van de doge aan lord Geoffroy de Villehardouin, Milon en onze andere aanvoerders.

Doge Enrico Dandolo van Venetië aan lord Geoffroy de Villehardouin en de Franse afgezanten

op de feestdag van Sint-Laurentius de Martelaar

U verbreekt onze plechtige overeenkomst, u laat ons bloeden. U betaalt niet voor tweehonderd schepen. U eet brood, vlees, vis, fruit, elke dag drinkt u wijn, bier, water. U negeert brieven van raadsleden.

Nu moeten uw gezanten kiezen. Binnen zeven dagen betaalt u vijfentachtigduizend zilveren marken van Keulen, of wij snijden de bevoorrading af. Geen boten. Geen voedsel. Geen water.

Dit is de laatste waarschuwing.

Geschreven op Rialto, met levensbloed van Venetië

door doge Enrico Dandolo

Deze brief was als een vonk die al het ongeduld en de ergernis die de afgelopen zeven weken zijn gegroeid, deed ontbranden.

Ik was Bonamy in zee aan het wassen en Serle liet dicht bij me Kester over de golven springen. Toen hoorde ik geschreeuw, en ik zag negen mannen over de duinkam rennen. Ik klom op Bonamy en reed zonder zadel over het strand.

De mannen vielen de voedselboot aan en één man stormde op de kwartiermeester af en hield een mes op zijn keel, terwijl de anderen zoveel eten pakten als ze konden dragen. Ze schoven dode kippen in hun uitpuilende wambuizen! Ze stopten hele broden in hun mouwen! Ze knoopten slierten worstjes rond hun middel! Toen waggelden ze weg. De kwartiermeester kon er niets aan doen.

Ik ook niet. Ik weet dat ik een ridder ben en gezworen heb om kwaad te bestrijden en hulpelozen te verdedigen, maar wat kon ik doen? Ik ben geen sir Erec of sir Lancelot. Ik was niet eens gewapend en ik kan niet met negen mannen tegelijk vechten.

Serle kwam terug nadat hij tot halverwege het eiland was gereden, en hij zegt dat er in bijna elk kamp problemen zijn geweest.

'Iedereen probeert zichzelf te redden,' zei hij.

'Dat lukt ze niet door de voedselboot te plunderen,' zei ik.

'Nee,' zei Serle. 'De twee grootste oproerkraaiers hebben hun linkerhand verloren, als voorbeeld voor hun kamp.'

Ik kneep mijn ogen samen en dacht aan Lankin in Caldicot, die zijn rechterhand had verloren. 'Waarom de linker?' vroeg ik.

'Dan kunnen ze toch nog tegen de Saracenen vechten.'

Serle en ik werden onderbroken door lord Stephen en sir William, en even later liepen we in het maanlicht over het strand, langs de waterlijn. Vier ridders!

'Het is de schuld van de doge die ons bedreigt,' zei Serle.

'Hij heeft lang gewacht,' zei lord Stephen. 'Zeven weken.'

'Waarom kan hij niet nog een paar weken wachten?'

Sir William zuchtte luidruchtig. 'Hij weet dat hij wel zal moeten, en hij weet ook dat hij uiteindelijk tot een akkoord moet komen. Hij speelt het hard, dat is alles. En gelijk heeft hij!'

'Maar als mensen het recht in eigen hand nemen,' zei ik, 'en stelen en muiten…'

'Daar heeft de doge waarschijnlijk op gerekend,' antwoordde lord Stephen. 'Het vergroot de druk op onze aanvoerders.'

'Verdomde dwazen!' riep sir William uit. 'Allemaal! Ze doen of dit het eind van de wereld is, maar Dandolo meent het niet. Wie betaalt hem als hij ons allemaal dood laat gaan van de honger?'

'Ik dacht dat de Venetianen onze vrienden waren,' zei Serle.

Sir William snoof en spuugde in het zand.

'Ze zijn onze bondgenoten,' antwoordde lord Stephen geduldig. 'Maar wij hebben onze doelen, en zij die van hen.'

27

Eindelijk

Eindelijk geluk! God zij geloofd!

Zeven dagen lang heeft ons leger zichzelf aan stukken gereten. Over het hele eiland werd gevochten met vuisten en knuppels. De beledigingen vlogen in het rond en er werden diefstallen gepleegd. Een paar mannen gingen ervandoor en zwierven langs het strand. Anderen knielden om te bidden en te zingen.

Geen wonder dat de doge ons niet op Rialto wil hebben. Dit haveloze leger van twaalfduizend man, met te weinig eten en drinken, zonder vrouwen, en mijlenver van huis.

Maar vanmiddag, op deze vijftiende dag van augustus, is onze nieuwe aanvoerder markgraaf Boniface de Montferrat eindelijk in Venetië aangekomen.

Zijn boot was overladen met bloemen en hij werd vergezeld door vier Venetiaanse raadsleden. Net als wij denken ze dat de markgraaf het antwoord is op hun gebeden.

Er verzamelde zich een reusachtige menigte om hem te begroeten, en zodra hij aan wal stapte sprak de markgraaf ons toe.

'Ik ben heel blij hier te zijn,' zei hij. 'Eindelijk! Bedankt dat jullie zo geduldig zijn geweest!'

We lachten allemaal. En binnen in me loste er iets op, iets angstigs.

Markgraaf Boniface keek glimlachend en knikkend naar links en rechts, en even dacht ik dat hij me aankeek. Hij heeft vrij lang zwart haar en een keurig geknipte snor en baard.

'Morgen ontmoet ik de doge,' maakte de markgraaf bekend, en zijn ogen flitsten. 'En ik beloof jullie – ridders van God! schildknapen van God! krijgslieden van God! – ik zal een akkoord met hem sluiten.'

Hierop begonnen veel mensen te klappen en te juichen, en ik zag dat Serle Kester omhooghield zodat hij de markgraaf kon zien.

'In naam van God, en in naam van de redelijkheid, zal ik een akkoord sluiten,' zei de markgraaf nog eens. 'Een leger kan niet vechten met een lege maag. Een leger heeft schepen nodig.'

Om me heen gromde iedereen goedkeurend.

'Morgen,' riep de markgraaf, 'zal ik onze zes afgezanten meenemen om extra druk uit te oefenen. Bij mijn tweede ontmoeting met de doge zal ik niet alleen kardinaal Capuano bij me hebben, maar ook de oudste en de jongste ridder in dit hele leger. Ik heb mijn schildknapen opdracht gegeven naar elk kamp te rijden en hen te zoeken. Ik zal het beste akkoord sluiten dat mogelijk is.' De markgraaf balde zijn rechterhand tot een vuist en sloeg zichzelf op zijn borstbeen. 'Laat het ondertussen duidelijk zijn,' riep hij uit, 'dat ik geen ongehoorzaamheid duld. Geen enkele. Jullie kennen de straffen.' De markgraaf hief ook zijn andere hand en sloeg zijn handen boven zijn hoofd ineen. 'God wenst deze kruistocht!' riep hij luid. '*Deus lo volt!* God wil het!'

Overal om me heen begonnen de mensen te roepen: 'God zij geloofd! God wil het! God zij met ons!'

Hierna besteeg de markgraaf een Barbarijse hengst en reed naar zijn kamp, een mijl ten zuiden van dat van ons.

Soms is na een onweersbui het oppervlak van de uitgeputte aarde betraand, maar fris en geurig, vol nieuwe hoop. Zo voelde het deze avond op San Nicolo.

28

Werktuigen van de duivel

Nu begrijp ik waarom kardinaal Capuano zo grof was tegen lady Cécile en Tanwen.

Vanochtend hoorde ik hem preken op het strand.

'Dit zijn woorden van Christus,' begon hij. 'Mijn broeders, Christus houdt deze preek. Ik ben eenvoudig zijn mond.' De kardinaal sloeg een kruis. 'Jullie hebben het kruis aangenomen, en als jullie de Saracenen uitroeien, als jullie hun bloed door de straten van Jeruzalem laten stromen, zullen jullie hier en in de hemel grote beloningen ontvangen: de rijke buit van de oorlog, vergiffenis zonder boetedoening voor al jullie lage zonden, het eeuwige leven.'

De kardinaal keek op naar de zon, en daarna met samengeknepen ogen naar ons. 'Maar sommigen van jullie zijn dwazen!' riep hij uit. 'Willen jullie dit op het spel zetten? Jullie geven toe aan jullie begeerten door jullie vrouwen, maîtresses en hoeren bij jullie te houden. Vrouwen zijn ontaarde heksen. Ze zijn werktuigen van de duivel!'

Werktuigen van de duivel? Hoe kan dat?

'Elke vrouw,' riep de kardinaal luid, 'moet dit eiland binnen vijf dagen verlaten.'

Er viel een lange stilte. Toen begon iedereen te mopperen, te jouwen en te fluiten. Kardinaal Capuano hield zijn handpalmen naar ons op, maar dat was even zinloos als tegen de zoute golven zeggen dat ze niet mochten breken. Hij praatte nog, maar niemand kon er een woord van verstaan.

Heksen! Winnie en Grace, mijn halfzusjes, zijn geen heksen, en Gatty ook niet. En al die vrouwen die nonnen zijn? En de maagd Maria?

Lady Alice, lady Judith en lady Anne zijn niet ontaard. Ze zijn liefdevol en edelmoedig.

Ik wou dat Oliver hier was. Ik weet dat de slang Eva heeft overgehaald om Adam in verzoeking te brengen, en het is waar dat vrouwen soms wispelturiger zijn dan mannen – ik geloof dat Winnie het leuk vindt om mij te plagen met haar gevoelens voor Tom –maar dat betekent niet dat ze slecht zijn.

Sir William is woedend over Capuano's besluit, en zijn gezicht heeft de kleur van een gekookte kreeft. De haren die uit zijn neus steken, zijn ook ongeveer zo lang als de voelsprieten van een kreeft! 'Het is Gods wil,' zegt lady Cécile.

'Helemaal niet!' snauwde sir William. 'Het is de gril van een bemoeial uit Rome. Een bleke bastaard!'

Lady Cécile zegt dat we allemaal moeten buigen voor Gods wil, maar Tanwen is ontroostbaar. Ze begon te huilen en kon er niet mee stoppen, en nu zijn zij en Serle al uren aan het wandelen. Ze hebben Kester bij mij gelaten en het duurde heel lang voordat hij in slaap viel.

We zouden Tanwens haren kunnen afknippen en haar als een jongen kunnen kleden. Sommige van de Picardische vrouwen vermommen zich op die manier. Maar hoe moet het dan met Kester? Arme Tanwen!

Een paar dagen geleden was San Nicolo nog moedeloos en wanhopig. Toen kwam de markgraaf, en iedereen schreeuwde en juichte. Maar nu heeft kardinaal Capuano ons weer allemaal de moed ontnomen...

29

Je ware gelovige

'Maar mijn ring,' protesteerde ik.

'Ik weet het,' zei lady Cécile. 'Dat was verkeerd.'

'Verkeerd?' zei ik luider dan mijn bedoeling was. 'Het was vreselijk.'

'Maar jij had hem nooit mogen wegnemen. Dat is net zo verkeerd.'

'Hij was een geschenk,' zei ik zo kalm als ik kon. 'Van mijn moeder.'

Lady Cécile legde een hand op mijn pols. 'Ik begrijp het,' zei ze heel zacht. 'Je moet niet te hard over hem oordelen. Ik heb meer van de wereld gezien dan jij, en geloof me, zonen zijn vaak bedroefd over hun vader, en vaders treuren vaak over hun zoon. Maar hij is trots op je, weet je dat?'

'Trots?'

'Ja, en helemaal nu je geridderd bent! Hij is ook trots op Tom en Grace.'

Volgens mij weet lady Cécile er niets van. Als het sir William iets kon schelen, zou hij niet verhinderen dat ik mijn moeder ontmoet. Weet ze wel wie mijn moeder is?

'En vergeet het niet,' zei lady Cécile, 'hij is zevenenzestig, bijna achtenzestig, en blind aan één oog, en al zijn botten doen pijn.' Lady Cécile zuchtte. 'Ik betwijfel of ik hem ooit nog terugzie. Ik weet dat hij altijd tekeergaat en je de huid vol scheldt, maar zorg goed voor hem, Arthur.' Ze legde haar hand weer op mijn pols. 'Je hebt hem nodig, en hij heeft jou nodig.'

Ik begrijp niet hoe lady Cécile van mijn vader kan houden. Wat is er dat ik niet zie?

Ik vind lady Cécile aardig. Ik zou alleen willen dat ze lady Alice niet onteerde. Als we eerder met elkaar hadden gepraat, had ze me meer kunnen vertellen over mijn vader, denk ik, en ik had haar ook het een en ander kunnen vertellen. Waarom ontdekken we de echte waarde van iets pas als we het kwijtraken?

Voordat lady Cécile, Tanwen en Kester het kamp verlieten, kopieerde ik mijn gedicht voor Winnie: 'Vurig haar, goudbruine ogen! Sproeten op je vel…'

Sir Arthur aan Winnie, mijn verloofde
op de eenentwintigste dag van augustus

Ik hoop dat je mijn vers mooi vindt.

Wat je vader over sir William zegt is misschien waar, maar de helft van wat hij zegt meent hij niet echt, en uiteindelijk zal hij het eens worden met je vader, zodat wij kunnen trouwen.

Turold heeft een gaatje geslagen in mijn helft van onze verlovingsmunt; ik heb er een leren veter doorheen gestoken en draag hem nu om mijn nek. Is jouw helft veilig?

Groet sir Walter en lady Anne alsjeblieft van mij. Ik denk elke dag aan je, en Tanwen zal je vertellen over ons leven hier.

Gekopieerd op San Nicolo
door je ridder en kruisvaarder

Ik vroeg Tanwen om deze woorden aan Winnie te geven en haar alles te vertellen: hoe ik tot ridder geslagen ben, en over San Nicolo en ons kamp, het plunderen, sir William en mijn ring, het wachten en mijn ontmoeting met de Saraceense kooplieden, Bertie en...

Maar om de een of andere reden leek het allemaal nogal nutteloos. Tussen Winnie en mij ligt de helft van deze wijde wereld. Ik kan niets anders doen dan wachten.

Daarna vroeg ik Tanwen om een boodschap over te brengen aan Gatty.

'Hoe kan ik dit allemaal onthouden?' klaagde Tanwen.

'Alleen een korte.'

'Nou?' zei Tanwen met die elfenglimlach van haar. 'Wat dan?'

'Zeg tegen Gatty dat ze zichzelf, en alles wat ze is, moet... Nee, dat niet! Zeg haar, zeg haar dat ik een kleine leeuwerik hoor zingen en dat de beste dingen nooit verloren gaan.'

'Je hoort een leeuwerik zingen...' herhaalde Tanwen.

'Een kleine.'

'... en de beste dingen gaan nooit verloren.'

'Ja, dat is het,' zei ik.

'Wat betekent dat?' vroeg Tanwen.

'Gatty begrijpt het wel,' zei ik.

30

Het rad van fortuin

Ik voelde me eenzaam, nadat Tanwen, Kester en lady Cécile waren weggeroeid. Ze vertrokken samen met minstens honderd andere vrouwen en sindsdien is het hele eiland vreemd stil, alsof we de helft van onze eigen energie en levenskracht hebben uitgezwaaid. Er is zoveel gebeurd sinds ik tot ridder ben geslagen. Maar eigenlijk heb ik precies dezelfde plichten tegenover lord Stephen als daarvoor, want ik ben nog steeds bij hem in dienst. Ik moet zijn kleren borstelen en ervoor zorgen dat ze goed gelucht worden, en dat is niet eenvoudig want de zeelucht is erg vochtig. Ik moet elke ochtend zijn kleren klaarleggen en hem helpen met aankleden, en zijn veters strikken en de kom ophouden zodat hij zich kan wassen. Ik moet erop letten dat Rhys Gigant elke dag verzorgt. Ik moet voorsnijden voor lord Stephen, sir William en Serle aan onze kleine schraagtafel, en hen bedienen. Ja, ik trancheer de kip, ontbeen het konijn, fileer de zalm en open de krab…

Toch voelt het anders nu ik ridder ben. Bertie is erg onder de indruk en ik voelde me heel trots toen hij de gebrandmerkte ridder vertelde dat ik ook ridder ben. Soms noemen Rhys en Turold me nu sir Arthur, en lady Cécile vertelde me dat mijn vader trots op me is.

Turold zegt dat hij nooit een beter zwaard heeft gezien dan het mijne. Ik haal het telkens uit de schede als ik alleen ben, en betast de kling en de ring die erin gegraveerd is.

'Sir Arthur!' zei lord Stephen gisteravond laat, toen we allebei op onze matrassen lagen.

'Ja, heer?'

'Niets!'

'Heer?'

'Sir Arthur, sir Arthur, sir Arthur… Ik wil alleen horen hoe het klinkt! Het klinkt goed, hè?'

'Ja, heer.'

Ik wil ridders zien! Ik wil ridders horen! Zodra ik zeker wist dat lord Stephen sliep, groef ik daarom naar de bodem van mijn zadeltas en haalde mijn obsidiaan te voorschijn. Mijn stenen metgezel.

Arthur-in-de-steen zit onder een olm en praat met zijn drie wijzen.

'Ik heb gedroomd,' zegt hij, 'en ik ben nog nooit zo bang geweest. Ik werd trillend wakker.'

'We zullen je droom verklaren,' antwoordt een van de wijzen.

'Eerst was ik in een woud, omringd door wilde dieren. Wolven. Zwijnen. Leeuwen die hun lippen likten. Ik rende van ze weg, een dal in dat omgeven werd door hoge heuvels. De bodem van het dal was groen van het sappige, verse gras, met hier en daar wat klaver erdoor. Boven me openden zich de wolken, en er kwam een edelvrouw omlaag. Een hertogin. In haar ene hand hield ze een groot wiel en met haar andere hand liet ze het draaien.'

'Een hertogin?'

'Hoe zag het wiel eruit?'

'Draaide het of tolde het?'

'Ze droeg damast, afgezet met otterbont, en ze had een sleep die met goud was afgewerkt. Haar wiel was gemaakt van Welsh goud, ingelegd met robijnen, en elke spaak was zo lang als een speer en bezet met zilver.

Aan de buitenkant van het wiel waren negen stoelen bevestigd, en daarop zaten acht koningen. Toen de hertogin het wiel liet draaien, werden zes van hen ondersteboven gekeerd. Ze klampten zich vast aan de rand en gilden allerlei bekentenissen: "Ik was wreed, ik weet het… Ik heb mannen laten martelen… Ik was een afperser… Ik misbruikte vrouwen… Ik was de grootste en nu ben ik de laagste… Koning van het rad… Vervloekt, vervloekt…"'

Koning Arthur zucht. 'Daarna verloren ze één voor één hun houvast en vielen eraf. Er bleven maar twee mannen op hun stoel zitten, maar daarmee waren ze geen van beide tevreden. Ze probeerden helemaal naar boven te klauteren. De ene was gekleed in koningsblauw, versierd met lelies, en de andere droeg een zilveren mantel en had een schitterend gouden kruis om zijn nek.'

'Bereikten ze de top?' vraagt een van de wijzen.

'Dat wilde ik net vertellen,' antwoordt koning Arthur. 'De hertogin glimlachte naar mij en ik groette haar.

"Welkom!" zei ze. "Als iemand op aarde mij moet eren, ben jij het, Arthur, zoon van Uther Pendragon en koningin Ygerna. Alles wat je bent heb je aan mij te danken. Ik ben je vriendin geweest. Je mag op de bovenste stoel zitten. Ik kies jou als grootste leider en koning op Gods aarde."

Toen tilde de hertogin me met lange, bleke vingers op en zette me op de negende stoel. Ze kamde mijn haren. Ze gaf me een scepter en een bol waarin een kaart van de wereld, de continenten en de oceanen was uitgesneden. Ze liet een zwaard in mijn rechterhand glijden.

Daarna,' zegt koning Arthur tegen zijn wijzen, 'liep de hertogin naar een boomgaard, terwijl ze het gouden wiel nog steeds met zich meedroeg en ik op de bovenste stoel zat. Ze bood me pruimen, peren en granaatappels aan. Ze gaf me witte wijn die uit een bron bruiste.

Maar toen, midden op de dag, veranderde haar stemming volledig; ze werd duister als een hemel die plotseling bedekt is met donderwolken.

"Dwaas!" zei ze. "Je bent net zo slecht als de anderen."

"Vrouwe!" protesteerde ik.

"Stilte!" riep ze. "Verspil geen woorden. Alles wat je hebt gewonnen, zul je verliezen. En daarna zul je ook je leven verliezen. Je hebt lang genoeg genoten van je koninkrijk en de macht!"

De hertogin keek me woedend aan met de ogen van een gevaarlijke wilde kat. Ze liet het wiel snel ronddraaien en de twee klimmende koningen vielen eraf. En daarna viel ik! Ik kon me niet bewegen. Ik wist dat ik alle botten in mijn lijf had gebroken. Toen werd ik wakker.'

'Arthur,' zegt de eerste wijze, 'het is duidelijk wat je droom betekent. Vrouwe Fortuna geeft en Vrouwe Fortuna neemt. Ze was je vriendin en nu is ze je vijand.'

'Je hebt het hoogtepunt van je macht bereikt,' zegt de tweede man. 'Van nu af aan zal alles wat je probeert mislukken.'

'Jij en jij alleen bent verantwoordelijk voor wat je doet,' zegt de derde man, 'en zoals je goed weet, bestaat er geen macht zonder misbruik. Hoe groter de macht van een man is, hoe groter zijn zonden zijn. Beken je schuld. Sticht abdijen. Binnenkort kom je ten val.'

'Wie waren de zes koningen?' vraagt Arthur.

'Alexander, Hektor van Troje en Julius Caesar,' antwoordt de eerste wijze.

'Sir Judas de Makkabeeër, Jozua die de muren van Jericho neerhaalde, en David die de reus Goliath doodde en als eerste de psalmen zong,' zegt de tweede man.

'En de klimmende koningen?' vervolgt de derde man. 'De ene was Karel de Grote en de andere Godfried van Bouillon, de hoeder van het Heilige Kruis, de veroveraar van Jeruzalem. Maar geen enkele legeraanvoerder is een heilige. Karel de Grote en Godfried waren wel christenen, maar ze waren niet beter dan de eerste zes koningen.'

'En nu heeft Vrouwe Fortuna jou als negende aangewezen,' zegt de eerste wijze man. 'De negen edelste mannen die ooit op middenaarde hebben gelopen.'

'De mensen zullen over je praten.'

'En je lof zingen.'

'Ze zullen gedichten, verhalen en kronieken over je schrijven.'

'De wolven, zwijnen en leeuwen zijn slechte mannen,' zegt de eerste wijze. 'Je vijanden. En sommigen van hen zijn in Camelot, Arthur. Ze glimlachen naar je en doen alsof ze je vrienden zijn.'

'Wie?' vraagt de koning.

'Verbeter je gedrag!' zegt de eerste wijze.

'Smeek God op je knieën om genade.'

'Red je ziel.'

31

De jongste en de oudste

'Bertie zegt dat we misschien naar Egypte varen,' vertelde ik lord Stephen.

'Wie heeft hem dat verteld?' vroeg lord Stephen verontwaardigd, knipperend met zijn ogen als een verstoorde uil.

'De mannen van Milon.'

'En waarom zouden zij dat weten?'

'Is het waar, heer?' vroeg ik.

Lord Stephen drukte zijn ellebogen in zijn matras en ging rechtop zitten. 'Geruchten,' zei hij, 'meer niet. Maar ik heb je gewaarschuwd dat het misschien onverstandig zou zijn om recht op Jeruzalem af te gaan. Dat verwachten de Saracenen. En daarop zijn ze het best voorbereid.'

'Maar waarom Egypte, heer?'

In gedachten zag ik Gatty in Caldicot in de kleine wapenkamer staan en een broek van fustein omhooghouden, terwijl ik haar vertelde dat die stof uit El-Fustat in Egypte kwam, en zij mij vroeg: 'Wat is Egypte?'

'Waarom Egypte?' herhaalde lord Stephen. 'Omdat het de voorraadschuur is van de Saraceense wereld. Rijk aan graan, vruchten en specerijen. Rijk aan goud. Weet je hoe de stad Alexandrië wordt genoemd?'

'Nee, heer.'

'De markt tussen twee werelden: tussen het land overzee en Noord-Afrika. Als we de voorraadschuur van de Saracenen in onze greep kunnen krijgen en hun verbindingslijnen afsnijden...'

'Dat zullen de Venetianen niet leuk vinden,' zei ik. 'De scheepsbouwer heeft me verteld over alle handel tussen Venetië en Egypte, en Bertie en ik hebben drie kooplieden uit Alexandrië ontmoet. Een van hen vertelde me dat Mohammed een koopman was.'

Lord Stephen schraapte zijn keel.

'Er is nog iets wat ik u wilde vragen, heer.'

'Zoals altijd,' antwoordde lord Stephen.

Maar voordat ik kon vragen waarom kardinaal Capuano vrouwen aanviel, bijna alsof hij bang voor hen was, reed er een ruiter ons kamp binnen.

Ik bracht de man naar onze tent.

'Een boodschap van markgraaf Boniface, heer,' zei de man tegen ons. 'Hij zegt dat er twaalfduizend mannen zijn samengekomen hier op San Nicolo, maar dat we een overeenkomst met de Venetianen getekend hebben voor de bouw van schepen voor drieëndertigduizend mannen, en dat we verplicht zijn daarvoor te betalen. Er is geen andere mogelijkheid.'

'Dat beseffen we heel goed,' zei lord Stephen droog. 'Vanaf onze aankomst zijn we er elke dag aan herinnerd.'

'In naam van de lijdende Christus,' zei de boodschapper, 'doet de markgraaf een beroep op elke graaf en heer in dit leger, op elke ridder, schildknaap, krijgsman, wapensmid en stalknecht, om geld of kostbaarheden te geven om te helpen. Laat elke man erover nadenken wat hij kan geven.'

Lord Stephen knipperde met zijn ogen toen hij de boodschap van de markgraaf hoorde. 'Ik zal erover nadenken,' zei hij. 'En jij, sir Arthur. Jij ook, hè?'

'Ja, heer.'

'Ik heb een idee!' zei lord Stephen met glinsterende ogen. 'Je zou die zilveren verlovingsstuiver kunnen geven.'

Ik greep naar mijn hals.

'Nou ja, die halve stuiver!' zei lord Stephen.

'Heer,' zei de boodschapper. 'Ik denk niet dat de markgraaf bedoelt dat…'

'Dat lijkt me ook!' zei lord Stephen glimlachend. 'Wat heeft het voor zin om de ene belofte na te komen door de andere te onteren?'

'Binnen drie dagen,' zei de boodschapper, 'zal een van de afgezanten van de markgraaf u bezoeken om deze kwestie verder te bespreken.' Hij maakte een buiging en verliet de tent. Bijna onmiddellijk kwam er een andere man aanrijden, een tweede boodschapper van de markgraaf.

'Lieve God!' zei lord Stephen. 'Wat krijgen we nu? Herinner jij je dit soort ochtenden in Holt?'

'Bent u sir Arthur de Gortanore?' vroeg de boodschapper aan mij.

Ben ik dat? De Caldicot? Of de Gortanore? Hoe lang zal het duren voordat ik aan mijn naam gewend ben?

'Toen markgraaf Boniface aankwam op San Nicolo,' zei de boodschapper, 'gaf hij opdracht de jongste en de oudste ridder in dit leger te zoeken om hem te vergezellen bij zijn ontmoeting met de doge. We zijn in elk kamp geweest. Bent u zestien jaar oud, en nog geen zes maanden?'

'Ja. Ja, dat ben ik.'

'Dan bent u de jongste ridder op dit eiland, sir Arthur.'

Ik snakte naar adem.

Lord Stephen sloeg me op mijn schouder. Daarna wendde hij zich tot de boodschapper. 'En de oudste ridder?' zei hij. 'Wie is dat?'

'Hij is zevenenzestig, bijna achtenzestig,' zei de boodschapper. 'Sir William de Gortanore!'

32

Oog in oog

Om ons heen klotste het water; het sloeg tegen onze boot.
'Het is goed dat de kardinaal niet hier is,' zei markgraaf Boniface.
'Dit zou zijn einde zijn geworden.'
'Waarom is hij niet gekomen, heer?' vroeg ik.
'Een slechte mossel, of een oester,' antwoordde de markgraaf. 'Hij
is zo ziek dat hij wou dat hij nooit geboren was.'
De boot slingerde en ik keek angstig naar onze twee roeiers, maar
ze lachten en zagen me niet eens.
'We zullen het zonder hem moeten doen,' zei de markgraaf. 'Zo!
Sir William en sir Arthur. Vader en zoon! Heel verrassend.'
'Mij verrast niets,' zei mijn vader. 'Nu niet meer.'
'Dat moet u niet zeggen!' zei de markgraaf, en hij glimlachte naar
mij. 'Ik weet zeker dat uw zoon u zal verrassen. En dat is toch het
beste wat er is? De prestaties van onze kinderen verwarmen ons
bloed.'
Mijn vader zei niets. Hij snoof en keek in de verte. Toen slingerde onze boot weer, en hij greep naar het dolboord, miste en viel
achterover.
De markgraaf en ik pakten elk een van mijn vaders handen vast
en hesen hem weer op de bank.
'Mijn been!' hijgde mijn vader. 'Dat vervloekte been! Masseer het,
jongen! Vooruit!'
Dus wreef ik over het rechterbeen van mijn vader, en terwijl ik
dat deed keek ik naar zijn rechterhand. De rug ervan zit vol bruine vlekken. En de halvemaantjes van zijn nagels zijn bijna hele-

maal verdwenen, dus misschien zal hij niet meer zo lang leven.
'Zo is het genoeg!' zei mijn vader. 'Ik kan het zelf beter.'
'Kramp?' vroeg de markgraaf.
Mijn vader grabbelde in een binnenzak van zijn bovenkleed, haalde er twee kleine harige pootjes uit en keek er woedend naar. 'Nergens goed voor,' zei hij. 'Mollen!'
'U hebt palingvel nodig,' zei de markgraaf.
'Nutteloos!' riep mijn vader uit. En hij gooide ze overboord.
'Palingvel,' zei de markgraaf weer.
'Lady Alice zegt…' begon ik.
'Je moeder?' vroeg de markgraaf.
'Mijn tweede vrouw,' legde sir William uit.
'Ja, ze zegt dat een hazenpoot het beste is, heer,' zei ik.
'Voor stijve gewrichten, niet voor kramp,' zei mijn vader kortaf.
'Hou nu je mond, Arthur.'
'Ah!' zei de markgraaf. Zijn blik flitste tussen ons heen en weer.
'Wel, mijn familie zweert bij kousenbanden van palingvel,' zei hij.
'Ik zal u er een paar laten brengen door mijn schildknaap.'
Mijn vader gromde. Daarna draaide hij zich om en keek mij met glinsterende ogen aan. 'Verrassingen!' mompelde hij. 'Ik zal jou verrassen.'

Vlak voordat we de kade bereikten waar de bedienden van de doge wachtten om ons te begroeten, keek de markgraaf naar ons om en streek over zijn snor. 'Aan het werk nu!' zei hij.

Een galmende trap op. Een andere af. Door een half dozijn staatsiezalen. Stilstaan om naar trompetgeschal te luisteren. Ik zou naar de top van Tumber Hill kunnen klimmen en weer naar beneden in de tijd die het kost voordat je werkelijk de doge ontmoet.

Dan komt er een oude man naar binnen gestruikeld, met een bediende bij zijn elleboog om hem te leiden, en hem op te vangen als hij dreigt te vallen.

De gewrichten van de doge zijn helemaal niet stijf. Hij gebaart voortdurend en zijn stem is licht en snel. En zijn blinde ogen zijn zo helder dat je zou denken dat hij net het paradijs heeft gezien – niet zoals het oog van mijn vader, dat de kleur heeft gekregen van gestold bloed.

De doge en markgraaf Boniface begroetten elkaar heel hartelijk. Eerst omhelsden ze elkaar en toen praatten ze een tijdje. Daarna vertelde de markgraaf de doge over ons.

'Ik heb twee mannen meegebracht,' zei hij, 'de oudste en de jong ste van alle ridders, als vertegenwoordigers van mijn reusachtige leger dat zijn kamp heeft opgeslagen op San Nicolo. De ene is zevenenzestig en de andere zestien. Meer dan vijftig jaren scheiden hen.'

'U bent allebei welkom,' zei de doge.

'Maar ze zijn verenigd in hun doel,' ging de markgraaf verder, 'zoals wij allemaal. En dat niet alleen. Ze zijn vader en zoon!'

'*Padre e figlio!*' herhaalde de doge en hij zwaaide met zijn armen.

'Heel opmerkelijk!' zei de markgraaf. 'We hebben het hele eiland afgezocht en vonden hen zij aan zij in het kleine Engelse kamp. Sir William de Gortanore en sir Arthur de Gortanore.'

'Ja, we zijn familie,' bulderde mijn vader. 'En wat is er belangrijker dan familie?'

Zei mijn vader dat? Wat is er belangrijker dan familie?

'We zijn hier als vertegenwoordigers van alle christelijke families,' ging mijn vader verder. 'Alle families van het christendom. Sterker, heer, we vertegenwoordigen de Heilige Familie, die nu lijdt onder de Saracenen.'

De doge luisterde geduldig en schonk mijn vader toen een glimlachje.

'*Bravo!*' zei hij.

Toen ik de hand van de doge vastpakte, voelde die verschrompeld en breekbaar aan. Droog als een dood beukenblad.

'Engeland,' zei hij. 'Leeuwenhart.'

'Ja, heer.'

'Ik heb samen met hem gevochten,' galmde mijn vader. 'Bij Acre. Dat was nog eens een aanvoerder!'

'En koning Jan?' vroeg de doge vriendelijk.

'Niet uit hetzelfde hout gesneden,' antwoordde mijn vader.

'Duizend mark,' voegde markgraaf Boniface eraan toe. 'Dat is zijn hele bijdrage aan deze kruistocht.'

'*Poco,*' zei de doge, en hij tuitte zijn lippen.

We werden naar een bank geleid terwijl de markgraaf en de doge op stoelen gingen zitten, en algauw begonnen ze een ernstig gesprek over het verdrag. Ook nadat iedereen een bijdrage heeft geleverd, kunnen we lang geen vijfentachtigduizend mark opbrengen. Maar de doge zegt dat de Venetianen geen genoegen kunnen nemen met minder. Aan de andere kant zou het ondenkbaar zijn om de overeenkomst te verscheuren en iedereen naar huis te sturen, want dan zouden de Venetianen blijven zitten met tweehonderd schepen die ze niet nodig hebben, en iedereen in de christelijke wereld zou spugen bij het horen van hun naam, omdat ze de kruistocht hebben laten mislukken.

'De prijs per man en paard is te hoog,' klaagde de markgraaf.

'Het is de juiste prijs en dat weet u,' antwoordde de doge. 'Alleen hebben uw afgezanten het aantal mannen dat het kruis zou aannemen, verkeerd geschat.'

Hoewel de markgraaf en de doge het niet met elkaar eens werden, bleven ze allebei glimlachen.

'Woorden, woorden, woorden,' mopperde mijn vader. Hij stond op en liep naar de deur. 'Ik moet pissen,' verkondigde hij met luide stem, en een bediende leidde hem de zaal uit.

Ik voelde het bloed naar mijn wangen stijgen. Weet mijn vader het verschil niet tussen een kamp en een paleis?

De doge knipte met zijn vingers, of probeerde dat althans, en even later bracht een bediende een schaal met zwarte olijven en blokjes harde, scherpe kaas, en een kruik rode wijn.

'Wat moeten we doen?' vroeg hij, net zo goed aan zichzelf als aan markgraaf Boniface. 'De christelijke wereld kijkt naar ons. De kinderen van onze kinderen zullen over ons oordelen. Wat zou de wijste oplossing zijn?'

De doge hield zijn hoofd achterover en hief zijn handen als om God te smeken. Daarna keek hij de markgraaf aan zonder iets te zien en fronste zijn voorhoofd alsof hij naar de juiste woorden zocht. Maar ik had het gevoel dat hij precies wist wat hij ging zeggen.

'Ik heb een idee… een voorstel. Twintig jaar geleden is de stad Zara in opstand gekomen tegen de republiek Venetië. De mensen daar hebben hun beloften verbroken, ze verzetten zich tegen ons, ze betalen hun schulden niet. Het kostte ons grote moeite om genoeg eikenhout te vinden om uw schepen te kunnen bouwen, zonder hout uit hun wouden.' De doge knarste met zijn tanden – de weinige tanden die hij nog heeft – en schudde boos zijn hoofd.

Op dat moment stampte sir William de zaal weer binnen. 'De roep van de natuur!' verkondigde hij. 'Die kent geen compromissen!'

'Als u erin toestemt…' begon de doge, 'als u erin toestemt om ons te helpen Zara terug te krijgen…'

De markgraaf vertrok geen spier.

'… zoals ons goed recht is,' voegde de doge eraan toe. 'We hebben alle recht om ons eigen gebied terug te eisen voordat we ons aansluiten bij deze kruistocht. Heeft Leeuwenhart niet hetzelfde gedaan? Als u toestemt,' zei de doge weer, 'stemmen mijn raadsleden er misschien in toe om de betaling uit te stellen.'

'Ik begrijp het,' zei de markgraaf zacht.

'We zullen de oorlogsbuit delen,' zei de doge, 'en van uw aandeel kunt u ons betalen. Daarna zetten we koers naar Egypte.'

Egypte! Bertie had gelijk.

'Maar de bewoners van Zara zijn christenen,' zei de markgraaf.

Christenen! Ik had het gevoel dat mijn hoofd zou barsten. We moeten toch tegen de Saracenen vechten, niet tegen elkaar? Als kardinaal Capuano hier was, zou hij vast boos zijn over het voorstel van de doge.

'Inderdaad!' zei de doge zakelijk.

Er viel een lange stilte.

'Wel!' zei markgraaf Boniface. 'Ik begrijp dat ik het moet overwegen. Ik zal het met mijn afgezanten bespreken.'

'En ik met mijn Grote Raad,' zei de doge. 'Het was nuttig om elkaar oog in oog te zien.' Hij lachte zacht. 'Bij wijze van spreken,' voegde hij eraan toe.

Daarna stond de doge op. Toen hij mijn hand vastpakte, glimlachte hij een beetje.

'*Signor Artù*,' zei hij.

'Heer?'

'Sta open voor compromissen!'

33

Diep water

Ik was vanmiddag op weg naar de voedselboot, toen ik een heel
eind verder langs de kust een groepje mensen zag staan. Daarna
hoorde ik geroep in de verte.

Terwijl ik over de duinkam naar hen toe rende, zag ik een kleine
roeiboot halverwege de geul naar het drassige eilandje dat recht
tegenover Milons kamp ligt. Maar er zat niemand in. Toen ont-
dekte ik twee mensen spartelend in het water.

Ik rende omlaag naar de oever en zag Pagan, Milons priester, op
een glibberige steen staan.

'Wat is er gebeurd?' vroeg ik.

'Bertie!' zei Pagan. 'Alweer!'

'Wat?'

'Hij probeerde naar het eilandje te zwemmen.'

'Hij kan niet zwemmen. Niet zo ver.'

'Precies! Ik zei dat hij het niet moest doen.'

'Kijk!' riep ik uit. 'Die man is bijna bij hem!'

'Een visser,' zei Pagan. 'Hij redt Bertie en verliest zijn boot.'

Pagan en ik en een groepje van Milons mannen keken allemaal
hoe de visser Bertie vastpakte en daarna, als een omgekeerde kik-
ker op zijn rug zwemmend met Bertie in zijn armen, naar ons toe
kwam.

Ik daalde af naar de waterkant. Ik waadde tot mijn middel het water in, en zodra ik kon, greep ik Bertie en hielp om hem uit het water te slepen.

Bertie zakte op zijn handen en knieën, en hoestte en proestte. Hij gaf over en toen ging hij met zijn ogen dicht op een berg zeewier liggen. Hij leek op een gestrande zeester.

'Wat deed je?' vroeg ik hem.

Bertie gaf geen antwoord.

'Bertie!'

'Sir Laurent daagde me uit.'

'Je kunt niet eens zwemmen. Niet echt.'

Bertie deed één oog open. 'Hij zei dat ik het niet durfde.'

'Je bent gek!' zei ik. 'Je bent bijna verdronken.'

'Het kan me niet schelen.'

'Jawel hoor.'

Bertie probeerde te gaan zitten en liet zich toen weer op het zeewier vallen. 'Je weet wat ik je heb verteld,' zei hij, en zijn stem was schor.

'Maar dat betekent niet dat je moet... Je wilt toch niet dood?'

'Natuurlijk niet!' zei Bertie verontwaardigd, half overeind komend op zijn ellebogen. 'Natuurlijk wil ik dat niet. Ik was juist echt aan het leven. Jij zou net zo zijn als je mij was. Je zou de hele tijd fel en helemaal levend willen zijn.'

34

Om jullie te leiden en voor jullie te zorgen

Het is allemaal afgesproken!
Zeven dagen van beraadslagingen, zeven dagen heen en weer galopperen over het eiland en oversteken van San Nicolo naar Rialto en terug. En toen kwamen markgraaf Boniface en onze afgezanten vandaag op het middaguur in de basiliek van San Marco bijeen met de doge en zijn raadsleden om onze nieuwe afspraak plechtig te bevestigen, en lord Stephen en ik vergezelden hen.
De Grote Raad heeft ons zelfs een tolk gegeven. Ze heet Simona en ze is eenentwintig. Ze vertelde me dat ze vrij vaak vertaalt voor Engelse kooplieden die een bezoek brengen aan Venetië. Toen ze zeventien was, heeft ze zich verloofd met een Engelse lakenhandelaar uit Norfolk en van hem heeft ze Engels geleerd. Maar voordat ze konden trouwen, werden hij en zijn metgezellen in de buurt van Verona door rovers aangevallen en gedood.
Niet alleen de basiliek van San Marco zat stampvol, maar ook in de grote tuin ervoor wemelde het van de mensen. Er zaten of stonden zoveel mensen in de olijfbomen dat ik dacht dat de takken zouden breken.
'Nee, nee!' zei Simona. 'Olijfbomen breken bijna nooit. *Gli albicocchi…* Abrikozen! Die breken.'
Simona lijkt zelf een beetje op een abrikoos: haar huid is rossig en fluwelig behaard, en ze is klein en rond en glimlacht veel.
'We hebben *albicocchi* in onze tuin,' vertelde ze ons. 'Vorig jaar waren de vruchten zo zwaar dat er twee takken braken.'
De basiliek van San Marco moet wel de mooiste kerk van de wereld zijn, want de muren, de koepel en het dak zijn bedekt met ge-

brand goud en je loopt op mozaïeken. Duizenden en duizenden kleine gekleurde vierkante steentjes, niet groter dan mijn vingernagels. In vierkante, halfronde en driehoekige patronen. Purperkleurig als een bisschopstoog, korenblauw, olijfgroen, roestbruin en oranje.

Vóór de hoogmis struikelde de doge terwijl hij de trap naar de katheder opliep, en hij viel bijna.

En als dat gebeurd was? Als hij snel achteruitgegaan en gestorven was? Of als kardinaal Capuano geen slechte oester had gegeten, maar met ons meegekomen was om de doge te ontmoeten? Soms lijkt het of grote beslissingen niet het resultaat zijn van gerichte bedoelingen, maar van puur toeval.

De doge ging bij de katheder staan. 'Mijn volk!' riep hij met zijn schrille stem. 'Ik viel bijna! Ik viel bijna, en onze kruistocht was bijna mislukt. De grootste onderneming waaraan christenen ooit zijn begonnen. Maar we hebben hem nu weer stevig in beide handen!' Om dit te benadrukken pakte de doge de katheder vast, en de Venetianen in de basiliek lachten.

De doge wachtte tot hij weer te horen was, en dat was goed, want hij sprak Venetiaans en Simona moest het voor ons vertalen. 'Mijn volk!' riep hij uit. 'Deze kruisvaarders zijn de beste, moedigste mannen van de wereld. Venetië is er trots op dat het deelneemt aan deze kruistocht.' De doge zweeg even. 'Ik ben oud,' zei hij, 'en mijn gezondheid gaat achteruit. Net als een kat dommel ik vaak weg, en dan…' Hij sloeg met zijn knokkels op de katheder. 'Dan ben ik opeens klaarwakker! Ik ben al langer jullie leider dan de meesten van jullie leven. Vinden jullie het goed als ik het kruis aanneem? Om jullie te leiden en voor jullie te zorgen op onze pelgrimstocht?'

Nu golfde en bulderde de hele basiliek als de zee.

Ik keek naar markgraaf Boniface. Hij keek niet bezorgd; hij keek alleen nadenkend.

'Vinden jullie het goed dat ik samen met jullie leef of sterf?'

Er stonden tranen in Simona's ogen. 'Hij is blind en ziet. Hij is oud en altijd jong,' zei ze. Ze pakte lord Stephens rechterhand vast en kneep erin.

Lord Stephen boog zich naar me toe. 'En hij is sluw!' zei hij. 'Ontzettend sluw!'

De doge liep naar het altaar, tussen priesters in. Daarna naaide een priester het scharlaken kruis op de voorkant van zijn katoenen kap, en iedereen om me heen juichte.

'Waarom op zijn kap?' vroeg ik Simona. 'Waarom niet op zijn tunica?'

'Dan kan iedereen het zien,' antwoordde Simona.

Hierna rinkelden de priesters met handbellen, ze zwaaiden met wierookbranders en een heleboel Venetianen kwamen naar voren om het kruis aan te nemen.

'Ik zweer het... ik zweer het... ik zweer bij de almachtige God dat ik doge Enrico Dandolo van Venetië zal dienen en hem trouw zal zijn in Zara en waarheen hij me verder nog zal leiden.'

De meeste Venetianen schenen te weten dat we naar Zara gaan voordat we tegen de Saracenen vechten, en ze waren er blij mee, maar wat zullen alle kruisvaarders doen als ze het te weten komen? En wat zal kardinaal Capuano zeggen?

'Ik zweer het... ik zweer het... ik zweer het en erken Enrico Dandolo als mijn ware en enige heer. Laat iedereen getuigen!'

En de Venetianen getuigden! Elke keer dat een ridder zijn eden had afgelegd, werd hij begroet met gejuich, en om me heen glinsterden veel gezichten door de tranen.

Toen hief de doge zijn magere handen op. 'Geef de schepen vrij!' riep hij uit. 'Maak ze los! Richt hun boeg naar het oosten!'

Er werd zo hard gejuicht, geroepen en met voeten gestampt dat je had kunnen denken dat de hele wereld in stukken viel.

'Dus nu heeft onze kruistocht twee leiders,' zei ik.

'Een recept voor een ramp!' antwoordde lord Stephen somber.

Vanavond brandden er in elk kamp op San Nicolo vreugdevuren. Lord Stephen en mijn vader gingen allebei liever slapen, dus liepen Serle en ik samen met Rhys en Turold naar Milons kamp.

Voor zover we weten, zijn we nog steeds de enige Engelsen die zich bij deze kruistocht hebben aangesloten. Dat is heel verbazingwekkend en teleurstellend, want toen Fulk naar de Mark kwam en de kruistocht predikte, leek het zeker dat veel mensen het kruis zouden aannemen. Sir Josquin des Bois zei dat hij zou komen, net als honderden uit andere delen van Engeland.

'Dat kun je koning Jan verwijten,' zei lord Stephen. 'Als hij had besloten om zelf mee te komen, of zelfs maar anderen had aangemoedigd, zouden velen gevolgd zijn.'

Milons mannen hadden fakkels aan de punt van hun lansen gebonden. Ze renden in het donker rond terwijl ze ermee zwaaiden en vreemde, korte kreten slaakten. Kriskras door het kamp van Provins, en eromheen langs de rand.

Toen verzamelden we ons allemaal in een kring van vuur. Pagan zei een dankwoord omdat onze kruistocht eindelijk kan uitvaren, en we baden voor onze eigen veiligheid, voor onze families en alle mensen thuis…

De wind kwam uit het westen, en terwijl hij over het kamp woei, griste hij vonken uit de fakkels en wierp ze omhoog. Hij voerde ze mee, voor heel even, en omlaag naar de duistere zee.

35

Roze wangen en pronkende pauwen

Op heldere dagen lijken de bergen in het noorden heel dichtbij, maar Simona zegt dat ze meer dan vijftig mijl verderop liggen. Hun pieken en dalen zijn net een lange rij open, vraatzuchtige bekken.

Voordat we gisteren de San Marco verlieten, liet Simona ons een mozaïek met twee pauwen zien, die zelfs nog mooier waren dan de geweven pauwen die de tent van de Saraceense kooplieden op de *campo* versierden.

'Ze beloven het eeuwige leven,' zei Simona, 'omdat pauwen nooit, nooit sterven.' Haar borsten gingen op en neer en haar donkere ogen flitsten, en toen kneep ze lord Stephen in zijn roze wangen! Lord Stephen kuchte en glimlachte nogal onzeker.

'Ja! Nou! Ja!' riep hij uit. 'Met alle pauwen van lady Judith in Holt... In Engeland! Met al haar pauwen kunnen we een pad van veren leggen van de aarde naar de hemel, zou ik denken.'

'Ah!' kreunde Simona. '*Paradiso!*'

Ze pakte lord Stephens arm vast en drukte zich tegen hem aan, en haar gekleurde oogleden fladderden.

'Wat krijgen we nou?' zei lord Stephen.

Maar ik zag dat hij glimlachte, en hij liep bijna te pronken.

36

De niet gestelde vraag

Toen ik in mijn zienersteen keek, zag ik koning Arthur en koningin Guinevere en een jonge vrouw die op een muildier zat in de grote hal van Camelot.

'De mensen zeggen dat uw hof het beste is van middenaarde,' begint de jonge vrouw. 'Ze zeggen dat het de vergelijking kan doorstaan met de hoven van Alexander en Julius Caesar.'

'Stijg af!' zegt koning Arthur.

'Dat doe ik niet,' antwoordt de jonge vrouw.

'Er liggen verse biezen op de vloer,' zegt koningin Guinevere, 'bestrooid met goudsbloemen en wilde munt. Niemand mag deze hal binnenrijden. Zelfs niet op een muildier!'

'En iedereen stijgt af als de koning is afgestegen,' zegt Arthur tegen haar.

'Vergeef me,' zegt de vrouw, 'maar ik stijg niet af voordat er een ridder naar kasteel Corbenic komt en de Graal wint. Is er geen ridder aan uw Ronde Tafel die dat kan?'

Ze draagt een witte kap en heeft een schild om haar nek hangen: een scharlaken kruis op een sneeuwwitte achtergrond. Haar muildier is ook wit, en ze worden gevolgd door een jachthond.

'Veel ridders hebben het geprobeerd en velen hebben gefaald,' zegt de koning.

'Ze hebben allemaal gefaald,' zegt de jonge vrouw. 'Zelfs sir Gawain heeft de vraag niet gesteld, dus kronkelt de bewaker van de Graal nog steeds van de pijn. Zijn wonden bloeden dag en nacht, mannen vechten, koninkrijken vallen uiteen, deze hele wereld is een woestenij. Ik was erbij toen sir Gawain sprak met Nascien, de kluizenaar...'

Toen leidde mijn zienersteen me de hal uit, tot in de donkere grot. Eerst kon ik niets zien, daarna alleen vonken en fakkels. Ten slotte zag ik drie schimmige gedaanten: de vrouw op het muildier, sir Gawain en de kluizenaar.

'Iedereen heeft van je gehoord,' begint Nascien. 'Dat je de strijd durfde aan te gaan met de groene ridder. Iedereen heeft een verhaal over je te vertellen. Je dapperheid. Je uithoudingsvermogen. Je eer. Is dat het eind van je verhaal?'

Sir Gawain geeft geen antwoord.

'Jij bent geen krijgsman van God,' zegt Nascien tegen Gawain. 'Jouw roem is geschreven met het bloed van anderen.'

'Ik heb het kwaad bestreden en de zwakken verdedigd.'

'Je hebt een onschuldige vrouw onthoofd, lady Saraide, de vrouw van sir Blamoure. Je bent een onzalige schooier!'

Nu verlaat sir Gawain de grot en bestijgt Kincaled. Ik zie hem naar de poorten van een groot kasteel galopperen. Het is gebouwd van marmer, net als het paleis van de doge.

Twee jongens helpen sir Gawain uit zijn wapenrusting. Twee jonge vrouwen gekleed in goudlaken wassen hem. En dan brengen twee ridders Gawain naar een binnenhof. De grond is bedekt met verdord, geel gras en in de schaduw van een prieel begroeid met wijnranken ligt een man op een bed. De vier poten glinsteren: ze zijn gemaakt van rood goud.

De wijnranken zijn verschrompeld. De druiven zijn rimpelige, grijze steentjes.

Sir Gawain loopt zacht naar de man toe. Het is koning Pellam, de bewaker van de Graal. Ik heb gezien hoe sir Balin hem verwondde met de lans die Longinus gebruikte om Jezus te doorsteken.

'Gawain,' zegt de koning, en zijn stem is weinig meer dan een fluistering, 'je bent naar Corbenic gekomen en ik kan me niet eens oprichten om je te begroeten.'

'Daarom ben ik gekomen,' zegt sir Gawain.

Hij kijkt naar de gewonde koning: zijn ivoorwitte huid, zijn ogen donker van pijn, zijn scharlaken hoed versierd met een gouden kruis, en het bloed dat uit de diepe wond tussen zijn ribben stroomt.

Nu vult het prieel zich met geel licht, helderder dan dat van de opkomende zon.

'Gawain,' zegt de koning, 'dit licht is het teken van Gods grote liefde voor jou. Jij bent een van de dapperste, eervolste ridders op aarde. Er is al eens een ridder geweest die Corbenic bereikte, en toen scheen ditzelfde licht. Maar hij stelde de vraag niet en daarom is zijn queeste mislukt.'

'Wie dient de Graal?' vraagt sir Gawain, en hij sluit zijn ogen.

'Wie dient de Graal?' herhaalt de koning. 'Dat is de vraag.'

Gawain kijkt koning Pellam aan. 'Ik zal u niet teleurstellen,' zegt hij.

Nu leiden dezelfde twee ridders sir Gawain weg naar een donkere hal waar twaalf ridders met witte haren klaar zitten om te gaan eten. Wie zijn dat? De discipelen van Jezus?

Er gaat een deur open. Twee jonge vrouwen zweven naar binnen en de zaal vult zich met licht. De ene vrouw draagt de Heilige Graal, die bedekt is met dikke, witte zijde, en er rijst een verblindende zonnestraal van op. Ik kan er nauwelijks naar kijken. De andere vrouw draagt de lans van Longinus. De punt druipt van het bloed.

De Graal… de Heilige Graal. Hij is afgedekt, maar toch zie ik er een vorm in. Een jongetje.

De twee jonge vrouwen blijven staan voor sir Gawain.

'Nu!' zeggen de ridders. 'Gawain! De vraag!'

Maar sir Gawain staart alleen naar de Graal en de lans, als aan de grond genageld, en hij steekt zijn hand ernaar uit. Er vallen drie druppels bloed bij zijn voeten. Gawain blijft naar voren grijpen, maar de jonge vrouwen laten de Graal en de lans van hem wegzweven.

'De vraag! De vraag!' dringen de oude ridders aan, maar sir Gawain is verdwaasd.

'Meteen!'

'Nu of nooit!'

Het heeft geen zin. Sir Gawain ziet de lippen van de oude ridders bewegen, maar hij hoort alleen de wervelwind van zijn eigen zonden en gebreken.

Nu verlaten de jonge vrouwen de hal, en de oude ridders staan op en volgen hen. Sir Gawain staat alleen in het halfdonker. Hij is volstrekt uitgeput. Hij kan niet wakker blijven. Hij gaat op een bank liggen en valt in slaap…

Een hoornstoot galmt door Corbenic, en onmiddellijk krabbelt sir Gawain overeind. Terwijl het geluid wegsterft, hoort hij door de ene muur koning Pellam kreunen, en door de andere een koor van engelen zingen…

Nu komt de vrouw met de witte kap binnen die op een wit muildier tot in de hal van Camelot was gereden.

'Sir Gawain,' zegt ze, 'je hebt veel zonden begaan, maar dat heeft iedereen. Je grootste fout is wat je niet gedaan hebt. Je hebt de vraag niet gesteld.'

'Ik kon het niet!' roept sir Gawain. 'Ik was er niet toe in staat.'

De hoorn klinkt weer, en door de hal galmt een stem zonder lichaam: 'Laat de man die hier niet thuishoort, weggaan.'

Nu leidt de jonge vrouw sir Gawain naar zijn trouwe Kincaled, en hij rijdt weg.

Huilende wind! Ranselende regen en dreunende donder!

'Ik heb gefaald tegenover koning Pellam,' zegt sir Gawain in zichzelf. 'Ik heb gefaald tegenover koning Arthur en het genootschap van de Ronde Tafel. Ik heb gefaald tegenover mezelf.'

De donder wordt een ver gerommel. De spetterende regen wordt een zacht gemiezer. De lucht trilt en fladdert zwak, als een vlinder die zich voedt.

Nu zie ik het hof in Camelot weer, vol ridders en edelvrouwen. Ook de jonge vrouw met de witte kap is er, nog steeds op haar muildier.

'Ziet u wel?' zegt de jonge vrouw.

'Toch geloof ik dat een ridder deze queeste zal volbrengen,' antwoordt koning Arthur.

'Eens behoorde mijn schild toe aan Jozef van Arimathea,' vertelt de jonge vrouw hun. 'Hij heeft met bloed dit kruis erop geschilderd. Ik zal het hier bij u laten, hangend aan deze pilaar. Alleen een ridder die de Graal kan bereiken, zal het eraf kunnen halen. Ook mijn hond zal ik achterlaten. Hij zal de ridder herkennen en zijn hand likken.' De jonge vrouw zwijgt even. 'Kijk naar me, Arthur!' zegt ze met luide stem.

Ze heft haar hand en werpt met een zwaai haar kap naar achteren. Iedereen snakt naar adem. Ze is helemaal kaal.

'Ooit had ik gouden lokken,' roept ze uit, 'maar nu groeit er geen haar meer op mijn hoofd. Schande over alle ridders die gefaald hebben. Pellams koninkrijk is een woestenij. Kinderen verhongeren, baby's hebben gezwollen buikjes door gebrek. Er kan niets groeien tot er een ridder naar Corbenic komt en de vraag stelt.'

37

Het minste van twee kwaden

Lord Stephen zat tegen zijn zadeltas geleund, maar sir William bleef liever staan, want hij heeft moeite met zitten. Ik knielde op mijn matras en Serle lag op zijn buik, met zijn kin in zijn handen.
'Ik begrijp niet hoe we andere christenen kunnen aanvallen als we krijgslieden van God zijn,' zei ik.
'Niemand heeft iets gezegd over aanvallen,' antwoordde lord Stephen.
'Op een dag struikel jij over je eigen geweten, Arthur,' zei Serle.
'Je geweten of je tong,' voegde sir William eraan toe. 'Een van de twee wordt je fataal.'
'Nee,' zei lord Stephen. 'Wat Arthur zegt is inderdaad een probleem. Ik heb vandaag gehoord dat verscheidene ridders erover praten om hun geloften te breken en naar huis te gaan.'
'Nou,' zei Serle vals, 'dan kan Arthur met hen meegaan.'
'Het is het een of het ander!' zei sir William. 'We varen naar Zara of deze hele verdomde kruistocht valt uit elkaar.'
'De doge zei dat het zijn recht was om Zara te heroveren voordat we ten strijde trekken tegen de Saracenen,' zei ik.
'Dat kan wel waar zijn,' antwoordde lord Stephen. 'Maar mag hij ons allemaal ronselen om hem te helpen? Daar heb ik twijfels over. In elk geval was hij tot eergisteren helemaal niet van plan om met ons mee te komen.'
'Doen de Venetianen dan alleen voor zichzelf mee?' vroeg Serle.
'Dat geldt voor iedereen!' antwoordde mijn vader. 'Laten we opschieten! Denk je dat het de voetknechten, en Turold en Rhys, een fluit kan schelen waar we naartoe gaan of tegen wie we vechten?'

'Voor hen is het werk,' antwoordde ik. 'Voor ons is het een edel streven.'

'Volgens mij maakt al dit gepraat het erger,' zei Serle.

'Nee!' zei ik. 'Het maakt het duidelijker.' Ik wendde me tot lord Stephen. 'Aanvaardt u de overeenkomst, heer?'

Lord Stephen trok een lelijk gezicht en zuchtte. 'Ik denk dat ons onvermogen om voor de schepen te betalen en onze grote queeste samen deze... deze oplossing rechtvaardigen. Het bevalt me niet, maar ik kan het aanvaarden.'

'Waar ligt Zara?' vroeg Serle.

'Aan de overkant van de Adriatische Zee,' zei lord Stephen. 'Een stuk verder langs de kust.'

'Wat gebeurt er als we daar komen?' vroeg ik.

Lord Stephen glimlachte zuinig. 'En voordat we daar komen,' zei hij. 'Ik heb gehoord dat we onderweg zullen aanleggen in de haven van Pirano om onze paarden beweging te geven en onze voorraad drinkwater aan te vullen.'

'Maar als de bewoners van Zara nou verzet bieden?' vroeg ik.

'Geloof me, jongen!' zei mijn vader. 'Als ze zien hoe groot onze vloot is, loopt het ze dun door de broek!'

Lord Stephen likte zijn lippen en wreef met de rug van zijn rechterhand over zijn mond. 'Al dat zand!' zei hij geërgerd. 'Het komt overal in. De wind blaast weer in ons gezicht.'

'En God staat achter ons!' bulderde sir William. 'Jezus nog aan toe! Doe niet zo somber!'

38

Liefde en citroenen

Door Simona's geur voelde ik opeens een hevig verlangen. Ze rook zo koel en schoon. Als een vijver met pas gevallen, romige rozenblaadjes op een vroege ochtend. Het deed me denken aan de dageraad in Caldicot, dauw op het gras, wazige flarden spinrag, de eerste, nog zachte beukenbladeren...

Hier is alles plakkerig en zout. San Nicolo stinkt naar zweet, rotting en mest, en we merken het nauwelijks.

'Waar kom jij vandaan?' vroeg ik.

Simona wees met haar duim over haar rechterschouder. 'Die galei.'

'Van Rialto?'

'Si.'

'Wie zei dat het mocht?'

Simona keek me aan of ik niet goed snik was. 'Mijn vader,' zei ze.

'Je vader?'

'Silvano,' zei Simona. 'De meester-scheepsbouwer.'

'Dat wist ik niet,' riep ik uit. 'Is Silvano je vader?'

Simona glimlachte. Een lome glimlach. 'Wat ben je aan het doen?' vroeg ze.

'Ik zet Bonamy's zadel in de olie. Deze flappen moeten zacht en soepel zijn.'

'Zacht en soepel,' mompelde Simona. 'Mooie woorden.'

'En ze zijn hard en ruw,' zei ik.

'Sir Arthur!' zei ze.

'Ja?'

'Mag ik je Arthur noemen?'

'Ja, natuurlijk.'

'Heb je lief?'

'Wat bedoel je?'

'Een meisje?'

Ik weet niet goed waarom, misschien kwam het door de manier waarop ze het vroeg, en misschien doordat ik al zo lang niet over hen heb gepraat, behalve in mezelf, maar ik begon Simona te vertellen over Grace en Gatty, en toen over Winnie en onze verloving.

'Haar vader is een ridder van de Mark,' zei ik.

'De Mark?'

'Het grensgebied,' zei ik. 'Tussen Engeland en Wales.'

'Hoe is ze?'

'Zichzelf!' riep ik uit. 'Haar haren zijn roodgoud. Vurig. En haar ogen zijn geelbruin. Ze is heel brutaal en lacht altijd, en ze heeft een opvliegend karakter. Op onze verlovingsdag droeg ze een witte zijden jurk en oorbellen met opalen. Ze schitterden en zwaaiden elke keer dat ze bewoog.'

'Mijn jurk was groen,' zei Simona.

'Mijn vader gaf alleen toestemming voor onze verloving omdat ik op kruistocht ging,' vertelde ik. 'Hij waarschuwde me dat hij en Winnies vader het nog niet eens zijn over alle voorwaarden. Ik herinner me precies wat hij zei: " Van jonge vrouwen gaan er twaalf in een dozijn. Er zijn meer dan genoeg juffertjes Winifred, geloof me maar."'

'Nee!' riep Simona uit. 'Jij houdt van Winnie en zij houdt van jou.'

'Dat is waar,' zei ik.

'Hebben jullie gezworen?'

'Onze families gingen hand in hand om ons heen staan,' zei ik.

'Iedereen! Simona, wat is er?'

'Dat konden wij niet,' zei ze, 'bij mijn verloving.'

'Met een Engelsman.'

'Ja, en zijn hele familie was in Engeland.' Simona schudde haar hoofd. 'Maar mijn familie is groot. Ik heb zes broers, en een heleboel neven en nichten. Ze gingen allemaal hand in hand om ons heen staan.'

'Jullie hebben elkaar een gouden ring gegeven,' zei ik.

Simona hield haar linkerhand omhoog.

'Die van jou lijkt op een gouden knoop,' zei ik. 'Kijk, dit is de mijne!'

'*Bello!*' zei Simona.

'Winnie klaagde dat haar ring te strak zat,' zei ik, 'maar haar moeder vertelde me dat jonge vrouwen dat altijd zeggen, en dat ze er wel aan zou wennen.'

Simona stak haar hand naar me uit en raakte het koord rond mijn nek aan.

'Mijn helft van onze verlovingsmunt,' zei ik. 'Ik heb beloofd Winnie te beschermen zoals het in Gods wet staat, en te betalen voor het grootbrengen van onze kinderen en mijn bezit met haar te delen. Daarna brak ik de munt doormidden en gaf haar een helft.'

'Net als bij ons,' zei Simona.

'En Sian maakte iedereen aan het lachen,' zei ik. 'Mijn pleegzusje. Ze is elf en ze riep: "Ik hou van je, Arthur. Ik wou dat ik met je kon trouwen!"'

Toen dacht ik aan Tom die had gezegd dat hij graag met Winnie zou trouwen als ik niet terugkwam van de kruistocht. Volgens Serle had hij dan een heel goede kans. Maar dat vertelde ik Simona niet.

'Ik weet het,' zei ze. 'Vrouwen weten het.'

'Wat?'

'Over jou en liefde. Liefde en verkoudheid kun je niet verbergen! Jij houdt ervan om verliefd te zijn.'

'En jij houdt ervan om erover te praten,' antwoordde ik.

Simona sloot haar ogen en haalde diep adem. 'Hij heette Aylmer,' zei ze. 'Aylmer de Burnham.'

'Vertel me over hem.'

Simona keek op. 'Daar is lord Stephen.'

Ik sprong op en hielp Simona overeind.

'Simona!' zei lord Stephen glimlachend, en hij maakte een kleine buiging voor haar.

'Ik heb een afscheidscadeau voor jullie,' zei Simona. Ze stak haar vingers in het tasje dat aan haar gordel hing.

'Een cadeau?' zei lord Stephen met een spottende glimlach. 'Van een Venetiaan?'

Simona fronste haar wenkbrauwen en gaf hem toen een speelse duw. Ze haalde twee flesjes te voorschijn.

'Wat is dat?' vroeg ik.

Simona trok een van de kurken eruit. 'Haarzeep,' zei ze.

Ik snoof eraan. Het rook koel, helder en fris.

'Citroen met wrongel,' vertelde Simona ons. 'Was je haar hiermee. Het lost het zout op, en alle plakkerigheid.'

Ik bukte me en plukte een mooi, paarsblauw bloemetje van een maagdenpalm. 'Hier heb jij ook een cadeau,' zei ik.

Simona glimlachte. Ze stak het bloemetje in haar haar.

39

Het inschepen

'Wil je het echt weten?' vroeg Giff, en hij keek me grijnzend aan. Hij zat op een mangneel, met zijn gezicht naar de kom die zo groot is als een regenton.

'Stenen?' vroeg ik.

'En allerlei troep,' zei Godard.

'Zoals?'

Giff plukte aan het touw. 'We gooien wat er is.'

'We hebben een keer een lijk weggeslingerd,' zei Godard. 'Een van hun eigen mannen. Hij was van de muur gevallen. Dus hebben wij hem teruggegooid naar boven.'

'Ik heb vijftig ladingen mest afgeschoten,' zei Giff, en ze lachten allebei ruw. 'Ik heb ze eronder bedolven. Je kunt haast niet wachten, hè Arthur?'

'Sir Arthur!' verbeterde Godard hem, en ze lachten weer.

Giff, Godard en de andere mannen van Milon hebben allerlei soorten Venetiaanse belegeringswapens op het transportschip geladen, zoals mangnelen, katapulten en blijden.

'En dit zijn nog maar de kleintjes,' zei Giff. 'De verminkers en vermorzelaars. Als we daar eenmaal zijn, maken we de stormladders, de torens en de katten.'

'Wat zijn dat?' vroeg ik.

'Dat zul je wel zien,' zei Godard, en daarna grinnikte hij naar Giff. 'Herinner je je nog dat we dat hoofd terugslingerden?'

De kade was de hele dag vol met ridders en schildknapen, priesters, wapensmeden, staljongens, voetknechten, bedienden, timmerlieden, zagers, breeuwers, zeilmakers, touwslagers, roeiers en, ondanks de bevelen van de kardinaal, dozijnen vrouwen, die allemaal bezig waren onze transportschepen te laden met open kisten gezouten makreel en kabeljauw, gerookte zeebarbeel en tonijn, manden met haring, emmers vol mosselen en wulken, oesters en kokkels, zeeslakken en eendenmosselen, lekkende garnalen, kluwens palingen, hele hammen, bouten en zijden en lenden rund en schaap, dozijnen konijnen en hazen bungelend aan haken, manden vol ongeplukte kippen, witte broden, zwarte broden, plankbroden, vaten met haver en gerst, tonnen met grutten, eieren, bakjes grauw zout, ronde kazen, olijfolie en walnootolie, potten gember, kaneel, saffraan en kruidnagel, foelie, galangawortel en paradijskorrels, slingers sjalotten, knoflook en uien, prei, mierikswortel, spinazie, pastinaken en kolen, tuinbonen, wortelen, champignons en allerlei soorten vruchten – perziken, appels, peren, pruimen, mispels en kersen, gedroogde rozijnen, dadels en zoete vijgen uit Egypte, potten honing, rieten manden met pistachenoten, pijnboompitten, amandelen en hazelnoten, vaten bier, fusten vruchtensap en rode Venetiaanse wijn, karaffen, pepermolens, kannen en linnen servetten, stenen ovens, tinnen bekers en leren kroezen, zakken houtskool, tondeldozen, drievoeten, haken, ijzeren kookpotten, pannen met lange stelen, roerstokken en vleeshaken, rinkelende schalen, soepkoppen, papkommen, bundels vleespennen, dienbladen, schotels, ruwe handdoeken, hakblokken en messen, soeplepels en pollepels, leren flessen, essenhouten emmers, flessen, muizenvallen, zwaarden in hun schede, ronde schilden en schilden in de vorm van harten en bultige manen, lansen, strijdhamers, bijlen en dolken, handbogen en kruisbogen, pijlkokers, armbeschermers, voetangels, knuppels, helmen, maliënbroeken en dijstukken en maliënkolders, aketons en broeken van fustein, slijpstenen, schoppen en spaden, mokers, beitels en krabbers, zagen en pikhouwelen, avegaren, stutten, vellen tin, rammen met een ijzeren punt, ladders, rollen dik touw, tekendriehoeken,

houten hamers, borstboren, scalpels en zagen en tangen, potten
bloedzuigers en rollen verband, grote kommen, scheermessen en
spiegels van gepolijst staal, kammen, zakken alsem, citroenmelis-
se en majoraan, potten zalf, zakken en zadeltassen volgepropt met
allerlei soorten kleren, tunieken en wambuizen, broeken en riemen, bovenkleden, kappen, naalden en wasdraad, een narrenkap
met belletjes, laarzen en opgerolde huiden, leesten, po's, bijbel-
kisten, psalmboeken, kolfflesjes met wijwater, relikwieënkastjes,
kruisen en altaardoeken, hostieschoteltjes, hostiedoosjes, wierookbranders, kaarsen en vaten was, rozenkransen en gewijde olie,
cimbalen, handbellen, citola's en nakers en tamboeren, rebecs en
luiten, doedelzakken en kromhoorns en schalmeien, lijkwades en

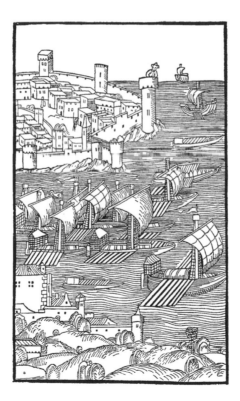

zakken, een afgrijselijk masker op een stok, perkament en gan-zenveren en galappels en puimsteen, een zonnewijzer met de vier winden die hun wangen bol blazen, rollen zeildoek, vaten teer, triktrakspelen, schaakborden en damborden, doosjes met dob-belstenen, vierkante stukken leer, schapenvachten, matrassen, wol-len dekens, dekbedden van marter-, eekhoorn- en konijnenvacht, onderkussens, hoofdkussens, en dan ook nog alle belegerings-wapens… en een of twee dingen die ik me niet kan herinneren.

Geschreeuw, gefluit, gekrioel; aan alle kanten werd met de ellebo-gen gewerkt, geduwd en gevloekt, gescholden en gebruld, gewan-keld en gestruikeld. Toen ik vanaf het dek van ons transportschip omlaag keek, was het alsof ik naar een mierennest keek. De kruis-vaarders waren even druk aan het werk als mieren, en net als mie-ren liepen ze elkaar in de weg.

Toen ik vanmiddag met Bonamy op de kade stond te wachten, hinnikte en bokte Kortnek opeens terwijl Turold hem over de loopplank naar de deur in de zijkant van ons paardentransport-schip leidde. Misschien was het weer een duivelse horzel!

Ze stortten allebei vanaf de plank in het water tussen het schip en de kade.

Kortnek zwom naar het eind van de kade en klauterde aan wal, en ik pakte een pikhaak en hield hem omlaag voor Turold.

De eerste keer dat ik het deed, sloeg ik hem per ongeluk op zijn hoofd. Hij deed zijn mond open om naar me te schreeuwen en kreeg een sloot water binnen. Maar daarna greep hij proestend het eind van de stok vast en ik trok hem mee naar de landingsplaats.

Arme Bonamy! Toen hij zag wat er met Kortnek gebeurde, had hij niet veel zin meer. Ik probeerde met hem naar het begin van de plank te lopen, maar hij zette zijn voorhoeven schrap en hield zijn hoofd omlaag.

'Ga even met hem rijden, heer,' zei Rhys tegen mij. 'Dan kalmeert hij wel.'

De deur in de zijkant van ons schip is in elk geval op dezelfde hoogte als de stallen. Op sommige transportschepen verliezen de paarden op de steile hellingen in het schip hun houvast en glijden en schuiven erlangs omlaag.

Bonamy's stal is maar iets breder dan hijzelf. Er hangen leren riemen aan een balk, en de stalknechten gespten twee paar ervan onder Bonamy zodat hij half hangt en zijn hoeven nauwelijks het dek raken. Bij stormachtig weer, als het schip begint te rollen, zou hij veilig moeten meezwaaien. Toch is hij niet erg gelukkig.

Morgen varen we naar Pirano, en vandaar naar Zara. Dus dit zijn de laatste woorden die ik op San Nicolo schrijf, op de honderdste dag sinds lord Stephen en ik Holt verlieten.

40

De vermiljoenkleurige galei

Heeft deze wereld ooit zoiets gezien?

De roeiers van de doge roeiden zijn vermiljoenkleurige galei van Rialto hierheen en een reusachtige menigte verzamelde zich op de kade. Toen ze voor anker gingen, staken we onze armen in de lucht en juichten.

De boeg van de galei van de doge is van ijzer en heeft de vorm van een drakenkop met een opengesperde bek. Erboven rukt en klappert de banier van San Marco, en de verschansing is versterkt met kleurige schilden die geschilderd zijn in alle zeven tincturen.

Zodra ik ze zag, dacht ik aan het enorme gedrang van ridders toen Arthur het zwaard uit de steen trok... de wapens op hun bovenkleden, die geborduurd waren met zoveel verschillende kleuren en patronen.

De hele galei is vermiljoenkleurig geschilderd: de spanten, het achterkasteel, de landingssloepen en de banken van de roeiers, en zelfs de riemen, alles behalve het roer, de mast en het takelwerk.

Naast de grote mast was een vermiljoenkleurig afdak, gemaakt van brokaat, en daaronder zag ik de doge. Hij droeg zijn witte katoenen kap met het scharlaken kruis erop geborduurd, en stond heel onbeweeglijk, met uitgestrekte armen. Als een overwinnaar. Als de gekruisigde Christus.

Op het tussendek van het achterkasteel stonden tien priesters, of misschien nog meer, en ze begonnen te zingen:

Kom, Heilige Geest. Schepper, kom
Van Uw stralende hemelse troon!
Kom, neem onze zielen in bezit,
En maak ze allemaal tot de Uwe!

Hoe kan markgraaf Boniface dit allemaal de rug toe keren? Na al deze voorbereidingen en al die tijd.

Hij heeft besloten dat hij naar Rome moet gaan. Maar wat kan de Heilige Vader doen, zelfs al heeft hij er bezwaar tegen dat we naar Zara varen? Hij kan ons nu niet meer tegenhouden. In elk geval hebben we de markgraaf nodig. Hij is onze leider.

Er stonden honderd trompetters op langs de verschansing. Ze hieven hun zilveren instrumenten en achter hen sloegen dozijnen muzikanten op hun tamboeren en trommels.

We riepen, we schreeuwden, we brulden!

Iemand greep mijn rechterarm en begon me naar achteren te trekken. Het was Bertie.

'Snel!' hijgde hij. 'Kom mee! Ik heb je overal gezocht.'

'Waarom? Wat is er?'

'Snel!'

We baanden ons een weg door de juichende menigte, tot we onze galei bereikten.

'Je hebt iedereen laten wachten,' zei Bertie buiten adem. 'Milon zegt dat je meteen aan boord moet komen. Anders vaart hij zonder jou weg.'

41

Hemelse boodschappers

Zonder mijn pas in te houden bukte ik en plukte een maagden-
palmbloemetje dat tussen een pluk onkruid groeide, en toen rende ik de loopplank op.

'Ben je gek?' schreeuwde sir William. 'Gooi die verdomde bloem
overboord! Wil je dat we allemaal verdrinken?'

'Wat bedoelt u?' hijgde ik.

'Maagdenpalm!' snauwde sir William. '*Violette des sorciers*. De
bloem van de dood.'

Terwijl de Venetiaanse roeiers ons wegroeiden van de kade, begonnen de priesters bellen te luiden. En vanaf alle galeien om ons
heen antwoordden bellen. Wat een gerinkel! Levendig en eigen-
wijs, springerig en kortaf, hielden ze hun eigen waterhof: hemelse boodschappers die met ons meereden, over de drassige ei-
landjes spoelden en de vier duistere hoeken van de wereld aan-
riepen.

Maar het zeewater dat tegen onze boeg klotste was scherp. Vinnig.
Bruusk. Korte geluiden zonder herinnering.

Toen hesen de matrozen het latijnzeil. Zeildoek knalde, touwwerk
zwiepte en de mast kraakte. We wendden de steven naar de open
zee.

Even dacht ik aan Oliver en een van de oude verzen die hij voor
me heeft opgezegd:

Toen stouwden die krijgers fonkelend wapentuig
diep in de galei; ze voeren de haven uit

met hun goedgebouwde schip, en de reis begon.
Bruisend bij de boeg, bijna als een zeevogel,
vloog het schip over de golven, gedreven door de wind.

Een maalstroom van meeuwen wervelde zilverwit en krijsend boven ons hoofd.
Ik stond op de boeg en jubelde naar de hemel.

42

Een ramp

Dit is er gebeurd.

Zodra we de zee opvoeren en San Nicolo over onze rechterschouder achter ons lieten, stak de wind op.

Meteen begonnen onze roeiers te mompelen en te vloeken.

'Bora!'

'God is tegen ons.'

'Gods toorn!'

'Kwade wind, heer,' zei een van de matrozen tegen mij, en hij
kneep zijn leerachtige gezicht samen. 'Bora heel kwade wind.'

Vooruit en achter ons en overal om ons heen begon onze grote
vloot te dansen. Gapende galeien strekten hun elegante nek en
steigerden; het dichtstbijzijnde paardentransportschip schokte,
rees hoog op en dook in het water, met schuim voor de boeg, en
ik dacht aan de arme Bonamy en alle andere paarden die vastgebonden in hun stallen slingerden; en de reusachtige transportschepen, die zeventig passen lang zijn en duizend man vervoeren,

de *Violetta* en de *Adelaar*, de *Pelgrim* en de *Paradiso* – voor hen weken de golven schuimbekkend en tandenknarsend uiteen.

Toen opende de bora werkelijk zijn muil, en de matrozen klommen in het wand en streken de zeilen. Lord Stephen, mijn vader en Milon zochten samen met de kapitein beschutting in het achterkasteel, en bijna alle anderen behalve de zeelieden en roeiers gingen onderdeks omdat het zoute buiswater telkens onze gezichten striemde, maar Bertie en ik scholen achter een landingssloep.

En toen zag ik het. De *Violetta*, het grootste schip van allemaal, dat Silvano naar zijn vrouw had genoemd, was vreselijk in de problemen.

Het schip maakte slagzij en kwam nauwelijks vooruit. Honderden mannen verdrongen zich op het dek, met witte, wuivende handen. Ze schreeuwden waarschijnlijk om hulp, maar met al het lawaai van de wind en de golven hadden ze net zo goed hun tong verloren kunnen hebben.

Bertie en ik wuifden en schreeuwden, en onze roeiers begonnen onze galei te keren, maar hij was heel zwaar en de harde wind blies hem telkens terug.

De *Violetta* begon te zinken. Het leek zo langzaam te gaan, en het ging zo snel. Er spoelde water over de verschansing aan de lijzijde, en het stroomde blijkbaar omlaag door de luiken. Naar duistere diepten zonk het reusachtige schip, alle bleke zeilen klapperend in paniek.

Toen verdween het onder water, niet met de boeg eerst, niet opgericht, maar als een steen. De romp van het schip zonk, en alleen de toppen van de masten, de zeilen en de bovendekken van haar twee kastelen, voor en achter, waren nog over. Toen verdwenen ook die. Omlaag in het donkere water. Ze zakten weg en waren niet meer te zien.

Bertie greep mijn pols vast, en ik bleef maar slikken, en mijn mond was heel droog. Onze matrozen en roeiers werden stil. Zonder een woord roeiden ze ons naar de *Violetta*. Onze dollen en riemgaten kreunden.

Er dreven honderden mannen met hun gezicht omlaag in het water, en onderdeks moesten er ook vele honderden gestorven zijn. Slechts een paar stumpers klampten zich vast aan de zijkanten van volgelopen boten, eikenhouten planken of roeibanken.

Onze roeiers deden het heel knap. We dreven tot naast een van de boten, bleven daar liggen, en de matrozen wierpen vier lijnen uit, die de overlevenden vastgrepen. Daarna lieten we een touwladder zakken, en ze hesen zichzelf één voor één omhoog en tuimelden aan boord.

Tenminste, dat deden de eerste drie. De laatste had niet meer de kracht om verder te klimmen dan halverwege.

'Kom op!' schreeuwde Bertie.

'Nu of nooit!' riepen de roeiers. 'Niet?'

'Wacht!' gilde ik. Ik kan niet zwemmen, maar ik klom op de verschansing en… stapte eraf.

Het water was ijskoud, maar toen ik proestend bovenkwam, was ik heel dicht bij de touwladder. Ik klauwde door het water, greep de touwladder en begon te klimmen. Met mijn hoofd duwde ik hard tegen de billen van de man halverwege de ladder.

'Kom op!' spoorde Bertie hem aan. 'Het lukt! Kom op!'

Hij reikte ver naar voren en omlaag, greep één hand, en nog één, en trok de stumper omhoog.

Ik hees mezelf de laatste paar stappen omhoog en viel over de verschansing boven op hem.

Wat een kleine handen. En zo rossig.

'Simona!' riep ik uit. 'Simona!' Ik sloeg mijn armen om haar heen.

Simona was net een natte dweil. Ze kon niet overeind blijven.

'Help me om haar te dragen,' zei ik.

'Wie is het?' vroeg Bertie. 'Hoe ken je haar?'

Bertie en ik droegen Simona weg van de verschansing en legden haar languit op het dek. Ze keek met haar donkere Venetiaanse ogen naar ons op en haar tanden begonnen te klapperen.

'Wie is ze?' vroeg Bertie weer. 'Hoe heet ze?'

'Simona. Ze is de dochter van de meester-scheepsbouwer.'

Simona begon te hoesten. Toen draaide ze zich op haar zij en braakte. Ik knielde naast haar en hield zacht haar hoofd vast.

Achter me hoorde ik verscheidene van de roeiers mopperen.

'Een vrouw.'

'Een heks!'

'Dat is slecht.'

'Geen vrouwen aan boord.'

Simona keek naar me op.

'Ik zal voor je zorgen,' zei ik.

'Ik ook,' zei Bertie krachtig.

'Ik wist niet eens dat je meekwam,' zei ik. 'Je leeft! Je leeft tenminste nog!'

Simona zuchtte zacht. 'Mijn vader,' zei ze met een toonloze stem. 'Waar is mijn vader?' Toen zuchtte ze weer en sloot haar ogen.

Silvano! Hij was waarschijnlijk verdronken.

Het kwam toch niet door het bloemetje van de maagdenpalm, dat ik aan Simona had gegeven? *Violette des sorciers.*

43

Bloedende wonden

'Waarom zou jij denken dat je beter bent dan de anderen?' vraagt Nascien.

'Dat denk ik niet.'

'Waarom zou jij slagen waar zij gefaald hebben?'

'Ik heb in naam van Christus gevochten met gillende heidenen,' zegt sir Lancelot. 'Ik ben ontsnapt uit een belegerde, brandende stad. Ik heb tegen demonen gevochten op een kerkhof. Ik ben vastbesloten de Heilige Graal te vinden.'

'Heb je berouw van al je zonden?' vraagt de kluizenaar.

Sir Lancelot buigt zijn hoofd. 'Van allemaal,' zegt hij.

'Allemaal?'

'Behalve één,' zegt sir Lancelot.

'Welke?' vraagt Nascien.

'Hoe kan zoiets zoets een zonde zijn?'

'Alle zonden smaken zoet,' antwoordt de kluizenaar, 'maar hun loon smaakt bitter als gal.'

'Mijn zonde is liefde,' zegt sir Lancelot. 'Ik hou van een vrouw, en ze is een koningin. Ze is getrouwd met een koning.'

'Lage lust!' zegt de kluizenaar.

'Nee!' antwoordt Lancelot zacht. 'Onze liefde is zuiver. Ik hou meer van haar dan van mijn eigen leven, en alles wat ik doe, doe ik in haar naam.'

'Je bedriegt jezelf, Lancelot,' antwoordt de kluizenaar. 'Je bent Judas! Je verraadt Jezus: je kruisigt hem.'

'Ik heb het nooit aan iemand verteld,' zegt sir Lancelot. 'Ik heb er nooit over opgeschept, het nooit verraden. Ik ben mijn koning nooit ontrouw geweest.'

'Toon nu meteen berouw!' beveelt Nascien. 'Lust is een dodelijke zonde.'

'Hoe kan ik?' protesteert sir Lancelot. 'Al het goede dat ik heb gedaan, komt voort uit onze liefde.'

'Je bent doof,' zegt de kluizenaar. 'Je oren zitten vol smeer. Je bent zo blind dat je de Heilige Graal nog niet zou zien als hij hier in deze grot verscheen. Maar Lancelot! Het is niet te laat. Eens was je de beste van alle ridders. Je had je gelijke niet. Je wist wat juist was, en je deed wat juist was.'

Sir Lancelot luistert naar de houtduif die koert bij de ingang van de grot. Zijn hele leven trekt aan hem voorbij.

'Satan zelf verging van pijn doordat hij de Heilige Geest in jou zag branden,' zegt de kluizenaar. 'Hij wilde je te gronde richten en hij wist dat hij de meeste kans had met een vrouw.'

Sir Lancelot schudt zijn hoofd.

'Hij trad binnen in koningin Guinevere,' gaat de kluizenaar verder, 'en keek naar je vanuit haar ogen. De koningin heeft je blind gemaakt voor je dodelijke zonde. Je bent verloren voor Onze Heer.'

Sir Lancelot zit in de grot, zijn armen rond zijn knieën geslagen, en keert de woorden van de kluizenaar om en om.

'Ik ben Guinevere nooit ontrouw geweest,' zegt hij ten slotte, 'en zij is mij nooit ontrouw geweest. Onze liefde is eerzaam. Ik kan er geen berouw van hebben.'

De kluizenaar tuit zijn lippen. 'Maar je moet er afstand van doen.'

Sir Lancelot sluit zijn ogen. Als hij ze weer opent, staan ze vol tranen. 'Ik zal er afstand van doen,' zegt hij zwaar.

'Als je gedachten, gevoelens en daden niet overeenkomen met wat je zegt, zul je nooit slagen,' waarschuwt de kluizenaar.

Nu verlaat sir Lancelot de grot en galoppeert naar de poorten van het grote marmeren kasteel Corbenic. Hij wordt op dezelfde ma-

nier verwelkomd als sir Gawain, en dezelfde twee ridders leiden
hem naar de kruisgang van het kasteel.

Ik zie de bewaker van de Graal weer. Sir Lancelot loopt over het
dode gras naar het voeteneind van zijn bed.

'Lancelot,' fluistert de koning, 'je bent naar Corbenic gekomen en
ik kan me niet eens oprichten om je te begroeten.'

'Sire,' zegt sir Lancelot, 'daarom ben ik gekomen. Ik zal u niet teleurstellen.'

Er komt een jonge vrouw de kruisgang binnen. Ze draagt een kap.
Ze loopt naar koning Pellam en begint bevend en snikkend zijn
wonden te verzorgen.

En nu begint ze te zingen… Haar lange wimpers trillen.

'Lalie, lalee, lalie, lalee.
De valk voerde mijn liefde mee.

Hij droeg hem naar een stille tuin,
De bladeren zijn er dor en bruin.

In een prieel van wingerdhout,
Behangen met rood glanzend goud,

Staat een bed waarin een ridder wacht,
Zijn wonden bloeden dag en nacht.

Een vrouw helpt hem zijn lot te dragen,
Zij weent alle nachten, alle dagen.

In de steen naast de legerstede
Staat "Corpus Christi" gesneden.'

Het is waar! Er staan nu woorden op de grote steen aan het voe-teneind van het bed van de koning, en die waren er nog niet toen ik hem voor het eerst zag. *Corpus Christi.* Het lichaam van Chris-tus. Zou dat betekenen dat we tekortschieten tegenover Christus Zelf als we koning Pellam niet kunnen helpen?

De woorden van het slaapliedje zijn eenvoudig, maar niet gemak-kelijk te begrijpen. Waarom neemt de valk de man mee van wie de jonge vrouw houdt? Ik denk dat de jonge vrouw bij het bed de vrouw is die op een muildier Camelot binnenreed en koning Arthur vroeg of er geen ridder van de Ronde Tafel was die de Hei-lige Graal kon vinden. En misschien is de ridder in het liedje de bewaker van de Graal.

Nu komen de twee ridders terug naar de kruisgang en leiden sir Lancelot naar de donkere hal waar twaalf ridders met witte haren wachten. Hij gaat zitten, eet met hen mee en praat met hen.

Er gaat een deur open. Twee jonge vrouwen zweven naar binnen en de zaal vult zich met licht. De ene vrouw draagt de Heilige Graal, die bedekt is met dikke, witte zijde, en er komt een ver-blindende zonnestraal vanaf.

Maar sir Lancelot ziet hem niet eens. Hij is naar Corbenic geko-men, maar kan de vraag niet stellen. Ik zie aan zijn gezicht, en voel in mijn eigen hart, dat hij aan koningin Guinevere denkt.

Hij verlangt ernaar om haar terug te zien, en haar tegen zich aan te houden. Zo koel en schoon. Hoe kan hij daar afstand van doen? Na de maaltijd lopen de oude ridders de hal uit. Sir Lancelot is zo uitgeput dat hij niet wakker kan blijven... Hij gaat op een bank liggen en valt in slaap.

Nu klinkt er een hoornstoot door Corbenic. Er galmt een stem zonder lichaam door de hal: 'Laat de man die hier niet thuishoort, weggaan.'

In mijn steen vervagen de geluiden en vormen. De kleuren vervagen. Sir Lancelot heeft gefaald.

44

Zoveel tongen

Sir Lancelot is een ridder van het lichaam en een ridder van het hart. Hij is de ridder die alle andere overtreft. Koning Arthur zegt dat hij de beroemdste naam heeft verworven van alle ridders in de hele wereld.

Maar als zelfs sir Lancelot zijn queeste niet kan volbrengen, hoe kunnen wij dat dan? Hoe zullen we ooit Jeruzalem bereiken? Het begint al mis te gaan. We hebben bijna duizend man verloren.

We spreken met zoveel tongen. Niet alleen met de tongen van Engelsen, Normandiërs, Picardiërs, Angevijnen, Duitsers, Italianen en alle anderen, maar ook met de tongen van hooggeborenen en laaggeborenen, van trouw, ijver, ambitie, eigenbelang en meedogenloze hebzucht.

Onze moeder de Heilige Kerk spreekt zelf met vele tongen, en sommige zijn gespleten.

Waarom prediken priesters liefde, maar verachten ze vrouwen? Waarom keren ze onrecht en leed een blind oog toe? Hun gedachten, gevoelens en daden komen niet overeen met wat ze zeggen.

45

Twee balletjes

Een van de mannen die we gered hebben is pas twintig. Hij heet Fremling, wat een heel vreemde naam is voor een Venetiaan. Hij zegt dat het komt doordat zijn grootvader een Noor was.

Fremling vertelde me dat de doge, nadat hij het kruis had aangenomen, bekendmaakte dat de helft van de gezonde mannen op Rialto met hem mee moest komen.

Sommige mannen gingen graag, maar er waren er veel meer die niet wilden. Ze hadden de afgelopen vijfhonderd dagen aan de schepen gebouwd, ze waren daar niet goed voor betaald en moesten nu voor hun eigen zaken zorgen.

Daarom besloten de doge en zijn raadsleden dat alle mannen in Venetië moesten loten.

Eerst maakten kaarsenmakers balletjes van was, en bij elke twee balletjes stopten ze in één ervan een stukje papier. Deze balletjes gaven ze aan alle priesters, en de priesters zegenden de balletjes. Daarna riepen ze hun parochianen op en legden de balletjes twee aan twee in de handen van alle gezonde mannen. Elke man die een stukje papier in zijn wassen balletje vond, moest het kruis aannemen.

'Ben jij uitgekozen?' vroeg ik aan Fremling.

'Ja,' antwoordde Fremling. 'Ik ben uitgekozen om half te verhongeren en half te verdrinken. Ik ben uitgekozen om mijn lieve vrouw te verlaten. We zijn vorig jaar pas getrouwd, zij en ik, en Venetië is vol wolven.'

46

Lacrimae rerum

Vannacht heb ik lang aan dek gelegen, gewikkeld in vachten, onder aan de grote mast.

Ik staarde naar de fonkelende sterren, die zo mooi en zo onbarmhartig zijn, en bedacht dat de nacht bijna alles verslindt.

Daarna dacht ik aan mijn wensen en zorgen, en hoe ik die vroeger opschreef…

Ik wil God behagen. Ik wil een ridder van het hart zijn en ik verlang ernaar Jeruzalem binnen te gaan, maar soms heb ik nachtelijke angsten. Ik wil dat een magische vis mijn gouden ring teruggooit, en ik verlang ernaar om mijn arme moeder te ontmoeten. Voor Gatty wil ik alles wat ze verdient, en meer. Ik wil dat Bertie nog jarenlang leeft en dat Simona's vader de oceaan uitspuwt uit zijn blauwe mond en naar haar terugkomt. Ik wil dat mijn vader me prijst. Ik wil dat hij doodgaat. Ik wil dat lord Stephen weet dat ik weet dat hij een goede vader voor me is geweest. Ik wil met Winnie trouwen. En zou Serle niet met Tanwen kunnen trouwen? Mijn naamgenoot, Arthur-in-de-steen, heeft vijanden binnen Camelot. Zijn edele verbond is verwaaid op de vier winden, en ik vrees voor hem… Mijn hart zou jubelen als ik Merlijn kon terugzien…

Er stroomden hete en ijskoude tranen over mijn wangen, en ze zat op haar knieën naast me en boog zich over me heen. Even dacht ik dat ze mijn moeder was.

'Arthur!' fluisterde ze.

'Het is niets,' zei ik, terwijl ik in mijn ogen wreef.

'Alles, bedoel je.'

'Het komt door die kou! Daardoor gaan mijn ogen tranen en loopt mijn neus vol.'

Simona keek me aan, haar gezicht boven me. '*Sunt lacrimae rerum*,' zei ze ernstig.

'Wat betekent dat?'

'De tranen om de dingen,' zei Simona. 'Al het verdriet van de mensen, al onze verlangens. Daar huilde je om.'

Toen kwam ze naast me liggen. Ze kroop onder mijn schapenvacht. Zo vielen we in slaap.

47

Meer dood dan levend

'Heb je weleens van Sint-Placidus gehoord?' vroeg lord Stephen.
Turold schudde zijn hoofd en bromde.
'En van Maurus?'
'Nee, heer.'
'Ze waren allebei novice. Op zijn zevende verdronk Placidus bij-
na in een meer, maar Maurus liep zonder het te beseffen over het
water en redde hem.'
Turold sloeg een kruis.
'Voor het martelaarschap,' voegde lord Stephen er grimmig aan
toe. 'Siciliaanse piraten hebben hem gekookt in een pot.'
'Die denken dat alle Engelsen een staart hebben,' zei ik tegen Turold.
Lord Stephen, Turold en ik keken hoe onze roeiers ons langzaam
de haven van Pirano, iets ten zuidwesten van de stad Triëst, bin-
nenroeiden. Morgen kan ik Bonamy aan wal brengen om hem beweging te geven.
'Sint-Placidus en Sint-Maurus delen dezelfde dag – vijf oktober
– de dag waarop de *Violetta* is gezonken,' zei lord Stephen. 'Onze
heiligen zijn zo onbetrouwbaar. Soms horen ze onze noodkreten
en helpen ons, maar soms zitten hun oren vol met smeer.'
'Net als bij sir Lancelot,' zei ik.
'Wie?' vroeg lord Stephen.
'Dit hele schip is kletsnat,' merkte Turold op. 'Het is maar goed dat
uw wapenrusting goed is ingepakt.'
'Maar goed voor jou,' zei lord Stephen kortaf.
Lord Stephen is niet vaak prikkelbaar of somber, en ik kon mer-

ken dat hij zich zorgen maakt. Ik geloof niet dat het iets met mij te maken heeft. Misschien is het Simona, die nu alleen is, en ver van huis. Of misschien denkt hij aan Holt en lady Judith, en plunderaars uit Wales. Maar hij piekert meestal niet over dingen waaraan hij toch niets kan veranderen.

Pirano heeft een lange kade met diep water, dus hoefden we de boten niet te gebruiken. Toen ik aan wal stapte, had ik even tijd nodig om weer op het land te kunnen lopen. Ik wankelde rond als een kind van twee en voelde me licht in mijn hoofd.

Mijn vader kon helemaal niet op zijn benen blijven staan. Hij plofte eenvoudig neer op de kade, waar hij iedereen in de weg zat. Hij mopperde over zijn zieke botten, maar hij had bolle, rode wangen als een engeltje en hij bleef maar opscheppen en vertelde iedereen dat hij vandaag achtenzestig wordt. Nu de kruistocht echt begonnen is, voelt hij zich op de een of andere manier in zijn element.

Hij is een en al vaart, enthousiasme, spraakzaamheid en actie.

Veel kruisvaarders juichten toen ze aan wal kwamen. Ik hoorde een stel Normandische voetknechten roepen: 'God zij geloofd! Er is geen andere God dan God. De Heer van het Heelal!'

Dat klonk vreemd, want de Saraceense kooplieden zeiden precies hetzelfde.

Bertie en ik volgden drie van hen toen ze slingerend de straat inliepen. Aan het eind werd de straat breder, en daar stonden een paar kramen. Een ervan was versierd met kleurige tapijten en okergele wandkleden. Het was een Saraceense kraam.

De Normandiërs vloekten en maakten ruwe grappen. Daarna stormden ze erop af en begonnen tegen de palen te schoppen.

De kraam stortte in, en toen twee grijze mannen moeizaam onder de wandkleden vandaan kropen, sprongen de voetknechten naar voren. Ze sloegen de Saracenen op hun gezicht.

'Nee!' riep ik. 'Niet doen! Het zijn kooplieden!'

De Normandiërs trokken zich er niets van aan. Ze schopten hen in hun kruis.

'Niet doen!' gilde ik. 'Laat ze met rust!'

Eén man draaide zich om naar mij. 'Wat is er met jou?' snauwde hij. 'Wil je ook een paar schoppen?'

'Dat mag je niet zeggen,' protesteerde Bertie. 'Hij is een ridder!'

Daarna vloekten de drie Normandiërs en spuugden op de kruipende kooplieden, en toen liepen ze slingerend verder de straat in. Ik boog me voorover en nam een van de kooplieden bij de arm. Hij snakte naar adem en blies belletjes bloed. Maar toen kwamen er andere kooplieden uit hun kramen, die woedend tegen Bertie en mij begonnen te schreeuwen. Een vrouw kwam naar me toe en gilde. Ze gaf me een duw.

'Ze begrijpen het niet,' zei ik.

'En jij kunt het niet uitleggen,' antwoordde Bertie. 'Kom mee!'

Hij greep mijn arm en trok me weg. We liepen langzaam terug door de straat.

Is dit hoe het gaat worden? Eerloos, wetteloos en gemeen? We zijn gekomen om tegen de Saracenen te vechten, met het ene leger tegen het andere, niet om kooplieden aan te vallen die zich niet kunnen verdedigen. Het waren oude mannen.

Op de kade praatten mannen over de *Violetta* en wiens schuld het was. Een ridder uit de Champagne zei dat het door de breeuwers kwam, en dat ze te weinig geitenhaar door het pek hadden gemengd. Een andere man dacht dat er niet genoeg ballast aan boord was en dat het schip door de reusachtige belegeringswapens topzwaar was geworden. Een derde zei dat het schip lek gestoten was op een rif, en weer een ander vertelde ons dat er in de Adriatische Zee een reusachtig zeemonster leeft en dat dit niet de eerste keer is dat het zijn tanden in een schip heeft gezet.

'Het komt doordat er een meisje aan boord was,' zei Serle tegen ons. 'Dat denken al onze roeiers.'

'Nou, Arthur,' zei mijn vader, 'jij hebt die verdomde bloem tenminste weggegooid. Anders zouden wij nu ook op de bodem liggen.'

Sommige kruisvaarders, vooral de Fransen, vinden dat we een groot risico hebben genomen door mensen uit het water te redden. Als de zee honger heeft, heeft hij honger, zeggen ze, en als je iemand redt, verdrinkt hij jou in zijn plaats. Jou of iemand anders. De zee heeft dat recht, en wij zijn haar wettige prooi.

Toen we alleen waren, vroeg ik lord Stephen of hij dat geloofde. Lord Stephen knipperde met zijn ogen. 'Onze roeiers leken er niet mee te zitten,' zei hij. 'En heel wat andere schepen hebben ook geprobeerd overlevenden op te pikken. Ik weet het niet. Ik geloof niet dat ik mensen zomaar kan laten verdrinken, als dat je vraag is.'

'Ik ook niet,' zei ik.

'Dus als er een risico is, is het de moeite waard om het te nemen.'

'Ja, heer.'

Daarna vertelde lord Stephen me over de Zeven Fluiters.

'Alleen zijn het er zes,' zei hij. 'Het zijn kieviten. Zes zielen van verdronken mannen die fluiten en zoeken naar de zevende. Laten we hopen dat ze lang blijven zoeken!'

'Waarom, heer?'

Lord Stephen strengelde zijn vingers voor zijn buik ineen. 'Omdat deze wereld van ons aan zijn einde komt als ze hem vinden!'

Ons paardentransportschip legde pas aan toen het bijna donker was. Dus krijg ik Bonamy morgen pas te zien. Ik wilde schrijven over een heel akelig gerucht dat ik heb gehoord, maar mijn inkt begint op te raken en het is te laat om nieuwe te mengen. Bovendien slapen alle anderen aan boord al, en ik moet telkens gapen.

48

De vergiftigde appel

Het gerucht is niet waar. In elk geval betekent het niet wat ik dacht.

Gisteravond zeiden sommige van de Venetianen dat onze vloot zou teruggaan, en ik dacht dat ze bedoelden: helemaal naar Venetië, omdat ik weet dat veel zeelieden van de doge morren en vragen wat er precies zal gebeuren als de christenen in Zara weigeren hun eed van trouw aan de republiek Venetië te vernieuwen.

Maar het blijkt dat we alleen teruggaan naar Triëst, ongeveer twaalf of dertien mijl ten noordoosten van hier. Dan kunnen de raadsleden daar nieuwe eden zweren. Ik verwacht dat er een ceremonie gehouden wordt met priesters, kaarsen, trompetten en handbellen, net als vanmiddag, toen de doge eindelijk van boord ging en over een lang, vermiljoenkleurig kleed over de kade liep, en de raadsleden van de stad op kussens knielden en Pirano's trouw aan Venetië bevestigden.

De doge eiste van de raadsleden dat ze honderd zeelieden en evenveel roeiers leverden. Dat komt neer op twee extra mannen per schip.

Toen Serle en ik vanochtend vroeg aan boord van ons paardentransportschip gingen, kwam Rhys ons glimlachend tegemoet. Er werd veel gehinnikt, gestampt en gesnoven, en het kan geen paard veel goed doen om zo lang opgesloten te zijn, maar er was Bonamy en Kortnek niets overkomen.

Rhys liet ze achteruit uit hun stallen lopen en leidde ze omlaag over de loopplank. Daarna zadelde hij ze, en Serle en ik gingen met ze rijden tot de zon helemaal op was en we erge honger hadden.

Ze begonnen sneller te zweten dan anders, als mensen die flink verkouden zijn, en één keer liepen ze met ons naar een grote waterplas en dronken zo lang dat ik dacht dat ze zouden barsten.

'Je laarzen beginnen te scheuren,' zei Serle.

'Ik weet het. Ik moet ze laten maken.'

Terwijl Bonamy en Kortnek dronken, begon Serle te zingen, en ik vroeg hem wat voor lied het was.

'Het is een deel van een oud gedicht,' zei hij.

> *'Toen gaven de dappere krijgers hun paarden de sporen,*
> *hun vossen beroemd om hun kracht en hun snelheid.*
> *Ze hielden een wedren waar het pad vlak was...'*

Serle keek me aan en zijn ogen schitterden. Hij gaf Kortnek de sporen, en ik Bonamy. Eerst galoppeerden we zij aan zij, maar toen nam hij een voorsprong.

'Jij hebt gewonnen!' hijgde ik.

Of misschien wonnen we allebei. Serle is vaak hooghartig, maar vanochtend was hij kameraadschappelijk. Hij behandelde me als een gelijke en één keer prees hij me zelfs.

'Ik vind het goed zoals je voor Simona opkomt,' zei hij.

Sir William enthousiast, lord Stephen prikkelbaar, en nu Serle vriendelijk: het lijkt wel of iedereen door deze kruistocht verandert. Ik vraag me af hoe ik verander.

Het is niet gemakkelijk om aan boord een plek te vinden waar ik alleen kan zijn, maar aan het eind van de middag, toen alles blauw werd, klom ik vanaf het achterdek omlaag in de kleine boot die boven het water hangt. Ik staarde een tijdje over de zee, die nu zo kalm is, en werd zelf kalm. Toen rolde ik mijn trouwe, vuile, gelige doek uit.

Sir Lancelot is teruggekomen naar Camelot, en hij en koningin Guinevere zijn alleen. Ze staan op een kleine ophaalbrug.

'Je was zo hartstochtelijk,' zegt de koningin. 'Zo wild. Dat was je. Maar nu?'

'Vrouwe,' zegt sir Lancelot, 'ik heb in uw naam naar de Heilige Graal gezocht en ik heb gefaald door mijn liefde voor u. Omdat ik in mijn hart wist dat ik naar u terug zou gaan.'

'En nu?' herhaalt de koningin.

'Nu maak ik me zorgen om uw goede naam,' antwoordt Lancelot. 'De mensen praten.'

'Wie?' wil Guinevere weten.

'Sir Agravain. Sir Mordred.'

'Gespuis!' roept Guinevere uit.

'En vele, vele anderen,' zegt sir Lancelot. 'Ik kan komen en gaan, u niet. Ik kan met ze vechten, u niet.'

'Probeer je me te ontlopen?' vraagt de koningin.

'Ik laat uw naam niet door het slijk halen,' protesteert sir Lancelot.

Guinevere knijpt haar kastanjebruine ogen tot spleetjes. 'Je houdt niet meer van me, niet zoals vroeger. Dat is de waarheid.'

'Niet waar,' zegt sir Lancelot.

'Hoe durft iemand kwaad te spreken over ons?' zegt de koningin. 'En waarom luister je ernaar? Als je zo weinig van me houdt, wil ik je liever helemaal niet meer zien. Halve liefde is erger dan geen liefde.' Koningin Guinevere begint te snikken en droogt haar ogen met een kleine witte zakdoek.

'Vrouwe,' begint sir Lancelot teder.

'Verlaat Camelot!' beveelt Guinevere. 'Ik wil je niet meer zien.'

In mijn steen kunnen plaatsen veranderen en uren voorbijgaan in een oogwenk.

Nu zit koningin Guinevere aan een lange tafel, samen met de ridders die over haar roddelen en kwaadspreken: sir Agravain, sir Mordred, sir Gawain, sir Bors en nog twintig anderen. Sir Lancelot is er niet bij. 'Welkom bij dit feestmaal,' zegt ze. 'Geen vrouw heeft zoveel geluk als ik, met zulke ridders als gezelschap.'

Veel van de ridders kijken elkaar aan. Ze weten hoe woedend de koningin op hen is. Ze hebben argwaan over haar bedoelingen.

'Gawain,' zegt Guinevere, 'jij eet graag appels bij elk maal. Hier!' Ze pakte een mooie rode appel en gooit hem speels naar sir Gawain.

'En deze is voor jou,' roept de koningin uit, en ze gooit sir Agravain een peer toe.

Sir Gawain en sir Agravain grijnzen en gooien hun vruchten naar elkaar. Al snel doen alle andere ridders mee. Even later is de hal gevuld met gelach en geschreeuw. Overal vliegen appels, peren, sinaasappels uit Spanje, komkommers en reine-claudes door de lucht.

Maar plotseling grijpt sir Patrise naar zijn maag. Zijn lichaam zwelt op als een bal die van een blaas gemaakt is. Zijn gezicht is paars.

Hij probeert op te staan. Hij worstelt, gooit de hele bank om en valt achterover. Sir Patrise is dood. Zo dood als een gekookte kreeft. En in zijn rechterhand heeft hij een half opgegeten appel.

De ridders staren omlaag naar de dode man. Ze werpen elkaar blikken toe. Maar ze kijken niet naar de koningin.

'Hij was mijn neef,' zegt sir Mador, 'en ik zal zijn dood wreken.'

'Vrouwe,' zegt sir Gawain fronsend, 'uw goede naam loopt gevaar.' Koningin Guinevere staat daar alleen, met neergeslagen ogen. Ze zegt geen woord.

'Vrouwe!' zegt sir Mador luid. 'U hebt een hekel aan ons allemaal. Ik beschuldig u ervan dat u die appel vergiftigd hebt en de dood van sir Patrise hebt veroorzaakt.'

Als koning Arthur sir Madors beschuldiging hoort, zegt hij tegen hem dat hij niet zo haastig moet zijn.

'Ik geloof het niet,' zegt hij. 'Er zal vast een ridder zijn die de koningin wil verdedigen. Een man die liever zijn eigen lichaam op het spel zet dan haar te zien branden. Als ik niet jullie koning en rechter was, zou ik het met plezier zelf doen.'

'Niet één ridder die deelnam aan die maaltijd, is bereid haar te verdedigen,' antwoordt sir Mador. 'We weten dat ze ons haat.'

'Ik geef de koningin vijftien dagen om een ridder te vinden die voor haar wil vechten,' zegt koning Arthur. 'Als zich dan nog niemand heeft gemeld, zal ze branden. Bereid je voor, sir Mador, om op die dag hier in de weide bij het water te vechten.'

Nu vertrekken alle aanklagers van de koningin. Zij en de koning blijven alleen achter.

'Ik ben onschuldig,' zegt ze. 'In Gods naam, ik zweer dat ik die appel niet vergiftigd heb en niet weet wie het heeft gedaan.'

'Waar is sir Lancelot?' vraagt koning Arthur. 'Hij zal voor je vechten.'

'Hij heeft het hof verlaten,' zegt Guinevere zacht. 'Hij zei niet waar hij naartoe ging.'

'Wat is er toch met sir Lancelot?' vraagt koning Arthur. 'Hij is nog maar net teruggekeerd naar het hof, en dan gaat hij alweer weg. Vraag sir Bors om je te verdedigen, ter wille van sir Lancelot.'

Weer veranderen de plaats en het tijdstip in mijn steen.

'Dat kan ik niet, vrouwe,' zegt sir Bors. 'Ik was bij het feestmaal en als ik voor u vecht, lijkt het of ik met u samenspan. U hebt de man weggestuurd die u nooit in de steek laat, de man van wie ik het meest houd, en nu bent u zo schaamteloos mij om hulp te vragen.'

Koningin Guinevere laat zich op haar knieën zakken. 'Jij hebt gelijk en ik heb ongelijk,' zegt ze, 'en ik zal proberen het goed te maken. Maar als je me niet verdedigt, word ik ter dood gebracht. Verdien ik dat?'

Nu loopt koning Arthur de steen weer binnen. 'Guinevere is vals beschuldigd,' zegt hij. 'Ik weet het zeker. Beloof me dat je voor haar zult vechten.'

'Dat is het moeilijkste dat u me kunt vragen,' antwoordt sir Bors.

'Als ik het doe, zullen de andere ridders zich tegen me keren.'

'Zweer het!' zegt de koning.

'In Gods naam dan,' zegt sir Bors. 'Ik zweer dat ik voor koningin Guinevere zal vechten, tenzij zich een betere ridder meldt.'

Ergens onder me klonk een luid geklapper en gekrijs. Blijkbaar had een van de zeelieden iets overboord gegooid, een afgekloven bot of een stuk kraakbeen, waar hongerige meeuwen nu om vochten. Het was bijna donker…

Toen ik weer in mijn steen keek, stond sir Bors bij de ingang van een grot met sir Lancelot te praten.

'Ze zeggen dat ze ridders te gronde richt,' zegt sir Bors.

'Te gronde richt?' roept sir Lancelot uit. 'Ze prijst hen. Ze geeft hun geschenken. Ze stelt haar koning nooit teleur. Wat willen ze nog meer?'

'Haar bloed,' antwoordt sir Bors.

'Ze zijn gemeen en jaloers,' zegt sir Lancelot. 'Ik zal voor de koningin vechten. Bereid jij je voor en sta klaar, maar op het laatste moment kom ik de weide inrijden.'

Sir Bors doet precies wat sir Lancelot zegt. Hij rijdt naar de weide bij het water, en hij en sir Mador gaan naar hun tenten en bewapenen zich. Sir Mador rijdt naar buiten en roept: 'Waar ben je nou? Ridder van de valse koningin! Waarom laat je me wachten?'

Sir Bors treuzelt zo lang mogelijk. Maar uiteindelijk komt hij langzaam dravend uit zijn tent.

Precies op dat moment galoppeert er een ridder op een groot wit paard, met een rood schild, de weide in.

De ridder rijdt recht op sir Bors, sir Mador en de koning af.

'Dit is mijn gevecht,' zegt hij tegen sir Bors.

'Wie is dat?' vraagt de koning.

'Dat kan ik u niet vertellen,' antwoordt sir Bors, 'maar deze ridder zal vandaag voor uw koningin strijden.'

'Ik ben hierheen gekomen omdat ik niet kan toestaan dat deze edele koningin te schande wordt gezet,' verklaart de rode ridder. 'Jullie ridders van de Ronde Tafel onteren jezelf door haar te onteren.'

'Genoeg gepraat!' zegt sir Mador. 'Ik zal jou te schande zetten.'

Meteen rijden de rode ridder en sir Mador naar tegenover elkaar gelegen uiteinden van het strijdperk. Ze vellen hun lansen en galopperen op elkaar af. Ze gaan geen van beiden een duimbreed opzij.

De lans van sir Mador versplintert als hij het schild van de rode ridder raakt, en sir Mador wordt achterover van zijn paard geworpen.

Daarom stijgt ook de rode ridder af, en hij en sir Mador trekken hun zwaard uit de schede. Ze stappen naar voren, naar achteren, ze maken schijnbewegingen, stoten, weren af, wervelen rond, en slaan. De rode ridder raakt sir Mador hard op de zijkant van zijn helm en sir Mador valt op handen en voeten.

De rode ridder stapt naar voren en steekt een hand uit naar sir Madors helm. Maar zijn tegenstander doet een uitval met zijn zwaard en maakt een bloedende wond in zijn rechterdij.

De rode ridder slaat sir Mador weer tegen de zijkant van zijn hoofd en sir Mador smeekt om zijn leven.

'Op één voorwaarde,' antwoordt de rode ridder. 'Je moet je beschuldigingen intrekken en een eind maken aan je vete met de koningin.'

'Ik zweer het,' zegt sir Mador.

De rode ridder helpt sir Mador overeind en de twee mannen wankelen naar Arthur en Guinevere.

'Je bent gewond,' zegt de koningin, die de rode ridder bij de arm neemt.

'Wij allebei,' antwoordt hij. 'Maar het geneest wel.'

'Ik ben je eeuwige dankbaarheid verschuldigd,' zegt de koning. 'Maar wie bedank ik?'

De rode ridder zet zijn helm af.

Het is sir Lancelot.

'Ik ben het die u moet bedanken,' zegt sir Lancelot tegen de koning. 'U hebt me geridderd en de koningin heeft me mijn zwaard aangegespt. Daarom ben ik haar ridder, en wie ruziemaakt met u, heeft ook ruzie met mij.'

De koning zucht en glimlacht. 'Sir Lancelot!' zegt hij. 'Ik zal je ervoor belonen.'

Guinevere huilt. Ze huilt geluidloos. Door haar tranen kijkt ze telkens naar sir Lancelot.

Ik weet dat koningin Guinevere onschuldig is. Ze heeft die appel niet vergiftigd. Maar wie dan wel?

49

Beschuldigingen

Sinds haar vader is verdronken, is Simona lusteloos en bedroefd. En ze is ook angstig omdat de zeelieden zeggen dat een vrouw aan boord ongeluk brengt. Toen we Triëst bereikten, stelde lord Stephen voor dat Serle en ik zouden proberen om haar op te vrolijken. Dus namen we haar mee toen we uit rijden gingen met onze paarden.

We reden westwaarts naar Aquileia, omdat Simona daar de mozaïeken in de basiliek wilde zien. Ze zijn bijna duizend jaar oud en er zijn allerlei soorten dieren en vogels op afgebeeld. Een van de priesters in Triëst vertelde ons dat we er ruim voordat de zon boven aan de hemel stond konden zijn, maar dat was niet waar.

'Hij vertelde ons alleen wat we wilden horen,' zei Serle.

Rond het middaguur besloten we terug te gaan. De zon scheen aan één stuk door warm op onze rug. Serle was heel aardig en verscheidene mijlen reden hij en Simona stapvoets een eind achter me. Simona zat vóór Serle op zijn paard, en af en toe hoorde ik ze lachen. Ik vond het fijn om bijna alleen te zijn. Sinds lord Stephen en ik op Sint-Jansavond in Venetië aankwamen, ben ik elk uur van elke dag omringd door honderden, duizenden andere mensen.

Een tijdje lagen we op een stenige heuvel, verder landin-

waarts dan de duinen. Simona en Serle dommelden, maar ik luisterde naar alle verre geluiden van de zee en herinnerde me hoe ik Grace had verteld over de fluisterende geesten in de bomen op Tumber Hill, en hoe ik urenlang met haar in mijn klimboom had gezeten...

Ik zag de oude man niet van de heuvel af komen voordat hij naar ons toe liep.

We krabbelden alle drie overeind.

De oude man keek woedend en zijn verschrompelde lippen trilden. Toen begon hij te schreeuwen. En hij zong een soort bezwering.

'Wat zegt hij?' vroeg ik.

Simona haalde haar schouders op. 'Het is geen Italiaans,' antwoordde ze.

De oude man wees naar de grond en stampte. Hij stampte zeven keer.

'Hij vervloekt ons!' riep ik uit.

'Dat is duidelijk,' zei Serle.

Ik spreidde mijn handen uit naar de oude man en glimlachte, maar hij spuugde op de grond.

'Kom!' zei Serle. 'Laten we weggaan!'

'Ik wou dat ik wist wat hij zei,' zei ik.

Zwijgend reden we weg op Kortnek en Bonamy. Maar toen we terugkwamen bij onze galei, versperden een paar zeelieden de loopplank. Ze wilden Simona niet aan boord laten.

Ze begonnen naar haar te schreeuwen, en toen verdrongen zich nog veel meer matrozen en roeiers langs de verschansing en keken omlaag naar ons.

'*Basta!*' riep Simona.

'Wat is er?' vroeg ik.

'Het zijn leugenaars!'

'Wat zeggen ze dan?'

'Ik heb geen kwaad gesproken over de kapitein van de *Violetta*. Ik heb nooit gezegd dat hij de slechtste kapitein was van de vloot.'

'Niet?'

'Nee!' zei Simona luid, en ik voelde haar warme adem in mijn gezicht.

'Maar was hij dat?'

'Ik weet van niets!' riep Simona. 'Ik heb niets gezegd. Ik zweer het bij God.'

'Ik geloof je, Simona,' zei Serle, en hij deed een stap naar haar toe.

'Ze zeggen dat mijn vader me dat heeft verteld,' protesteerde Simona. 'Dat is niet waar. Ze verzinnen het. De leugenaars!'

'Ik geloof je ook,' zei ik, 'maar ik weet niet wat we eraan kunnen doen.'

Simona, Serle en ik keken op naar alle roeiers die stonden te jouwen langs de verschansing, en zij keken omlaag naar ons.

En toen nam Serle waarachtig het woord. Ik ken hem al zolang als ik me kan herinneren, en hij is degene die zich altijd met de stroom mee laat drijven en nooit voor zijn mening uitkomt. Serle nam Simona bij de hand en liep de loopplank op, en ik volgde hen.

'Wie spreekt hier Engels?' vroeg hij vastberaden.

Er werd wat geduwd en toen werd een zeeman met een pokdalig gezicht en ogen zo bleek als olijvenpitten naar voren geschoven tot aan de bovenkant van de loopplank.

'Jullie spreken kwaad over de doden,' zei Serle met een luide, heldere stem. 'Silvano heeft nooit aanmerkingen gemaakt op de kapitein van de *Violetta* en dat weten jullie.' Hij wees naar de zeeman. 'Vertaal dat!' snauwde hij.

Sommige mannen mompelden en sloegen een kruis.

'Jullie gebruiken de vader om de dochter aan te vallen,' ging Serle verder. 'Waarom? Omdat jullie bang zijn voor vrouwen? Waarom geloven jullie alles wat de mensen zeggen? Silvano was een eerzaam man en jullie kunnen zelf zien dat Simona onschuldig is.

Haar vader hield van haar en besloot haar mee te nemen. En nu heeft ze hem verloren en is ze ver van huis. Ze heeft jullie bescherming nodig.'

Ik luisterde met open mond en juichte in mijn hart.

Ik kan merken dat Serle Simona echt aardig vindt, en dat maakte hem waarschijnlijk zo doortastend. Maar hoe zit het met Simona? Ze houdt van Engelsen en ik kon zien dat ze het vandaag fijn vond om met Serle mee te rijden. Kortnek heeft ruimschoots zijn werk gedaan!

Serle is sterk, maar hij lijkt zo nors en is helemaal niet hoffelijk. Hij kan niet met Tanwen trouwen en krijgt haar de komende twee jaar niet eens te zien. Dus misschien zijn hij en Simona goed voor elkaar.

'Simona, de dochter van Silvano, staat onder mijn bescherming en ze komt met ons aan boord,' verkondigde Serle. 'Lord Stephen zal haar met alle plezier beschermen. En sir William de Gortanore ook.'

'En ik,' zei ik verontwaardigd.

Serle draaide zich om. 'En Arthur,' zei hij. 'Sir Arthur de Gortanore ook!'

'Ja!' zei ik luid. 'Ik zal haar beschermen!'

'We komen aan boord,' zei Serle. 'Uit de weg! Ik ga met onze kapitein spreken.'

50

Een zak met winden

Toen ik in Caldicot woonde hield ik van stormachtige dagen. Ik klom naar de top van Tumber Hill en leunde tegen de wind. Ik dacht dat ik misschien zou kunnen vliegen, zoals Merlijn. Maar zeewinden zijn verraderlijker. Nadat we Triëst hadden verlaten, vroeg ik onze stuurman Piero of er veel kans was dat de bora zijn mond weer zou openen voordat we Zara bereikten, en hij zei: 'Je weet nooit wat er uit de zak van Odysseus komt waaien!' Hij spreidde zijn armen. 'Misschien de solano. Die maakt je duizelig, er komt stof in je ogen en het verstopt je neus, en je kunt geen koers houden. Of de harmattan...'

'Wat is dat?'

'Een wind die uit Afrika komt aanwaaien met nevels op zijn rug. Hij is zo droog dat het gras verdort en je huid afschilfert. Of misschien de sirocco. Die put je uit en maakt je dan waanzinnig. Als een slechte vrouw!'

'Er moeten toch ook goede winden zijn,' zei ik.

'De etesische winden,' antwoordde Piero. 'De vulturnus en de samoen.'

'Dat klinkt goed.'

'*Si*,' zei Piero. 'Je moet weten welke wind waait om te kunnen varen.'

Ik ga hem vragen of ik een bezoek mag brengen aan zijn kleine getraliede hut en het roer mag vasthouden dat onze galei stuurt.

51

Ondersteboven

Eerst leunde ik samen met een oude kruisvaarder over de verschansing.

'Zo blijft het op onze hele tocht naar het koninkrijk Jeruzalem,' vertelde hij me. 'Dit licht.' Hij kneep zijn ogen samen, die glinsterden als Venetiaanse zecchino's. 'En het land. De hele tocht. Dor!'

Het werd donker en we konden de boeglantaarns zien van alle galeien van onze vloot. Zacht slingerend, maar schijnbaar onbeweeglijk. Zwevend in de nacht. Adriatische glimwormen!

Toen begon onze galei te zinken. En om ons heen verging geruisloos de hele kruisvaardersvloot. Naar de diepten van de duistere zee. Onze lantaarns verlichtten de onderwaterwereld. Het was prachtig.

Lord Stephen, Bertie en ik, en alle anderen zwommen dicht bij elkaar en Milon leidde ons. Wido, Giff en Godard schoten telkens met open mond voor me langs. Bertie was dolgelukkig. Eerst maakte hij koprollen, daarna dook hij weg in de duisternis, en ik wist dat ik hem nooit meer zou terugzien.

Allerlei andere troepen zwemmers kruisten ons waterpad en versperden ons de weg: Normandische pummels, en die Duitse hansworsten die Bertie en mij bijna verdronken, een groepje monniksvissen, de bloeddorstige Picardiërs die elkaars vingers afhakten, en de boze ridders die koningin Guinevere onthaalde op een feestmaal, de Vlamingen die de voedselboot plunderden, en de kerkhofdemonen waartegen sir Lancelot vocht.

Rhys kwam naast me zwemmen. 'We zouden onze schepen van paardenhuiden moeten maken,' zei hij. 'We kunnen ze aan elkaar naaien. Zeg dat tegen Simona.'

'Ik begrijp het,' zei ik.

'Jij kunt naaien,' antwoordde Rhys. 'Je bent knap, sir Arthur. Weet je wat dit is?

Sommige mensen dragen hun paarden
op hun rug naar het slagveld.
Ze springen op hun ros om hun prooi
te vangen, en dragen dan hun paarden
op hun schouders terug naar huis.'

Er stak een stoffige wind op onder water, die al onze lantaarns uitblies. Het was donker om ons heen.

Scholen vissen schoten op ons toe en vielen ons aan. Hun ogen waren kwaadaardig – zilverkleurig, bloeddoorlopen en blauw als maagdenpalm – en ze kromden hun rug en geselden ons met hun zwiepende staarten.

Hun stemmen klonken schel.

'Van ons!'

'Niet van jullie.'

'We snijden jullie de keel af.'

'Drinken jullie bloed.'

'En knagen aan jullie botten.'

'Van ons!'

'Weg!'

Allerlei soorten vissen met woedende ogen omsingelden ons en zaten ons op de huid. Ze geselden en staken ons, prikten ons grijnzend, kronkelden zich om ons heen en beten ons.

Ik schreeuwde. Ik sloeg met mijn armen. Toen werd ik wakker.

Ik lag onder mijn vacht en keek naar de bollende zeilen. Ik luisterde naar het geruststellende kreunen en kraken, en het snelle ruisen van water.

Die woedende vissen: snoeken en zwaardvissen, hondshaaien, inktvissen. Wie waren dat? Waren het Saracenen?

Was Merlijn hier maar. Of Johanna, de wijze vrouw, met haar snor als van een kreeft. Zij zou me precies kunnen vertellen wat mijn droom betekent. Ik vraag me af of Simona dromen kan uitleggen.

52

Oude wonden

'Henri's neus was er bijna af.'
'Die vervloekte Saraceen!'
'Ja, dat was hij toen ik met hem klaar was.'
'Maar toch! Ik zou mijn neus geven om zoveel eer te verwerven als Henri.'
'Er! Je hebt gelijk. Die schoften moeten weten dat ze altijd een tweede portie kunnen krijgen.'
'Heb je gehoord over die keer dat ze hem in de grot lieten zakken?'
'Arthur!' zei een stem in mijn oor.
'Heer!'
'Ik vroeg me af waar je was.'
'Hier, heer.'
'Dat zie ik. En in een grot.'
Ik keerde de twee ridders uit de Champagne de rug toe, en lord Stephen en ik liepen over het dek naar de andere verschansing.
'Je moet niet alles geloven wat je hoort,' zei lord Stephen. De huid bij zijn ooghoeken rimpelde. 'Je zou je gezicht moeten zien. Je arme, zorgelijke gezicht. Ik ken jou.'
'Ja, heer,' zei ik, en ik wou dat ik mijn gezicht tegen lord Stephens schouder kon verbergen.
'Kom op,' zei lord Stephen. 'Serle heeft me verteld hoe jullie in Triëst onze zeelieden hebben afgebluft en hebben aangedrongen tot ze Simona aan boord lieten. Klopt dat?'
'Ja, heer. Nou ja, Serle heeft het gedaan.'
'Terecht!' zei lord Stephen vol overtuiging. 'Het arme kind! Ik zal

haar graag beschermen. Maar weet je nog dat ik een paar dagen geleden somber was?'

'Ja, heer.'

'Nou, ik weet echt niet waarom juist nu en niet al lang geleden, maar je vader heeft me er plotseling van beschuldigd dat ik tegen hem samenspan.'

'Tegen hem?'

'Door te proberen voor jou een ontmoeting met je moeder te regelen.'

Ik voelde prikkels in mijn nek en huiverde. 'Hoe wist hij dat, heer?'

'Er is maar één verklaring mogelijk. Herinner je je nog dat ik Thomas waarschuwde dat we zelf iets zouden regelen als hij ons niet wilde helpen? Hij is blijkbaar als een rat naar zijn meester gerend om het te vertellen.'

'Wat hebt u tegen sir William gezegd, heer?'

'Niets. Ik heb hem aangeraden om niet zo onverstandig te zijn oude wonden open te rijten. Luister, Arthur! Ik weet dat je probeert eerbiedig te zijn tegenover je vader. Zo hoort het ook en ik wens je veel succes, maar blijf op je hoede.' Lord Stephen greep met beide handen de verschansing beet. 'Ik wou dat we de man konden vertrouwen, maar ik moet bekennen dat ik bang ben voor je vader. Hij lijkt wel een natuurkracht, het ene moment onschuldig, en het volgende moment wraakzuchtig en heel gevaarlijk.'

Ik dacht onmiddellijk aan Mordred.

Mordred. Mordor. Moord. Zijn naam heeft akelige verwanten.

Mordred weet dat zijn vader hem niet wilde, zoals ik weet dat mijn vader mij niet wilde.

Mordred en koning Arthur: zoon en vader. Zij moeten zich ook zo verscheurd voelen.

53

Sir Urry

Twee dagen en twee nachten slingeren en stampen we nu naar het zuiden, en het lijkt of de golven om ons heen recht omhoogkomen. Korte golfslag noemt Piero dat.

De meesten van ons hebben overgegeven. Ik wel een dozijn keer, en ik kan niet eens door het luik naar binnen gaan zonder meteen braaksel te ruiken en weer misselijk te worden. Dus leef ik aan dek. Ik draag twee broeken en twee hemden over elkaar en heb mijn schapenvacht om me heen geslagen.

Ik ben blij dat Winnie me zo niet ziet.

Alsof de stank beneden nog niet erg genoeg was, moest Bertie het stinkende water onder uit het schip pompen, omdat hij gisteren onbeleefd was tegen Milon. Hij deed alsof hij een krankzinnig schaap was, en in het begin vond Milon het leuk, maar toen ging Bertie te ver; hij blaatte in Milons gezicht en beet in zijn rechterarm.

Bertie keek me met een lelijk gezicht aan. 'Noem eens dingen die stinken,' zei hij.

'Stront.'

'Nee, erger.'

'Rotte vis. Zo rot dat hij lichtgeeft in het donker.'

'Wat nog meer?'

'Ik weet het niet. Kots! Ja, kots! En angst.'

'Angst stinkt niet.'

'Jawel hoor.'

'En verder?'

'Rotte eieren. De adem van sir William. Een stinkzwam. Een loopse teef. Wilde knoflook.'

'Winden,' zei Bertie.

'Geiten,' zei ik. 'Een vacht die niet goed is schoongemaakt.'

'En een lijk!' riep Bertie enthousiast. 'Als je dat allemaal bij elkaar doet, weet je hoe dat water uit het ruim stinkt.'

Toen we wegvoeren uit Venetië, met al dat juichen en zingen, had ik gedacht dat we over vier of vijf dagen in Zara zouden zijn. Ik besefte niet dat de doge van plan was om aan land te gaan in Pirano en Triëst, om daar alle raadsleden nieuwe eden te laten zweren. Hij laat mensen graag wachten zodat ze merken hoe machtig hij is, en bovendien is hij stokoud en doet nooit iets snel.

De dag dat we San Nicolo verlieten was de honderdste na ons vertrek uit Holt, en sindsdien zijn er nog negenentwintig dagen voorbijgegaan. Gisteravond kwam Milon naar buiten om een luchtje te scheppen en ging bij me zitten. Hij vertelde me dat het nu te laat in het jaar is om vanuit Zara naar het zuiden te varen. De winden en het water zijn te onbarmhartig. We zullen daar moeten overwinteren, om in het voorjaar verder te varen.

Naar het Heilige Land? Of naar Egypte? In dit tempo komen we nooit in Jeruzalem.

Ik heb ooit tegen Gatty gezegd dat ik zou proberen haar een boodschap te sturen als ik in Jeruzalem aankwam. Maar hoe dacht ik dat te kunnen doen?

Gisteravond heb ik mijn zienersteen uitgepakt.

Hij leek op golven van de zee als ze lichtgeven in het duister. Daarna zag ik koning Arthur naast zijn troon staan, terwijl hij tot zijn koningin en zijn edelvrouwen en ridders sprak.

'Door sir Mador te verslaan heeft sir Lancelot bewezen dat de koningin onschuldig is, en Nimue heeft het bevestigd. Ze heeft de appel niet vergiftigd. Ze heeft de dood van sir Patrise niet veroorzaakt.'

De koningin houdt haar hoofd omhoog.

'Nimue, de leerling van Merlijn, die mij heel trouw is, zegt dat ze door haar toverij kan zien dat de appels vergiftigd zijn door sir Pinel le Savage. Hij wilde jou doden, Gawain, omdat jij zijn neef hebt gedood.'

'Dat is waar,' zegt sir Gawain.

'Maar nu is sir Pinel gevlucht,' zegt de koning.

Terwijl Arthur-in-de-steen spreekt, zwaait de verste deur open, en er komen twee edelvrouwen binnen, de ene zo oud als lady Alice en de andere twee keer zo oud. Ze worden gevolgd door twee pages die een draagbaar dragen. Daarop ligt een ridder.

'Kom naar voren!' roept koning Arthur.

'Ik woon dicht bij Triëst,' vertelt de oudste edelvrouw aan Arthur. 'Mijn naam is Agatha. Dit is mijn dochter Fyleloly.'

Fyleloly maakt een revérence voor de koning. Ze heeft zwart haar en hoge jukbeenderen, en haar huid is bleek.

'En dit is mijn zoon,' zegt lady Agatha. 'Urry. Sir Urry van de Berg. Hij heeft aan een toernooi deelgenomen en sir Alphegus gedood. Maar sir Alphegus heeft hem zeven wonden toegebracht. Drie hoofdwonden, drie op zijn lichaam en één aan zijn linkerhand.'

'Vrouwe,' zegt Arthur-in-de-steen, 'mijn mensen zijn hovelingen, geen heelmeesters of genezers.'

'Sire,' antwoordt de edelvrouw, 'Alphegus' moeder was een tovenares. Ze heeft Urry betoverd. Zijn wonden kunnen alleen genezen als de beroemdste ridder van de wereld ze aanraakt. Fyleloly en ik zijn door alle christelijke landen getrokken om hem te zoeken.'

'Gelukkig is de man wiens moeder hem zo liefheeft,' zegt koning Arthur.

'En zijn zuster,' voegt de edelvrouw eraan toe.

'Zo trouw,' zegt de koning. 'Zo volhardend.'

'Zeven jaar hebben we gezocht,' gaat lady Agatha verder.

'Als er een man is die uw zoon kan genezen, zal het een ridder van de Ronde Tafel zijn,' zegt koning Arthur. 'Ik zou alleen willen dat ze allemaal hier waren, maar veertig van hen zijn op zoek naar de

Heilige Graal. Ik zal het zelf proberen, niet omdat ik denk dat ik zal slagen, maar als de koning voorgaat, volgen de anderen. Kom morgenochtend bij me in de kasteelwei.'

Wat glijdt mijn steen gemakkelijk door de tijd.

Sir Urry knielt op een goudkleurig kussen in de wei, omringd door alle koningen en koninginnen, hertogen en hertoginnen, graven en gravinnen, ridders, edelvrouwen, schildknapen en pages aan het hof van koning Arthur.

Sir Urry lijkt niet op de mannen die ik in Triëst en Pirano heb gezien. Hij heeft geen snor, zijn haren zijn netjes geknipt en hij is zo tenger als een slank meisje. Hij wordt verteerd door zijn wonden en kwijnt weg.

'Mag ik mijn handen op uw wonden leggen?' vraagt de koning.

'Ik sta tot uw beschikking,' fluistert sir Urry.

Zacht legt de koning zijn linkerhand op de gemene snee in sir Urry's nek en wang, en zijn rechterhand op sir Urry's pols.

Onmiddellijk gaan de twee wonden open. Er stroomt bloed uit.

Als ze dit zien, stapt de ene man na de andere naar voren. Koning Uriens van Gore. Hertog Galahaut. Graaf Aristause. Sir Kay. Sir Melion van de Berg en sir Dodinas le Savage. De ridder van het zwarte aambeeld, de bronskleurige ridder en de ridder met het spadevormige gezicht. Sir Grummor Grummorson. Sir Arrok, sir Marrok, wiens vrouw hem voor zeven jaar in een weerwolf heeft veranderd, sir Griflet, sir Piflet en de kleine sir Gumret.

Maar ze falen allemaal. Dappere mannen en bullebakken, trouwe mannen, leugenaars, ze kunnen net zomin sir Urry's wonden genezen als ze het zwaard uit de steen konden trekken.

Nu komt sir Tor naar voren. Ik mag hem wel. Hij is de zoon van een ridder en een arme vrouw, de vrouw van de koeherder. Dat ben ik ook.

Sir Tor buigt zich voorover en legt voorzichtig zijn twee grote, platte handen op sir Urry's rug.

Sir Urry kreunt. Er spuit bloed uit zijn wond, en zijn linnen hemd raakt doorweekt.

'Waar is sir Lancelot?' vraagt de koning. 'Waarom is hij er nooit als we hem nodig hebben?'

'Kijk!' roept koningin Guinevere.

Sir Lancelot galoppeert de weide in en stijgt af.

'En hoe weet hij altijd wanneer hij nodig is?' vraagt de koning.

'Mijn hart,' fluistert Fyleloly tegen haar broer, 'mijn hart zegt me dat dit hem is.'

'Doe wat we allemaal hebben gedaan,' draagt koning Arthur sir Lancelot op. 'Leg je handen op de wonden van sir Urry.'

'Als u hem niet kunt genezen,' antwoordt sir Lancelot, 'kan ik het ook niet.'

'Probeer het,' zegt de koning.

'Ik moet u gehoorzamen,' zegt sir Lancelot, 'maar het is niet mijn wens om te proberen wat andere ridders niet kunnen.'

'Je begrijpt me niet,' zegt de koning. 'De ridders van de Ronde Tafel zijn elkaars gelijken. We zijn samen één verbond.'

Was dat maar waar. Toen de Heilige Graal Camelot binnenzweefde en rond de Ronde Tafel cirkelde, en zoveel ridders zworen om hem te zoeken, wist koning Arthur dat zijn ring van eer gebroken was.

'Alles op aarde verandert,' zei de koning toen. 'Maar is het verkeerd om te rouwen, als ik weet dat velen van jullie tijdens jullie queeste moeten sterven?'

Sir Urry kijkt op naar sir Lancelot. 'Bewijs me de eer, sir Lancelot,' zegt hij.

De meeste ridders knielen neer. Maar niet allemaal. Sommigen zijn te oud. Anderen worden verteerd door afgunst.

Sir Lancelot knielt naast sir Urry. Hij kijkt omhoog en prevelt een gebed.

Dan drukt hij zijn vingers zacht maar stevig op de drie hoofdwonden van sir Urry, de drie wonden op zijn lichaam, en de wond aan zijn linkerpols.

De open wonden gaan dicht. Zeven littekens dichten sir Urry's verscheurde vlees. De betovering is verbroken.

Sir Urry staat op en rekt zich uit. 'Ik ben nog nooit zo blij geweest,' roept hij uit. 'En ik heb me nog nooit zo sterk gevoeld.'

'Sterk genoeg voor een steekspel?' vraagt de koning. 'Sterk genoeg voor een queeste?'

'Morgen!' roept sir Urry. 'Morgen!'

Maar sir Lancelot? Die weent. Als een bloedende wond.

54

Lichten in de nacht

Van Piero mocht ik de eerste wacht aan het roer staan.
'Richt op die wolk,' zei hij.
'Maar wolken bewegen.'
'Die hangt daar al de hele avond,' antwoordde Piero.
'Hoe lang duurt het nog?' vroeg ik.
Piero stak zijn onderlip naar voren. 'Vraag het aan de wind,' zei hij.
'Deze nacht en een halve dag?'
Ik juichte. 'Eindelijk!' riep ik.
Na een tijdje wees Piero naar iets op de donkere kust. 'Zie je dat?'
zei hij. 'Volg mijn vinger.'
Meteen leunde ik hard tegen het roer.
Piero gaf een gil en trok het terug. '*Sei pazzo?*' blafte hij. 'Met je
ogen! Niet met het roer!'
Ik zag de omtrekken van een klein gebouw met vier ramen waar-
achter kaarsen brandden.
'Een kerk,' zei Piero. 'Een kleine kasteelkerk.'
'Maar waarom kaarsen?' vroeg ik. 'Op dit uur van de nacht?'
'Dat zijn het niet,' zei Piero.
'Ja hoor!' riep ik. 'Kijk!'
'Ik heb het al eerder gezien,' antwoordde Piero. 'Het zijn geen
kaarsen.'
'Wat bedoel je?'
De stuurman haalde zijn schouders op. '*Magia!*' zei hij.
Het roer bonkte onder mijn rechterhand en ik staarde de duister-
nis in. De kerkramen flitsten en flikkerden alsof ze verlicht werden
door honderden dwaallichten, of door geesten.

'Daar is een luipaard,' zei Piero.

'Waar?'

'Hij springt uit het raam en doodt kruisvaarders. Al drie keer.'
Piero drukte de top van zijn rechterwijsvinger tegen zijn voorhoofd. 'Een luipaard die vecht in de Heilige Oorlog,' zei hij.

55

Zara

Je hoort de naam. Je bent benieuwd. Je fantaseert. Je bent zo ongeduldig. Bang. Je vaart erheen.

En dan... is het daar. Droom en werkelijkheid ontmoeten elkaar.
Even bestaat er geen tijd.

Zo was het toen we Zara naderden; toen we het anker lieten vallen en dobberden in het sprankelende water.

Ik heb nog niet veel gezien van deze middenaarde, maar ik heb
opgekeken naar de muren met uiteenstaande tanden van de stad
Londen, en naar de muren en torens van kasteel Ludlow en het
kasteel van graaf Thibaud in de Champagne en het paleis van de
doge in Venetië, en ze zijn lang niet zo hoog en lang en glad als de
Romeinse muren van Zara. Je kunt alleen de toppen zien van de
torenspitsen en klokkentorens erachter. Zij aan zij reiken ze naar
de hemel.

We waren allemaal aan dek. Sommige mannen knielden en praatten tegen God, vele leunden over de verschansing, sommige zwijgend, andere zacht met elkaar pratend en gebarend.

Ik hoorde twee mannen uit de Champagne.

'Onmogelijk.'

'Alles is mogelijk.'

'Niet met zulke dikke muren.'

'Met Gods hulp.'

'Ze zijn daar zo veilig als heuvelkrijgers.'

Wat voor krijgers? Toch niet die waarover Nain ons heeft verteld, die de slapende koning bewaken?

Ik wilde het hun net vragen, toen sir William op me af liep terwijl hij luid en heel vals zong:

> 'Water stroomt uit de rots,
> Manna sneeuwt neer op aarde,
> In de brandende struik
> Flikkert nog de vlam...'

'Zing, jongen! Zing!' bulderde sir William.

> 'We jagen de slang naar buiten,
> We stenigen hem, roken hem uit,
> Laten hem hongeren en halen hem
> Van achter zijn muren.'

Hij grijnsde en ik kon al zijn zwarte tanden zien. 'Dat gaan we doen, hè?'

'Maar ik dacht...' begon ik.

'Jij denkt te veel,' zei sir William luid. 'Je legt jezelf verdomme in de knoop.'

'Maar lord Stephen zei dat we hen niet hoefden aan te vallen,' zei

ik. 'Ze zijn christenen. Hij zei dat we zouden praten en een overeenkomst zouden sluiten.'
'En ik zei dat ze zichzelf zouden bevuilen als ze zagen hoe groot
onze vloot was. Godsamme, Arthur! Ze staan ons in de weg.' Sir
William snoof luid. 'Ik weet wat ik zou doen,' zei hij, en hij liep
met grote stappen naar de achtersteven, terwijl hij weer zong:

'We jagen de slang naar buiten,
We stenigen hem, roken hem uit,
Laten hem hongeren en halen hem
Van achter zijn muren.'

Rond het middaguur kwam de doge langszij in zijn vermiljoenkleurige galei. Hij ging voor anker en stuurde een boodschapper
om te zeggen dat we op alle andere galeien en transportschepen
moesten wachten.
'En dan,' zei de boodschapper van de doge, 'als de zon morgen opkomt, begint het.'
'God zij dank! *Deo gratias!* God zij dank!'
Ik hoorde mezelf meeschreeuwen met alle anderen aan boord,
maar ik weet niet wat er gaat gebeuren als het begint.
De zon gaat nu onder en het water is onrustig. Het klotst en kletst.
Alle torens en spitsen staan in brand. Zara! De hoge muren zijn al
grauw als as.

56

Tact en tactiek

Niet lang na zonsopgang voer de *Paradiso* als eerste de vaargeul in aan de landzijde van Zara. Onze galei was een van de drie direct achter haar. Ik zag de schaduwen van onze masten over de stadsmuren glijden.

Ik wist niet dat er een reusachtige ijzeren ketting over de vaargeul gespannen was, tot de *Paradiso* hem vol ramde, met veel geknars en gekraak. De ketting sneed door de boeg, en de ijzeren bolders die verzonken waren in de stenen strekdammen op de twee oevers, werden uit de grond gerukt. De uiteinden van de zware zeevlecht sprongen de lucht in, voordat ze terugvielen en het water geselden.

Maar de roeiers hielden hun hoofd koel en brachten het transportschip naar de eerste aanlegplaats, niet meer dan tweehonderd pas verder de geul in.

Lord Stephen en ik hoorden dat twee Venetiaanse koks die zich verborgen hielden in een klein kamertje onder de planken van het ruim, dwars doormidden gehakt waren, en dat ze spiernaakt waren.

'Gods straf,' zei lord Stephen bars.

De doge gaf de halve vloot opdracht buitengaats te wachten, om te voorkomen dat er Zaranen ontsnapten. Toch was de haven propvol met onze galeien.

Iedereen leek haast te hebben om aan wal te gaan, na drie dagen en nachten aan boord te zijn geweest, en de verwarring op de kade werd nog groter doordat veel mensen de schade aan de *Paradiso* zelf wilden zien. Maar voordat wij tijd hadden om ons schip te verlaten, kwam er een Venetiaans raadslid aan boord. Het was Gennaro, die we hadden ontmoet op het zeebanket, en hij raadde ons aan te wachten tot we een kampplaats toegewezen kregen.

Hij wilde net vertrekken toen hij Simona en Serle zag, en Simona hem. Eerst staarden ze elkaar aan, en toen jankten ze allebei. Wat een storm van opluchting, vreugde en verdriet! Ze vielen elkaar in de armen.

Simona vertelde ons dat Gennaro een volle neef was van haar vader, en dat ze niet eens wist dat hij mee was op onze kruistocht, en dat hij niet wist dat zij mee was, en dat hij een goed mens is en drie dochters heeft, en dat hij meevaart op de galei van de doge zelf, en dat hij haar zal beschermen…

'Wij beschermen je,' zei Serle. 'Ik bescherm je.'

'En ik!' zei Bertie.

'*Tutti! Tutti!*' riep Simona blij. 'Iedereen!' Toen sloeg ze haar armen om Bertie heen. '*Tu!*' riep ze. '*Tu specialmente!*'

Gennaro knipoogde naar me. '*Signor* Artù!' zei hij. 'Koeienogen! Zeeslakken!'

Toen Gennaro aan wal ging, nam hij Simona mee. Gisteren kwam ze niet terug, maar vanmiddag liep ze haastig ons kamp binnen en vertelde Serle, lord Stephen en mij wat er is gebeurd.

De dienaren van de doge hadden nauwelijks de laatste haring van zijn vermiljoenkleurige tent in de grond geslagen, toen de raadsleden van Zara de stad uit reden om met hem te spreken.

'Ze boden hem de stad aan,' zei Simona. 'Met alles erin. Alles! Op één voorwaarde.' Simona zwaaide met haar mollige rechterwijsvinger. 'Dat hij hun leven spaart.'

'God zij geloofd!' riep ik uit.

'Wat zei de doge?' vroeg lord Stephen.

'Hij zei dat hij het eerst aan de Franse kruisvaarders moest vragen,' vertelde Simona ons. 'Hij zei tegen de raadsleden van Zara dat ze moesten wachten. In zijn tent.'

'Ik begrijp het,' zei lord Stephen.

'Daar zal Milon toch blij mee zijn,' zei ik. 'En Villehardouin ook.'

'Natuurlijk!' zei lord Stephen. 'Het laatste dat we willen is hier problemen krijgen.'

'Waarom heeft hij het hun dan gevraagd?' zei Serle.

De ogen van lord Stephen glinsterden. 'Tact,' zei hij. 'En tactiek. Als hij nu met de Fransen overlegt, is er toch ook meer kans dat ze later met hem overleggen? En misschien vindt de doge dat het geen kwaad kan als de Zaranen een tijdje peentjes zweten. Ze zijn al meer dan twintig jaar lastig.'

Daarna vertelde Simona ons dat graaf Simon de Montfort en Enguerrand de Boves naar het kamp van de doge kwamen terwijl hij weg was om met alle andere Franse leiders te praten.

Simona hield haar hand bij haar linkeroor en leunde tegen het tentdoek. 'Graaf Simon en Enguerrand praatten in hun eentje met de Zaranen,' zei ze.

Lord Stephen wendde zijn ogen geen moment van Simona af.

'Ze zeiden dat de Franse pelgrims christenen zijn en de Zaranen ook. Ze zeiden dat de Fransen Zara nooit zouden aanvallen en dat de Zaranen hun stad niet moesten overgeven. Hun prachtige stad! Zolang de Zaranen zich kunnen verdedigen tegen de Venetianen, hoeven ze zich geen zorgen te maken.'

'Hoe durven ze?' zei lord Stephen heel zacht.

'Ik begrijp het niet,' zei ik. 'De Zaranen hebben zich al overgegeven. Wil graaf Simon dat niet?'

'Ah!' zei lord Stephen. 'Hij voelt zich beledigd, omdat hem niet is gevraagd wie onze schepen moest bouwen, en hij heeft er bezwaar tegen dat een Lombard en een Venetiaan de Franse kruisvaarders aanvoeren. Maar toch!'

'En Enguerrands broer Robert de Boves is tot aan de muren gereden en heeft geroepen dat de Franse pelgrims vrienden zijn,' zei Simona. 'Christelijke vrienden.'

'Schandelijk!' zei lord Stephen woedend. 'Wat deden de Zaraanse raadsleden toen?'

'Ze bedankten graaf Simon en Enguerrand omdat ze Gods waarheid hadden verteld en hun christelijke vriendschap hadden getoond. Daarna vertrokken ze.'

'Mijn God!' zei lord Stephen. 'Weet de doge dat?'

Simona schudde haar hoofd. 'Ik ga nu terug,' zei ze.

'We komen met je mee,' zei lord Stephen. 'Daden hebben vroeg of laat gevolgen, en ik betwijfel sterk of de daden van graaf Simon bloedvergieten voorkomen, zoals hij schijnt te denken.'

57

Achter onze rug

Toen we in het kamp van de doge kwamen, was het bij de vermiljoenkleurige tent, de kleinere paviljoens eromheen en de slijmerige treden naar het water een grote drukte van bedienden, koks, monniken, wijnhandelaren, valkeniers, smeden, mensen die hoopten op een audiëntie bij de doge, en ik weet niet wie nog meer. Ik luisterde naar een man die op een doedelzak oefende. Daarna vertelden twee Zwarte Monniken me over de regel van Sint-Benedictus, en ik zei tegen hen dat ik had gehoord dat Sint-Maurus over het water had gelopen. Simona en ik praatten met een chirurgijn die Taddeo heette. Hij vertelde dat de darmen van een kat honderd passen lang zijn, dat opgehangen, uitgerekt en gevierendeeld worden de ergste manier is om te sterven, en dat hij een keer de schedel had doorboord van een man die blauw bloed had.

'Ik wil niet dat ze mijn schedel openen,' zei ik.

De chirurgijn trok met zijn mond. 'Dat willen maar weinig mensen,' zei hij. 'Hoe minder ik doe, hoe tevredener de doge over me is!'

We wachtten, maar de doge en zijn raadsleden kwamen nog steeds niet terug.

'Kom mee!' zei lord Stephen. 'We verspillen hier onze tijd.'

Maar dat was niet zo. Ik was van alles te weten gekomen.

Vanochtend vroeg haastte ik me terug naar het kamp van de doge, en ik nam Bertie mee. Het was al erg druk. We moesten ons met onze ellebogen een weg door de menigte banen, en Bertie gebruikte ook zijn hoofd en voeten.

'Soms ben je een schildknaap en soms een beest,' zei ik.

'Een leucrota!' zei Bertie grijnzend.

'Wat is dat?'

'Dat ben ik!' riep Bertie. 'Het lijf van een ezel, de kont van een hert, de borst van een leeuw, en een bek die opengaat tot aan zijn oren. En het praat als een mens. Jij zou er ook nog steeds een zijn als je niet geridderd was. Je laarzen scheuren.'

In het midden van de tent was een vierkante ruimte afgezet, en op elke hoek stond een wachter met een lans. Aan één kant zat de doge, die zijn katoenen kap met het scharlaken kruis droeg. Zijn gezicht was heel bleek, behalve de rode vlekken van woede op zijn wangen.

Gennaro en de andere raadsleden stonden achter de doge, en de Franse leiders ook. Ik ving Milons blik op en hij knikte me toe. Ik denk dat hij blij was dat Bertie en ik erbij waren.

Aan de andere kant stonden graaf Simon de Montfort, Enguerrand en Robert de Boves, en een abt.

'In Gods naam!' begon de doge met zijn hoge, dunne stem. 'Terwijl alle andere leiders me smeekten, ja smeekten, om de overgave te aanvaarden, gingen jullie achter onze rug naar de Zaranen om te zeggen dat ze zich niet moesten overgeven. Ik was bereid hun lijf en leden te sparen. Wat willen jullie? Het bloed van christelijk Zara?'

De graaf schudde zijn hoofd, maar de doge was nog niet uitgesproken.

'Willen jullie ons leger splijten? Onze grote kruistocht laten mislukken? Jullie hebben God verraden!'

Graaf Simon wendde zich tot de abt, en de abt kwam naar voren. 'Ik ben Guy de Vaux,' zei hij. 'Ik heb een brief. Een brief van de Heilige Vader.'

Iedereen om me heen snakte naar adem.

'Ja, uit Rome. Van paus Innocentius zelf. Heren, in naam van de paus verbied ik u om deze stad aan te vallen. De bewoners zijn christenen, en u hebt allen het kruis aangenomen.'

De abt schuifelde de open ruimte over en legde het stuk perkament in de handen van de doge.

'Als u de waarschuwing van de Heilige Vader in de wind slaat,' ging hij verder, 'zal hij u Gods genade ontzeggen. Hij zal u in de ban doen!'

Sommige mensen sloegen een kruis en knielden. Maar anderen riepen beledigingen naar de abt.

De doge wachtte en hief toen zijn rechterhand op. Hij draaide zich om naar de Franse leiders.

'Heren,' zei hij, 'u hebt mij aangemoedigd en gemachtigd om de overgave te aanvaarden. Maar uw landgenoten hebben achter uw rug om gehandeld, en de Zaranen geloofden hen. Dus is er nu geen overgave om te aanvaarden.' De doge zweeg even. Hij hief zijn blauwe, stralende, blinde ogen naar de hemel. 'Heren,' zei hij, 'in de San Marco hebben we een plechtige overeenkomst gesloten. U hebt gezworen mij te helpen bij de herovering van deze stad, en nu zult u uw woord houden.'

De menigte schreeuwde, siste en jouwde, maar er werd ook gejuicht. Graaf Simon, de twee broers en de abt baanden zich woedend een weg naar buiten door een van de openingen van de tent, de Franse leiders maakten een buiging voor de doge en vertrokken door een andere opening, en Bertie en ik renden terug naar ons kamp zonder te weten wat er zou gaan gebeuren...

Vanavond kwamen Milon en Bertie binnen terwijl we allemaal aan het avondmaal zaten. Zoals altijd kwam Milon meteen ter zake.

'Tegen de paus of tegen de overeenkomst met de doge? Rome of Venetië?'

'Nou, wat wordt het?' vroeg sir William.

'Als tegen Rome,' zei Milon, 'voor ons allen ex... ex...'

'Excommunicatie,' zei ik.

Milon trok een lelijk gezicht. 'Als tegen Venetië, weg schepen. Afgelopen!'

Bertie schopte met de neus van zijn linkerlaars tegen zijn rechterhiel.

'We zijn pelgrims van God,' zei Milon. 'De paus heeft beloofd vergeving van al onze zonden.'

'Naar de duivel met die vergeving!' mompelde sir William.

Lord Stephen veegde zijn mond af en knipperde aan één stuk door met zijn ogen.

'Maar wij niet toestaan De Montfort en De Vaux onze kruistocht laten mislukken,' zei Milon. Hij spuugde op de grond. 'Wij sturen vier afgezanten naar de paus om uit te leggen. Wij helpen de doge om Zara te heroveren.'

58

Voeten eerst

'Ik heb het je gezegd,' zei Serle. 'Je had ze moeten laten maken voordat we Venetië verlieten.'

'Toen waren ze nog goed,' zei ik. 'Ze moeten alleen wat gestikt worden.'

Maar ik moest de hele ochtend van het ene kamp naar het andere sjouwen op zoek naar een schoenmaker, en ik liep op blote voeten, want mijn broek komt niet verder dan mijn enkels.

De eerste die me wegstuurde, was de man in het kamp van de doge. Hij was een paar laarzen aan het voeren met een of ander kersenrood materiaal en zei dat hij veel te veel te doen had.

Het was overal hetzelfde.

'Zie je die stapel?'

'Ik heb helemaal geen tijd. Ik kan er niet eens naar kijken.'

'Het kost tijd, jongen. Stikken. Ogen slaan. De zijkanten rijgen. De kappen omvouwen.'

Je zou haast gedacht hebben dat ik schoenen wilde hebben die bezet waren met edelstenen en geregen met gouddraad, of toverschoenen om een glazen berg te beklim- 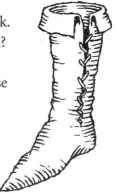 men. 'Ze moeten alleen wat gestikt worden,' zei ik.

'Zodat je alle vijanden van God kunt vertrappen? Nou, jongen, je zult gewoon moeten wachten.'

Maar uiteindelijk vond ik in een van de Italiaanse kampen een schoenmaker die me wilde helpen.

Hij sprak vrij goed Engels en had zijn eigen kleine paviljoen.

'Die lui uit Picardië, Venetië, Poitou en Anjou

zijn maar schoenlappers,' zei hij. 'Ik ben schoenmaker. Ik maak zelf schoenen. Kijk!'

Op een stapel in de hoek van zijn paviljoen lagen rollen huiden, die olijfgroen, mosterdgeel en kastanjebruin geverfd waren.

'Geitenleer,' zei de schoenmaker.

'Scheurt dat niet?' vroeg ik. 'Perkament van geitenhuid is zo dun dat het altijd scheurt.'

'Het is niet bedoeld voor lange marsen,' antwoordde de schoenmaker. 'Geitenleer is voor damesschoenen.'

'Op onze kruistocht?'

De schoenmaker glimlachte. Het was een leerachtige grijns. 'Ik verkoop onderweg,' zei hij. 'Geborduurde schoenen. Schorpioenstaart-schoenen. Met bont afgezette laarzen. En als er nog over zijn als ik thuiskom, zullen de dames in Milaan me niet teleurstellen.' Hij wees naar een veel dikkere rol met de kleur van oude beukenmast. 'Rund,' zei hij. 'Rundleer voor zolen.'

'Je zou een raadsel kunnen maken over schoenen,' zei ik. 'Ze hebben lippen en ogen. Ze hebben tenen...'

In een andere hoek stonden een stuk of zes leesten. Overal op de grond lagen leersnippers, en op een schraagbank stonden zeven paar prachtige nieuwe laarzen enkel tegen enkel.

'Nou, laat maar eens zien,' zei de schoenmaker.

Ik gaf hem mijn laarzen.

De schoenmaker zoog door zijn tanden. 'Vreselijk!' zei hij. 'Je mishandelt je voeten, jij. En als je niet voor je voeten zorgt, wat ben je dan voor man?'

'En monniken die boetekleden dragen?' zei ik. 'En kruisvaarders die hun eigen lichaam brandmerken?'

'Daar weet ik niets van,' zei de schoenmaker. 'Jullie schildknapen denken allemaal dat jullie slim zijn, en jullie vernielen allemaal je laarzen.'

'Ik ben geen schildknaap. Ik ben een ridder,' zei ik.

'Jij? Een ridder? Hoe heet je?'

'Arthur. Sir Arthur de Gortanore.'

'Nou, je laarzen zijn er schandelijk aan toe.'

'Ik weet het.'

De schoenmaker pakte een paar mooie kuitlaarzen en glimlachte.

'*Signor* Artù,' zei hij. 'Koop deze.'

'Dat kan ik niet. Ik heb maar drie duiten.'

'Als je schoenen koopt,' zei de schoenmaker, 'moet je je altijd drie dingen afvragen. Hoe lang gaan ze mee? Hoe goed zitten ze? En hoe elegant zijn ze?'

'Ik wou dat ik ze kon kopen,' zei ik. 'Mijn broer heeft zulke laarzen. Maar kun je die van mij maken?'

De schoenmaker staarde me aan. 'Voeten eerst?' vroeg hij.

'Wat bedoel je?'

'Ben je met je voeten eerst geboren?'

'Ik weet het niet,' zei ik. 'Ik weet dat ik linkshandig ben geboren. Ik kan links en rechts schrijven.'

'Vraag het je moeder, *Signor* Artù.'

'Mijn moeder! Ja! Ja, dat zal ik doen.'

De schoenmaker begon de naad van mijn rechterlaars te stikken.

'Voeten eerst betekent magie. Je kunt mensen genezen.'

'Nee,' zei ik. 'Dat kan ik niet.'

'Hoe weet je dat?' vroeg hij.

Daarna opende de schoenmaker zijn tondeldoos, blies de vonk tot een vlammetje, en hield er een reepje leer boven tot het begon te smeulen. Het rook walgelijk.

'Waarom doe je dat?' vroeg ik.

'Jij weet ook niets,' zei de schoenmaker. 'Om demonen te verjagen.'

59

Roddelwind

Het is vreemd. Vannacht probeerde ik me alle liederen te herinneren die ik heb bedacht, en ze gaan altijd over sterke gevoelens zoals liefdeskoorts en gevechtsangst. De gevoelens zijn hier nu heel heftig. Gisteravond hadden lord Stephen en sir William weer ruzie, ik weet niet waarover, en Serle noemde Simona een slet, en Rhys beschuldigde Serle en mij ervan dat we meer om onze laarzen geven dan om onze paarden. De Fransen bouwen belegeringswapens, iedereen wacht op bevelen, en overal waar je gaat hoor je roddels en vreselijke nieuwe geruchten:

Niemand weet zeker wat die-en-die werkelijk zei,
Maar iedereen kent iemand die het zou weten.
Zo gaat het in het rond, en wij fantaseren erbij.

A zegt dat de abt zegt dat een Saraceen gekookt en licht gezouten naar konijn smaakt, en dat je hem moet wegspoelen met zoete vruchtendrank… B zegt dat de graaf een onderkruipsel is en dat hij er 's nachts op uitrijdt en een snuit en slagtanden krijgt…

Rond en rond waait het op de roddelwind,
Van mond tot mond klinkt alles erger,
Terwijl het zomaar weer opnieuw begint.

En de doge? C zegt dat hij nergens voor terugdeinst: ogen uitsteken, mannen in drek verdrinken, in vlammen verteren… D zegt

als de markgraaf nou maar hier was, en dan iets wat ik niet begrijp
over een donker meisje, een kelk en een peer...

Niemand weet het precies, al kennen we elk woord,
Maar wat kan het ons schelen, we vergeten de prijs,
Als het gerucht rondgaat, en we fantaseren erbij.
Zo worden waarheid, eer en vertrouwen vermoord.

60

Bereid te sterven

Toen ik vanmiddag het kamp uitliep en met mijn rug tegen een verweerde paal naast het kanaal ging zitten en mijn steen uitpakte, zag ik afgunst, gekonkel en verraad dat net zo erg was als dat van graaf Simon de Montfort.

'Schandelijk!' roept sir Agravain uit.

Veel ridders draaien hun hoofd in zijn richting en luisteren.

'Het is schandelijk dat sir Lancelot dag in dag uit, nacht na nacht, het bed deelt met de koningin, en dat wij er niets aan doen en toestaan dat de koning te schande wordt gemaakt.'

'Genoeg!' zegt sir Gawain, de broer van sir Agravain. 'Ik wil er niets meer over horen.'

'Wij ook niet,' zeggen hun broers sir Gaheris en sir Gareth.

'Maar ik wel,' zegt sir Mordred zacht.

Sir Gawains mond verstrakt. 'Dat geloof ik graag,' zegt hij. 'Jij maakt altijd alles erger.'

'Wat er ook van komt,' zegt sir Agravain, 'ik ben van plan het aan de koning te vertellen.'

'En strijd te veroorzaken? Veel ridders zullen de kant van sir Lancelot kiezen.' Sir Gawain legt zijn rechterhand op de schouder van zijn broer. 'Vergeet niet dat sir Lancelot de koning vaak te hulp is gekomen. Hij heeft mij gered van koning Carados, en hij heeft jou en Mordred gered van sir Turquine. Tellen zijn goedheid en moed dan helemaal niet mee?'

'Sir Lancelot heeft mij geridderd,' zegt sir Gareth. 'Ik wil geen kwaad woord meer over hem horen.'

'Daar komt de koning!' zegt sir Gaheris. 'Praat zacht.'

'Nee, dat doe ik niet,' zegt sir Agravain.

'Ik ook niet,' zegt sir Mordred.

'Dan zal door jou en Mordred, en niet door de koningin en sir Lancelot, ons grote verbond van ridders splijten en uiteenvallen,' zegt sir Gawain tegen zijn broer.

Koning Arthur komt naar hen toe. 'Wat een drukte!' zegt hij.

Onmiddellijk maken sir Gawain, sir Gareth en sir Gaheris een buiging en lopen weg.

'Waarover hebben jullie ruzie?' vraagt de koning.

'Mordred en ik zijn zonen van uw eigen zuster,' zegt sir Agravain. 'We mogen het niet meer voor u verbergen. Sir Lancelot en uw koningin zijn geliefden. Hij is een verrader.'

Arthur-in-de-steen slaat zijn ogen neer. Denkt hij aan de waarschuwingen van Merlijn? 'Liefde kan blind zijn… Zeg niet dat ik je niet gewaarschuwd heb.'

'Als wat je zegt waar is,' antwoordt de koning ernstig, 'ja, dan is sir Lancelot een verrader. Maar als hij beschuldigd wordt, zal hij vechten en zijn onschuld bewijzen. Niemand is tegen hem opgewassen.'

'Sire,' zegt sir Mordred, 'het is waar.'

'Ik moet bewijzen hebben,' houdt de koning vol. 'Sir Lancelot is mijn beste ridder. Hij heeft me een eer bewezen door me te dienen.'

'Als u morgen gaat jagen,' zegt sir Agravain, 'stuur dan bericht dat u de nacht doorbrengt in een van uw jachthutten. Ik zal de verrader betrappen. Ik breng hem bij u, levend of dood. Mordred en ik zullen twaalf ridders meenemen.'

'Dat is misschien niet genoeg,' zegt de koning ernstig.

De zonde van sir Lancelot en koningin Guinevere is warm, het is de kracht van hun liefde en het onvermogen om die te weerstaan. Maar sir Agravain en sir Mordred? Hun zonde is geen liefde, maar haat. Hij is koud. Het is helemaal niet hun bedoeling om hun koning te beschermen. Ze willen sir Lancelot te gronde richten. Wat sir Gawain zei is waar: door hen zal de Ronde Tafel uiteengeslagen worden.

Ik zie een kleine kamer waarin bloemenslingers hangen. Een bed. Daarop liggen sir Lancelot en Guinevere. Het zwaard van sir Lancelot ligt naast hem op de grond.
Er wordt op de deur gebonsd.
'Sir Lancelot!'
'Verrader!'
'Kom eruit, of wij komen binnen!'
'We zijn verloren!' roept de koningin.
Sir Lancelot gaat rechtop zitten. 'Vrouwe,' zegt hij, 'is hier ergens een wapenrusting?'
'Nee, niets!' roept de koningin uit.
Guinevere beeft en sir Lancelot slaat zijn armen om haar heen. 'Er is niets om bang voor te zijn,' zegt hij.

'Dat is er wel!' zegt de koningin.
Sir Lancelot houdt Guinevere tegen zich aan.
'Je kunt niet met hen allemaal vechten,' fluistert Guinevere. 'Je zult gedood worden. En ik word verbrand.'
'Alleen omdat ik geen wapenrusting aanheb,' antwoordt sir Lancelot.

Nu begint het bonzen en schreeuwen weer.

'Kom eruit!'

'Schoft!'

'Lieve hemel,' zegt sir Lancelot. Hij trekt Guinevere overeind. 'Mijn vrouwe, mijn koningin,' zegt hij, 'ik heb van je gehouden vanaf de dag dat ik je voor het eerst zag. Herinner je je nog wat ik zei toen je me dit zwaard aangespte?'

Guinevere trilt.

'Wie kan voluit leven als hij niet bereid is om te sterven?'

'Nee!' fluistert Guinevere.

'Guinevere! Guinevere, je zult niet verbrand worden. Mijn neef sir Bors, sir Lavaine of sir Urry zal je redden.'

'Als jij sterft,' fluistert de koningin, 'ben ik bereid te sterven.'

Met zijn armen nog rond Guinevere leunt sir Lancelot naar achteren en kijkt haar aan. 'Ik zal mijn leven duur verkopen. Maar ik zou nu liever een wapenrusting hebben dan heerser te zijn over alle christenen.'

'Mijn lieveling, mijn leven,' fluistert Guinevere.

'Jezus, wees mijn schild!' zegt sir Lancelot. 'Jezus, wees mijn wapenrusting.'

'Laat ons binnen!'

'We zullen je leven sparen.'

'En je naar de koning brengen.'

Sir Lancelot slaat zijn mantel om zich heen, raapt zijn zwaard op en ontgrendelt de kleine deur. Een grote ridder buigt zijn hoofd en stapt met getrokken zwaard de kamer in.

'Sir Colgrevaunce de Gorse,' zegt sir Lancelot. 'Welkom!'

Onmiddellijk slaat sir Lancelot de deur dicht en doet de grendel er weer op.

Sir Colgrevaunce steekt naar hem, maar sir Lancelot stapt opzij en geeft hem een harde klap op de zijkant van zijn helm. De ridder valt opzij.

Met hulp van Guinevere trekt sir Lancelot de wapenrusting van de dode aan.

Hij kijkt verlangend naar koningin Guinevere. Dan draait hij zich om naar de deur, ontgrendelt hem weer en stapt naar buiten.

Sir Lancelot brult en met zijn eerste slag doodt hij sir Agravain. Met elf woeste slagen velt hij elf ridders. Alleen sir Mordred weet te ontsnappen.

Langzaam draait sir Lancelot zich om. Hij bukt en gaat de kamer van de koningin binnen. Hij ademt zwaar.

'Het is waar,' zegt hij. 'Dit is het einde.'

Guinevere buigt haar hoofd.

'Ik heb mijn koning aanleiding gegeven om mijn doodsvijand te worden. We moeten nu meteen weggaan en dan zal ik je beschermen. Dat is het beste.'

'Nee, dat is niet het beste,' antwoordt de koningin. 'Je hebt al genoeg kwaad gedaan. Ga nu naar je eigen kamer.'

Sir Lancelot zucht.

'Maar als je morgen ziet dat ze me willen verbranden…' zegt Guinevere.

'Dan zal ik je redden,' zegt sir Lancelot. 'Dat zweer ik uit het diepst van mijn hart. Zolang ik adem, ben ik jouw ridder.'

Ze ademen, ze kijken elkaar aan. Er valt niets meer te zeggen.

61

Een spartelend, bijtend, jammerend hoopje mens

'Alsjeblieft!' hijgde ik. 'Niet doen!'

Wido, Giff en Godard trokken zich er niets van aan.

De jongen schreeuwde zo hard hij kon. Hij gilde het uit.

'Niet doen!' smeekte ik. Daarna hoorde ik mezelf roepen: 'Laat hem los!'

Giff keek even naar me. Hij grijnsde.

'Milon,' zei ik. 'Wacht! Ik zal Milon zoeken.'

'Horen jullie dat, jongens? Sir Arthur gaat het aan Milon vragen.'

Nu jammerde de jongen.

'Niet krijsen, jij!' brulde Giff. 'Je lijkt wel een vervloekte Saraceen.'

'Vooruit!' spoorde Godard hen aan. 'Verdomme! Zijn knieën omhoog tot aan zijn kin. Strakker!'

'Nee!' gilde ik. 'Het is een klein kind.'

Dit was er gebeurd.

Vanochtend vroeg gaven Milon en de andere Franse aanvoerders hun mannen opdracht hun mangnelen, blijden en andere belegeringswapens naar hun plaats te rijden, tegenover de stadsmuren. Giff en zijn mannen stonden precies aan het eind van het kanaal, het dichtst bij de landpoort.

Terwijl ze allerlei rommel op een hoop gooiden om naar de Zaranen te slingeren – een hele karrenvracht paardenmest, een dode hond, honderden stenen zo groot als een hoofd – stonden veel van de Zaranen op de muren te zwaaien en te juichen, en verscheidene keren begonnen ze te zingen en barstten in lachen uit.

Ze geloofden nog steeds wat graaf Simon en Enguerrand hun

hadden verteld. Dat moest wel. Ze dachten niet dat de Fransen hun belegeringswapens echt gingen gebruiken.

Toen drong zich een troep jonge jongens naar buiten door de landpoort. Het waren er minstens twintig. Ze renden op ons af. Ze schreeuwden naar ons. Ze kwamen nog dichterbij en kromden hun rug en gooiden stenen naar ons. Toen sprintten ze weg, en weer terug door de stadspoort.

In het begin trokken Wido, Giff en Godard zich niets van hen aan. Maar elke keer dat de jongens naar buiten kwamen, kregen ze meer lef.

'Donder op!' riep Giff.

'Lastpakken!' schreeuwde Godard.

'Etterbuilen!' tierde Wido, terwijl hij zijn voorhoofd afveegde.

De jongens riepen en jouwden en smeten stenen, en toen raakte een ervan Godard aan zijn linkerschouder.

Godard veegde zijn grote, natte mond af met de rug van zijn hand. 'Goed dan!' zei hij. En hij begon te rennen, met reusachtige, zware, dreunende stappen.

De jongens zagen hem en stoven ervandoor, maar een van hen struikelde over een kuil en viel. Hij krabbelde overeind, maar Godard kreeg hem te pakken.

Hij tilde het schreeuwende, spartelende, bijtende hoopje mens op en droeg hem terug.

Godard, Wido en Giff keken elkaar even aan.

Toen smeet Godard de jongen op de grond, waar hij smekend aan zijn voeten bleef liggen. Godard schopte hem in zijn kruis, en de jongen hijgde en snikte.

Wido raapte een rol touw op en wond het samen met Giff rond het lichaam van de jongen, zodat zijn armen vastzaten. Daarna duwden ze zijn knieën onder zijn kin en wikkelden nog meer touw om zijn rug en zijn schenen.

'Dit wordt een verrassing voor ze,' zei Godard.

Toen wist ik het zeker. Ik vergat te ademen. Mijn hart bonkte. Maar voordat ik iets kon zeggen, gaf Wido me een keiharde zet. 'Uit de weg!' gromde hij.

Ik wankelde opzij en viel op de berg stenen. Ik stond meteen weer op, maar Wido gaf me een elleboogstoot in mijn gezicht.

Ze smeten hem in de kom. Hij was nu stil en hield zijn ogen stijf dicht.

Toen maakten ze de arm van de katapult los en het gedraaide touw gierde. Ze slingerden hem hoog in de lucht. Ze smeten hem terug over de muur.

62

Afgeworpen

Ik was zo ontzet dat ik me niet eens kan herinneren hoe ik ben teruggekomen in ons kamp. En toen ik er kwam, was alleen sir William er.

'Wat denk je dat dit is, Arthur?' vroeg hij bars. 'Een verjaardagsfeest? Dit is een kruistocht. Moes en gehakt worden hier gemaakt van mensenvlees en bloed.'

'Een klein jongetje!' zei ik. 'Hij was pas acht of negen.'

Sir William snoof. 'Dat zal de Zaranen wakker schudden,' zei hij. 'Hoe eerder ze de werkelijkheid onder ogen zien, hoe beter voor iedereen.'

'Maar er moeten toch... normen zijn. Zijn er geen normen?'

'Wat bedoel je?'

'Regels.'

Sir William brieste. 'Regels!' riep hij uit. Hij kwam op me af en stompte me tegen mijn schouder. 'Je zult er gauw genoeg aan wennen.'

Ik wil er niet aan wennen. Wennen aan het doden van kinderen. Sir Lancelot zei dat oorlog gevoerd wordt om kinderen, vrouwen en andere onschuldige mensen te beschermen. Ik weet dat we gaan vechten en ik ben bereid te vechten. Althans, dat dacht ik. Maar niet als het betekent dat je kinderen doodt en weerloze oude mannen aanvalt. Dat is eerloos.

De moeder van die jongen, en zijn vader... Ze zullen het nu wel weten.

Giff, Wido en Godard zijn slecht. Ik haat ze. En ik haat mezelf omdat ik ze niet kon tegenhouden.

Ik ga met Milon praten. Hij gedraagt zich eervol. Ik weet zeker dat hij boos zal zijn. Heel boos…

Toen zei Rhys tegen me dat mijn geknies iedereen hinderde, en dat ik, als ik niets voor andere mensen kon doen, tenminste iets voor mijn paard kon doen en met hem moest gaan rijden.

Dat deed ik, en ik was blij met Bonamy's levendigheid en kracht, met zijn ogen als donkere pruimen en zijn warme nek. Toen ik met hem wegreed van Zara, kon ik het schreeuwen, dreunen en jouwen nog horen. Ik stak mijn vingers in mijn oren en begroef mijn gezicht in Bonamy's manen.

Bonamy en ik zijn vrienden vanaf de dag dat ik hem mee terugnam naar Holt. Mijn hoevenwever! Mijn spoormaker! Ik denk dat hij aanvoelde hoe boos en in de war ik was. Eerst zwiepte hij telkens met zijn staart, en daarna schopte hij met zijn achterbenen en brieste.

'Kalm!' zei ik. 'Kalm!'

Maar Bonamy wrong en worstelde. Hij begon te bokken en toen galoppeerde hij alsof hij werd opgehitst door een onzichtbare vijand.

'Kalm!' riep ik. 'Bonamy!'

Bonamy zette zijn hoeven in het zand. Hij schudde en steigerde, wild hinnikend. Ik probeerde in het zadel te blijven, maar hij wierp me af.

Ik hoorde alle botten in mijn lichaam kraken. Sterren spatten uit elkaar! Ik zag ze in mijn hoofd uit elkaar spatten.

Het volgende waarvan ik me bewust werd, was dat ik rondzwierf in het schemerduister, me afvragend waar ik was en wat er was gebeurd. Mijn nek en schouders deden pijn, mijn armen deden pijn, mijn benen deden pijn, mijn ogen deden pijn.

Zonder dat ik hem hoorde, kwam Bonamy me achterop en stootte me zachtjes aan.

'Bonamy,' kreunde ik, 'dat heb je nog nooit gedaan.'

Hij likte mijn kin met zijn ruwe tong en ik gaf een gil. Ik staarde naar mijn ontvelde ellebogen en mijn bloedende knieën. Ik dacht aan alles wat er was gebeurd, en hoe wanhopig en nutteloos ik me voelde, en ik kreunde weer.

'Ik heb me nog nooit zo ellendig gevoeld,' zei ik zacht.

63

Lelijk, slecht en laag

'Een ridder moet weten hoe het leven is voor zijn mensen,' zei lord Stephen. 'Voor de mannen, vrouwen en kinderen die op zijn landgoed wonen.'

'Sir William geeft er niets om,' zei ik.

'Ik wel,' antwoordde lord Stephen. 'En sir John ook. En sir Walter de Verdon. En jij ook, later. Heb je op je nagels gebeten?'

'Nee, heer. Alleen deze duim.'

'Niet doen!' zei lord Stephen streng. 'Hier is het net zo als thuis. We moeten begrijpen hoe oorlog werkelijk is.'

'Er worden kinderen gedood,' zei ik bitter.

'Dat wil ik beslist niet goedpraten,' zei lord Stephen. 'Wat zij hebben gedaan was intens gemeen. Ontaard. Daarvoor zijn we niet hier. Maar oorlog is niet roemrijk, Arthur. Het is niet alleen fier op je paard rijden en naar trompetten luisteren. Nee, het is lelijk, slecht en laag. Op een dag zul je anderen aanvoeren en misschien moeilijke beslissingen moeten nemen, daarom is het heel belangrijk dat je de waarheid kent.'

'Ja, heer.'

'Ik weet dat het niet gemakkelijk is. Voor mij ook niet. Maar we moeten onder ogen zien wat er gebeurt.'

'Ja, heer.'

'Daarom wil ik dat je met de mannen meegaat die geulen gaan graven, en hen helpt. Milon is het ermee eens. Jij en Bertie kunnen samen gaan. Ik weet dat het geen werk is voor een ridder, en ook niet voor een schildknaap, maar je moet het begrijpen.'

We waren met veertien man. Bertie
en ik, en twaalf gravers uit Provins.
Hun voorman heette Chrétien.
'Eerst deze huiden en stokken,' zei
Chrétien. 'En de ijzeren platen. Alle spullen voor het afdak. De voor-
hamers. Jullie tweeën, sir Arthur
en Bertie, houd jullie schilden tegen elkaar en als een dak boven je
hoofd. Loop naar het kruisbeeld
dat daar aan de muur hangt!' Chrétien klapte in zijn handen.
'Vooruit! Waar wachten jullie op?'
De Zaranen zagen ons toen we voorbij de landpoort en onder-
langs de hoge muren sjokten. Maar Wido, Giff en Godard gaven
ons dekking.
Ik zag dat ze alleen stenen zo groot als een hoofd wegslingerden,
maar zodra ik hun gedraaide touw hoorde gieren, voelde ik me
beroerd en begon te beven.
'Heb je een spook gezien?' riep Chrétien. 'In hemelsnaam, heer,
schiet op!'
We hamerden de stokken in de harde grond en spanden de hui-
den eroverheen, met de ijzeren platen erop.
'Goed!' riep Chrétien. 'Terug om de houwelen, bijlen en scheppen
te halen. Jij, Bertie! Jij en sir Arthur halen een stut. Iedereen klaar?'
We renden met zijn allen terug, maar deze keer verwachtten de
Zaranen ons. Ze duwden rotsblokken over de muur, en een ervan
viel met een klap op de ijzeren platen. Maar we kwamen er alle-
maal ongedeerd vanaf.
Terwijl we een geul groeven aan de voet van de muur, lieten Wido,
Giff en Godard hun mangneel hard werken, maar dat belette de
Zaranen niet om van alles naar ons te gooien. Stenen. Emmers
mest. Botten.

Een van de ladingen van de mangneel kwam niet ver genoeg. Ik hoorde hem tegen de muur kletteren, en toen werd de huid recht boven me opengescheurd door het kruisbeeld, dat zilveren punten had. De vastgespijkerde voeten van Jezus hingen vlak naast mijn rechteroor.

Chrétien sperde zijn ogen wijd open en sloeg een kruis, maar een andere man lachte ruw. 'Dat scheelde niet veel, heer!' riep hij. 'U was bijna gespietst door onze Heiland!'

Ik weet nu hoe een konijn zich voelt als het in de val zit in zijn hol. Het beeft, het is hulpeloos. Boven hem mensen die schreeuwen en stampen, en stinkende fretten. Bij een belegering zoals die van Zara is er geen ridderlijkheid of hoffelijkheid.

'Dit gaat dagen duren,' zei Bertie. 'De grond is zo hard en droog.'

'Schiet dan op!' snauwde Chrétien.

'Moeten we helemaal onder die muur door graven?' zei Bertie.

'En dan weer omhoog?' vroeg ik.

'Niet omhoog!' zei Chrétien. 'Net ver genoeg om het hele ding te laten instorten.'

'Wat? Boven op ons?' riep Bertie uit.

'Dat is de kunst, jongen,' zei een andere graver. 'Daar zijn de stutten voor.'

'De muur begint te bewegen,' zei Chrétien. 'Hij verzakt een beetje. Hij komt omlaag.'

'En je zet de stutten eronder,' zei Bertie.

'Precies!' zei Chrétien. 'En dan graaf je weer een beetje. Dat doen die mannen uit Anjou daar verderop. En daarachter de Gascogners.'

'En dan?' vroeg ik.

'Vuur!' zei Chrétien. 'We steken een vuur aan naast de stutten en maken dat we wegkomen. Je zult het wel zien.'

De mannen toonden weinig ontzag voor ons. Ze noemden Bertie en mij laffe scharminkels en klaagden dat we telkens in de weg liepen. Toch waren ze best vriendelijk.

Toen het stil was boven ons, gaf Chrétien twee mannen, Gaston en Giscard, opdracht wat stenen, botten en andere rommel van de doorgezakte huiden te halen.

Ze waren nog maar net begonnen toen Giscard een reusachtig blok bewerkte steen op zijn hoofd kreeg. We trokken hem aan zijn voeten terug onder ons afdak, maar de bovenkant van zijn schedel was verbrijzeld. Het ene moment leefde hij nog, en het volgende moment was hij dood. Morsdood.

Vier van de mannen tilden hem op, en terwijl we onze houwelen, bijlen en scheppen achterlieten, renden we terug naar de andere kant van het kanaal. We legden Giscards lichaam naast de mangneel.

'Arme donder!' zei Chrétien. 'Wie graaft zijn graf?'

Niemand antwoordde en Chrétien knikte naar Bertie en mij.

'Waar?' vroeg Bertie.

'In gewijde grond,' zei ik.

'Waar Giscard ligt wordt gewijde grond,' gromde Chrétien. 'Elke man die sneuvelt bij een belegering komt in de hemel.' Hij staarde naar Giscards verminkte schedel en schopte tegen de grond. 'Arme donder!' zei hij weer. 'Als we die kat hadden gehad...'

'Wat is dat?' vroeg Bertie.

'Een afdak op wielen,' zei Chrétien. 'Het rijdt langzaam naar de muren en het heeft een steil puntdak zodat er niets op blijft liggen. De Normandiërs zijn ze aan het bouwen, maar het duurde te lang. Als we die kat hadden gehad...'

'Kende je Giscard al eerder?' vroeg ik.

'Mijn hele leven,' zei Chrétien. 'Zijn vrouw ook. Ze hebben zes kinderen, met nog een op komst.'

Het is vijf dagen geleden dat ik over Giscard en het graven onder de muur heb geschreven, en elke dag hebben lord Stephen en Milon Bertie en mij nieuwe taken gegeven. Eén dag hielp ik de Normandische timmerlieden bij het bouwen van de katten, die ze storm-daken noemen, maar Bertie moest echt helpen lange planken te za-gen. Eén dag roeiden we rond naar de westkant van Zara, en Ber-tie moest een riem nemen, en we hielpen de Venetiaanse zeelieden allebei om lange ladders te leggen vanaf de gemeerde schepen naar de stadsmuren, terwijl de Zaranen jouwden en ons probeerden te-gen te houden door hete olie en stomend water over ons heen te gieten. En één dag moest ik met Turold meewerken en alle nagels van onze wapenrusting controleren, en de buitenkant schuren, maar Berties taak was erger: hij moest alle stinkende fusteinvoerin-gen eruit trekken en de binnenkant van alle stukken schoonmaken.

Vanmiddag kwamen dezelfde drie Zaraanse raadsleden die met de doge kwamen praten op de dag dat we aan wal gingen, weer door de landpoort naar buiten rijden. Ze waren ongewapend en hiel-den elk een groot kruisbeeld omhoog.

Ze reden recht naar het kamp van de doge en boden aan om de stad en alles erin over te geven op precies dezelfde voorwaarden als eerst.

'Nou,' zei lord Stephen, 'hij kan nauwelijks minder doen dan hun leven sparen.'

'Dat kan hij wel,' zei sir William.

Lord Stephen trok met zijn mond. 'Maar het is niet eervol,' zei hij.

'Gij zult geen wezens in leven laten,' zei sir William met krakende stem. 'Gij zult hen vernietigen. Dat staat in Deuteronomium.'

'De Zaranen zijn christenen, en hun leven sparen is het minste wat de doge kan doen,' hield lord Stephen vol. 'Anders zal de paus het hem nooit vergeven.'

'Als dat alles is wat ze vragen, hebben ze niets om over te onder-handelen.'

'Kunnen ze geen mannen leveren voor de kruistocht?' vroeg ik.

'Dat moeten ze!' antwoordde sir William. 'Daar zal de doge voor zorgen.'

'Wat heeft dit de Zaranen nu eigenlijk opgeleverd?' vroeg lord Stephen.

'Ze zitten zwaar in de problemen,' zei sir William dreigend. 'De doge is woedend. Ze hebben zich twintig jaar tegen hem verzet.'

'Wat heb ik je gezegd?' zei lord Stephen.

'Jij weet altijd alles het beste!' snauwde sir William.

Lord Stephen richtte zich op als een beledigde pauw, maar zijn kruin kwam niet veel hoger dan mijn schouders.

'Ik zei dat graaf Simons…'

'Verraad!' bulderde sir William.

'… dat graaf Simons daad niet het resultaat zou hebben dat hij verwachtte. Hij wilde voorkomen dat christenen tegen christenen vochten. Maar kijk nou wat er is gebeurd!'

Sir William snoof.

Lord Stephen zwaaide met zijn rechterwijsvinger. 'Ze hebben juist veroorzaakt wat ze probeerden te voorkomen,' zei hij.

64

De vlammen in

'Waarom zijn jullie allemaal gewapend?' vraagt sir Lancelot.

'Ieder van ons is wakker geworden uit zijn eigen droom,' antwoordt sir Bors, 'en in al onze dromen was jij in levensgevaar.'

Sir Lancelot staart zijn neef en alle anderen aan. Tweeëntwintig gezichten die wit zijn in het kaarslicht.

'Nu weet ik wie mijn vrienden zijn en wie tegen me is,' zegt hij.

'Lancelot, we zullen doen wat jij doet.' Eén voor één zweren ze het.

'Maar wat moet ik doen?' vraagt sir Lancelot. 'Als de koning Guinevere nu ter dood veroordeelt?'

'Als dat haar vonnis is, komt het door jou.'

'Dus moet je haar redden.'

'Als de koning je te pakken kan krijgen, laat hij jou ook verbranden.'

'Of ophangen en vierendelen.'

Sir Lancelot luistert naar de raad van zijn vrienden. De kaarsen trillen.

'Maar als ik haar red,' zegt hij, 'wordt er nog meer bloed vergoten. In de verwarring dood ik misschien nog meer van mijn eigen vrienden. En waar moet ik haar naartoe brengen?'

'Dat is geen groot probleem,' antwoordt sir Bors. 'Rijd met haar naar Joyous Gard, je eigen kasteel.'

'Je moet haar redden.'

'Wij zullen doen wat jij doet.'

'Wij zullen naast je rijden.'

Nu knielt sir Mordred voor koning Arthur. Zijn vader.

'Bloed!' roept de koning uit. 'Je zit onder het bloed.'

'We hebben hem verrast in de kamer van de koningin,' vertelt Mordred hem. 'Hij droeg geen wapenrusting. Maar hij doodde sir Colgrevaunce en trok zijn wapenrusting aan. Hij heeft dertien van ons gedood.'

'Dertien!' roept Arthur.

'Ridders van de Ronde Tafel,' zegt Mordred heel nadrukkelijk. 'Alleen ik ben ontsnapt.'

Arthur-in-de-steen houdt zijn hoofd in zijn handen. Hij kreunt.

Mordred trekt zich terug in de schaduwen, in de diepe duisternis, en sir Gawain stapt mijn steen binnen.

'Lancelot is aangetroffen in de kamer van de koningin,' zegt de koning. 'De koningin heeft zich schuldig gemaakt aan verraad. Guinevere moet branden.'

'Sire,' zegt sir Gawain, 'wees wijs en wacht.' Hij kijkt heel ernstig. Heel bezorgd.

'Lancelot heeft dertien ridders gedood.'

'Mijn koning,' zegt sir Gawain, 'u weet niet waarom Lancelot naar de kamer van de koningin is gegaan. Ik weet het ook niet. We weten alleen wat andere mensen zeggen. Lancelot heeft voor haar gevochten, hij heeft haar leven gered. Het zou kunnen dat ze hem bij zich heeft geroepen om hem in het geheim te belonen.'

Koning Arthur staart sir Gawain aan. 'Is dat mogelijk?' vraagt hij.

'Om geroddel te voorkomen,' vervolgt sir Gawain. 'En misschien was dat onverstandig. Maar we doen vaak iets wat ons het beste lijkt, en dan blijkt het helemaal verkeerd te zijn. Ik vertrouw koningin Guinevere. Ze is eerzaam. En ik weet dat Lancelot vecht met iedereen die hem openlijk beschuldigt.'

'Hij mag dan sterker zijn dan alle andere ridders,' antwoordt koning Arthur, 'maar dat betekent nog niet dat hij onschuldig is.'

'Of schuldig,' zegt sir Gawain. 'We moeten niet alleen ridders zijn van het lichaam, maar ook van het hart. Dat zegt Lancelot.'

'Naar de hel met Lancelot!' schreeuwt de koning. 'Guinevere zal branden en hij zal nooit meer voor haar vechten.'

Sir Gawain schudt zijn hoofd.

'Hoe kun je?' roept de koning. 'Hij heeft Agravain gedood, je eigen broer. Hij heeft je twee zonen Florence en Lovel gedood.'

Sir Gawain slaat zijn ogen neer en slaat drie keer een kruis. 'Ik heb hen gewaarschuwd,' zegt hij zacht. 'Mijn broer. Mijn eigen dierbare zonen. Ik treur om hen en zal dat altijd blijven doen, maar ze hebben hun eigen dood veroorzaakt.'

'Gawain,' zegt de koning, 'trek je beste wapenrusting aan. En zeg tegen je jonge broers Gaheris en Gareth dat ze hetzelfde moeten doen. Ga over een uur naar de kamer van de koningin en breng haar naar het vuur.'

'Dat nooit!' zegt sir Gawain. 'Guinevere is eerlijk en trouw. Ik kan het niet verdragen om haar te zien sterven. Mijn hart zou barsten.'

'Geef je broers dan de opdracht,' zegt de koning schor.

'Ze zullen hetzelfde voelen als ik,' antwoordt Gawain, 'maar ze zijn zo jong dat ze het u niet zullen durven weigeren. Ze hebben geen vete met Lancelot. Ik zal zeggen dat ze ongewapend moeten komen.'

Sir Gawains ogen staan vol tranen. Mijn zienersteen is gevuld met zijn tranen. Als zwart ijs dat dooit, weent de hele wereld in mijn steen.

Ik zie haar.

Ze is aan een paal gebonden en draagt een eenvoudige witte jurk. Om haar heen zijn takken opgestapeld, dode takken die ooit leefden, uitgestrekte armen van beuken en eiken die geleefd en geademd hebben in het groene woud.

En rond de brandstapel staan heren, ridders en edelvrouwen. Honderden. Ze huilen en ballen hun vuisten. Maar geen van hen steekt een hand uit om de koningin te redden.

Nu knikt koning Arthur, en een beul met een kap steekt een brandende fakkel onder de takken…

Rook. Ik zie rook in mijn steen.

Dan klinkt er geroffel, gedreun van hoeven. Ruiters zwermen de binnenplaats op en zwaaien met hun zwaard. God behoede iedereen die hen niet kan ontwijken.

Terwijl de rook zich langzaam verspreidt, baant sir Lancelot zich stekend en stotend, meppend, slaand en hakkend een weg door de menigte naar de brandstapel.

Zonder te weten wie hij raakt, doodt hij zijn eigen ridder sir Gareth.

Hij doodt sir Gaheris.

Ze worden bedolven onder sir Griflet en sir Tor, sir Gauter, sir Gilmere, sir Driant, sir Priamus… een grote stapel van zijn eigen vrienden.

Sir Lancelot drijft zijn paard de oplaaiende vlammen in. Met zijn dolk snijdt hij de koningin los. Hij slaat zijn mantel om haar heen en zij grijpt zijn handen vast en klimt achter hem. Ze legt haar blote armen om zijn middel.

Nu draait sir Lancelot zich om. Hij schreeuwt naar de hemel.

Over de binnenplaats, over heel middenaarde, kijken koning Arthur en zijn beste ridder elkaar een eeuwigheid aan.

Zo trots. Zo diepbedroefd.

Dan galopperen ze weg. Ze rijden snel naar buiten, weg, sir Lancelot en Guinevere en al hun volgelingen. Ze laten de levenden en de doden achter zich.

65

De pop met donkere ogen

'Uh-huh uh huh-huh huh-uh!' verkondigde lord Stephen.

De ogenspleet in mijn glanzende helm is zo smal dat ik hem niet kon zien zonder me helemaal naar hem om te draaien.

'Wat, heer?' riep ik.

'UH-HUH…' bulderde lord Stephen, en toen deed hij zijn mondstuk open. 'O ja,' zei hij. 'Dat was ik vergeten. Het is net alsof je onder water probeert te praten.'

'Wat wilde u zeggen, heer?'

'Alweer!' antwoordde lord Stephen. 'Alweer een hopeloze heilige!'

'Wie, heer?'

'Chrysogonus. Vandaag is zijn feestdag, zijn botten liggen in deze stad begraven, en toch kan hij die niet redden!'

De doge heeft erin toegestemd om ieders leven te sparen, maar hij dwingt hen allemaal om de stad onmiddellijk te verlaten, zodat de kruisvaarders hun huizen kunnen gebruiken.

De Zaranen mogen niets waardevols meenemen uit de stad. Ze hebben al hun kerkzilver en versierde manuscripten moeten achterlaten, hun halskettingen en armbanden, hun gouden en zilveren munten, hun koeien, geiten, kippen en andere beesten.

We reden knarsend en rinkelend naar de landpoort, gevolgd door Rhys en Turold met onze kisten en zadeltassen, en ik was heel opgelucht dat Zara zich zonder verder bloedvergieten had overgegeven. Een troep Venetiaanse fluitspelers en trommelaars begroette ons en ik voelde opeens weer hoop. Daarom heb ik het kruis aangenomen. Op naar Jeruzalem!

Maar toen kwamen we een lange rij Zaranen tegen die de stad verlieten…

Sommigen van hen wendden hun gezicht af en drukten zich tegen de binnenkant van de poort, anderen sloegen een kruis, en één man spuugde voor ons op de grond. Maar de meesten staarden ons alleen aan met hun donkere, droevige ogen.

Ik keek onderzoekend naar hun gezichten. Jij? Of jij? Ze zagen er allemaal uit als de moeder, de vader, de broer of de zuster van de jongen in de mangneel.

Gennaro en Piero zeggen dat er langs deze kust allerlei gewassen, groenten en vruchten groeien, maar vandaag staat er een ijskoude noordenwind en op de velden is geen sprietje groen te zien. Waar kunnen ze dan eten vinden? Waar zullen ze vannacht slapen?

Net binnen de poort controleerden vier wachters of iedereen zich aan de bevelen hield. Ik zag dat een van hen zijn armen rond een vrouw sloeg en haar linnen hemd omhoog trok. Eronder droeg ze een glinsterende ceintuur. De wachter schold haar uit en rukte hem los.

'Zo zijn ze, die mensen,' zei hij. 'Ze slikken zelfs edelstenen in om ze uit hun eigen ontlasting te vissen.'

Een van de Zaranen droeg een wollen zak over zijn schouder. Toen een wachter er met zijn mes naar prikte, schudde en kakelde de zak.

De wachter smakte met zijn lippen. '*Poulet Zara!*' riep hij uit. 'Lekker!' Hij trok de zak van de man zijn rug. 'Kip zonder kop!' bulderde hij, en hij gaf hem een schop voordat hij hem verder liet lopen.

Achter ons schreeuwde iemand, en ik zag dat er tientallen ridders en schildknapen te paard stonden te wachten om door de poort te komen. We versperden de weg.

'Engelsen!' riep de wachter, en hij fladderde hulpeloos met zijn handen.

'Ik ben Welsh,' protesteerde Rhys. 'Welsh, niet *Sais!*'

'Ezels!' voegde de wachter eraan toe.

'En jij?' zei sir William. 'Frans schorem. Glibberig als vers snot!'

De doge en de Franse aanvoerders zijn het erover eens dat we hier de winter moeten doorbrengen, omdat we niet weten of we voldoende voorraden vinden als we doorvaren naar het zuiden, en het weer toch tegenzit. Ze hebben de stad verdeeld en wij hebben een stenen woontoren gekregen.

Maar wie woonde hier tot vanochtend? In een hoek van mijn kamer, die helemaal bovenin is, vond ik een kleine lappenpop met donkere ogen, die op een pluk stro lag en was toegedekt met een lapje stof.

De doge heeft alle huizen aan de oostkant van het eiland, het dichtst bij de schepen, voor zijn eigen raadsleden en kapiteins gehouden. Daar wordt Simona ondergebracht, maar ze zegt dat ze naar ons toe komt.

Simona zit de hele tijd aan Serle. Ze woelt door zijn haar, botst tegen hem aan en lacht dan. Ik ben blij voor ze, maar ik heb medelijden met Tanwen. Arme Tanwen!

Ik wou dat Winnie hier was. Of Gatty.

Turold hielp me om mijn wapenrusting uit te trekken. 'Nou?' vroeg hij. 'Hoe was het?'

'Ik heb hem al eerder gedragen,' zei ik.

'Alleen om te oefenen, niet in de strijd.'

'Dit kun je geen strijd noemen,' zei ik. 'Weerloze mensen uit hun huizen verdrijven.'

'*Amans, amens!*' zei Simona lachend tegen Serle, terwijl ze hem zijn wapenrusting uittrok.

'Wat betekent dat?' vroeg Serle.

'Dat ben jij,' giechelde Simona. 'Verliefd en waanzinnig.'

'Dat is precies wat er mis is, Turold,' zei ik. 'Er valt niets meer te lachen.'

Turold trok mijn leren kap van mijn hoofd. 'Uw oren zijn rood, heer,' zei hij.

'En mijn tong is blauw,' antwoordde ik. 'Simona! Hoe komt het dat je zoveel Latijn kent?'

'Niet veel!' antwoordde Simona. 'Mijn lievelingsbroer is monnik. Hij leert me spreuken.'

Zara is ongeveer tweeëneenhalve mijl lang, maar niet meer dan vijfhonderd passen breed. Als we meeuwen waren die erboven cirkelden, zou het eruitzien als de duim van een reus, die naar het noorden wijst.

Nadat we onze paarden in een stal onder het huis hadden gezet, liepen Serle en ik naar buiten om rond te kijken. Ik voelde me heel vreemd: nieuwsgierig en schuldig tegelijk. De meeste straten zijn erg smal en de muren zijn zo hoog dat je er niet overheen kunt kijken, maar iets ten noordoosten van onze woontoren is een marktplein.

'Een forum,' zei Serle.

'Hoe weet je dat?'

'Van Simona.'

'Si-mo-na!' kreunde ik. 'Je bent minziek en maanziek.'

'En jij bent praatziek!' zei Serle. Maar hij keek heel voldaan.

Het marktplein was verlaten en aan de overkant stond een heel eigenaardige grote kerk. Rond, met drie bolle uitbouwsels, als een reusachtig misvormd brood. Maar de deur was op slot en de ramen waren buiten bereik.

'Vooruit!' zei Serle. 'Op mijn schouders! We proberen naar binnen te klimmen.'

'Dat mag niet,' zei ik.

'Ja hoor,' antwoordde Serle. 'Zara is nu van ons.'

'Maar dit is een kerk.'

'Misschien is er nog iets te vinden.'

'Wat bedoel je?'

'De miskelk. De hostieschotel. Of zoiets.'

'Die mogen we niet meenemen.'

'Doe niet zo uit de hoogte, Arthur! Als wij het niet doen, doet iemand anders het.'

'Het is verkeerd, wie het ook doet.'

Er kwam een eind aan onze ruzie doordat we Simona en Gennaro en twee andere Venetianen tegenkwamen.

'Heb je dat gezien?' vroeg Gennaro mij, en hij wees met zijn linkervoet.

Op een blok wit marmer in het onderste deel van de kerkmuur stonden letters: IOVI AUGUSTO.

'En dit?' zei Gennaro.

IUNONI AUGUSTAE.

'Jupiter en Juno,' vertaalde Simona. 'God en godin.'

'Romeinse goden,' legde Gennaro uit. 'De bouwers van de kerk hebben stenen van de oude Romeinse tempel gebruikt. Altaarstenen. Voor bloedoffers.'

'Echt waar?' riep ik. 'Wat offerden ze?'

Gennaro haalde zijn schouders op.

'Maar dit is een christelijke kerk,' zei Serle.

'*Et nova et vetera*,' merkte Simona op. 'Nieuw en oud. Allebei.'

Oliver zou dit hergebruik van het marmer vast afkeuren. Hij vindt dat iets christelijk óf onchristelijk is, maar Merlijn heeft me verteld dat Kerstmis en Pasen vroeger heidense feesten waren.

Terwijl we praatten, hoorden we gegil, en ik zag twee mannen die een vrouw achterna renden over het marktplein. Ze hadden groene kruisen op hun borst, dus moesten het Vlamingen zijn.

De vrouw gilde en liep in onze richting, maar de mannen grepen haar en trokken haar op de grond.

'Serle!' riep ik. 'Kom mee!'

Gennaro legde een hand op mijn rechterschouder. 'Nee,' zei hij.

'Het moet. We kunnen ze niet gewoon hun gang laten gaan.'

'Serle!' riep Simona. 'Ja, Arthur!'

'Kom mee!' schreeuwde ik.

Ik rende op de gillende vrouw af. De Vlamingen zaten op hun knieën en trokken haar kleren aan flarden.

Ik greep een van de mannen bij zijn schouder en trok mijn mes.

'Stop!' schreeuwde ik.

De Vlamingen keken op.

Ze zagen Serle en Gennaro en de Venetianen.

En toen kwam Simona krijsend aanrennen en begon hen te schoppen.

De Vlamingen krabbelden overeind en strompelden weg. 'Eunuchen!' riepen ze. 'Er zijn er nog meer dan genoeg, waar zij vandaan kwam!'

De vrouw stond op en trok haar kleren recht.

'Dat had je niet mogen doen!' zei Serle woedend. 'Ik ben niet eens gewapend. Ze hadden allebei een mes!'

'We konden haar niet aan haar lot overlaten!' schreeuwde ik.

Simona liep naar de vrouw en sloeg een arm om haar heen.

'Ze zou hier niet eens mogen zijn,' zei Serle. 'De Zaranen hadden allemaal weg moeten gaan.'

'Velen zijn nog hier,' antwoordde Gennaro. 'Alle vrouwen... de heilige vrouwen... de nonnen in het klooster van de Heilige Maria.'

'Ze vragen om moeilijkheden,' zei Serle nors. 'Ik heb gehoord dat de gewone kruisvaarders alle vrouwen en meisjes die ze vinden misbruiken.'

Serle zou gelijk kunnen hebben. Vanavond zijn duizenden mannen Zara binnengedrongen. Kruisboogschutters, voetknechten met pieken, gevechtsstokken en slingers, smerige gravers, alle mannen die de belegeringswapens bedienen, zeelieden, roeiers... De straten kolken. Overal waar ze een plek kunnen vinden zetten mannen tenten op.

241

Ze hebben dorst.

Ze hebben honger.

God behoede de Zaraan die in de stad is achtergebleven.

Toen Milon onze woontoren kwam bekijken, vertelde hij ons dat de doge zeven Zaraanse raadsleden had laten arresteren toen ze de stad probeerden te verlaten. Ze zijn buiten de landpoort onthoofd.

'Hij heeft beloofd dat hij het leven van iedereen zou sparen,' riep ik.

'Deze mannen waren twintig jaar vijanden,' zei Milon. 'Hun piratenschepen vallen Venetiaanse boten aan.'

'Maar als de doge zijn woord niet houdt, waarom zou iemand anders het dan nog doen?' vroeg ik.

'Zonder leiders,' zei Milon, 'de Zaranen vallen Venetië niet weer aan. Ze gaan naar de heuvels. Naar kloosters.'

Ik zit in mijn hoge kamer en de pop met de donkere ogen zit op mijn zadeltas en kijkt naar me.

De trap heeft vierennegentig treden en ik kan helemaal over de muren heen kijken. In het westen en iets naar het noorden zie ik een eiland. Het heet Molat.

Catmole! Mijn moeder… Niet dit jaar…

Sinds ik begon te schrijven is het aardedonker geworden. Ik hoorde een groep mannen joelend door de straat rennen. Daarna klonken er in de verte slagen en gejuich. En daarnet hoorde ik recht onder deze toren iemand gillen. Een vrouw. Een meisje.

66

Onderling verdeeld

Arthur-in-de-steen staart naar de overblijfselen van namen die op de Ronde Tafel zijn geschreven. Veel van het bladgoud is afgeschilferd.

G II IS. Wie is hij?

GA H. Waarheen?

Gaheris... Gareth...

Letters. Niet meer dan losse letters, half verdwenen, helemaal verdwenen.

F EN

LOVE

Florence... Lovel...

Ja, ooit hadden ze lief, de zonen van sir Gawain, en ze waren geliefd. Maar hun gretige gezichten en stralende ogen zijn tot stof vergaan.

De koning leunt over de Ronde Tafel. Hij spreidt zijn handen voor zijn gezicht. Hij beweegt zich nu als een oude man.

Deze bol. Deze wereld van bergkristal.

Haar lucht fonkelt nog. Planeten-ogen, ziedende sterren, plotselinge gouden kometen. Haar zee laat nog zijn maalstroomgaten kolken, en spint zijn zilveren draden. Haar vuur schiet stralen als pijlen. Maar haar aarde is aan het splijten: één barst verbreedt zich tot een kloof. Een vraatzuchtige duistere mond.

Koning Arthur sluit zijn ogen. Zijn lichaam lijkt zo slap als een zak vol kleren.

'Onderling verdeeld,' zegt hij. 'De Ronde Tafel is vernietigd.'

Het edelste verbond... Alles wat was, en bijna was... Alles wat nu onmogelijk is.

67

Dit gaat pijn doen

Ik droeg Bertie als een baby helemaal naar het huis waar de doge verblijft, en vandaar naar zijn chirurgijn Taddeo.

'Jij weer!' zei hij. 'Nou, je hebt geluk. Zo te horen krijg ik het druk vannacht.'

Ik legde Bertie voorzichtig op zijn linkerzij op de tafel en Taddeo pakte zijn rechteronderarm vast.

Bertie gilde. 'Ik zag hem niet aankomen,' snikte hij.

'Zo,' zei de chirurgijn bedachtzaam, 'hier naar binnen… rakelings langs je sleutelbeen. Omlaag! Dwars erdoorheen.' Hij zuchtte. 'De punt steekt net uit je rug.'

Bertie kreunde.

'Pak Arthurs handen vast,' zei Taddeo tegen hem. 'Probeer alle botten erin te breken. Hoe heet je?'

'Bertie.'

Terwijl Taddeo praatte onderzocht hij Bertie, en toen keerde hij zich om naar zijn stoof en duwde de pook er dieper in.

'Wat zit er in die pan?' vroeg ik.

'Vlierolie,' antwoordde de chirurgijn. Hij zette de pan op de kolen. 'Breng hem aan de kook. Maar laat hem niet borrelen. Zo, Bertie! Dit gaat pijn doen.'

Taddeo stak zijn linkerarm onder Berties nek, pakte de pijlschacht vast en duwde hem er dieper in.

Bertie schreeuwde. Hij kraakte mijn handen, en toen werden zijn eigen handen plotseling zo slap als dode mussen. Zijn hele lichaam werd slap.

'Nu de tang,' zei de chirurgijn. 'Waarom verstoppen dingen zich altijd als je ze nodig hebt?'

Ik hijgde en beefde.

Taddeo scharrelde in het stro op de grond tot hij de tang vond, en gaf hem aan mij.

'Goed zo, jongen!' zei hij tegen Bertie. 'Sommige mensen gillen en kronkelen, en blijven wakker, hoe erg de pijn ook is.'

De chirurgijn stak zijn linkerarm weer onder Berties nek en hield hem stevig vast.

'Nu, Arthur!' zei hij. 'Heb je de tang? Knip de punt af. Snel!'

Zodra ik het had gedaan, trok Taddeo de schacht er achterwaarts uit. Uit de wond stroomde helderrood bloed, dat van de tafel op de grond druppelde.

Taddeo pakte de pook uit de stoof. De punt was roodgloeiend. Hij raakte er even Berties wonden mee aan, voor en achter. 'Om de bloedvaten af te sluiten,' zei hij. 'Nu! De olie. Giet wat op zijn nek en zijn rug.'

Taddeo wreef de olie in en veegde daarna zijn eigen handen af aan een oude handdoek vol bloedvlekken.

'Dat scheelde niet veel,' zei hij. 'Een duimbreed van zijn luchtpijp. Het komt misschien goed, maar ik ben geen Avicenna.'

'Wie, heer?'

'Avicenna. Een Saraceen. Hij heeft een boek geschreven over heelkunde. Ja, het komt wel goed met hem.'

'Met Leeuwenhart is het niet goed afgelopen,' zei ik. 'Een pijl ging bij zijn schouder naar binnen en stak uit zijn rug.'

De chirurgijn trok met zijn mond. 'Als hij wakker wordt zal hij veel pijn hebben,' zei hij.

Eerst besefte ik niet eens dat het Bertie was. Ik kwam gewoon een hoek om en zag twee Venetianen die een jongen aan zijn benen over straat trokken.

Je kunt niet rennen met een wapenrusting, maar ik liep hen met grote passen achterna.

Op dat moment werd hij door de pijl getroffen. Een of andere Venetiaan had die afgeschoten uit een raam of vanaf een dak.

Ze lieten zijn benen los en hij gilde en greep naar zijn nek. Ik liep rinkelend naar hem toe, en toen zag ik dat het Bertie was.

De twee Venetianen wendden zich naar mij. De ene had een glinsterend mes, de andere een gevechtsstok.

Ik trok mijn zwaard uit de schede. Het oogverblindende wapen dat Milon me heeft gegeven. Ik pakte het gevest stevig vast met mijn linkerhand.

De man met de stok richtte hem op mijn borst, maar toen hij op me af sprong, stapte ik opzij. Daarna bracht de andere man zijn rechterhand naar boven. Het mes flitste. Het kaatste af op mijn vizier.

Ik zwaaide met mijn zwaard, en miste. De kling sloeg tegen de stenen muur; er spatten vonken af.

De man met het mes ging me te lijf. Ik hoorde het lemmet krassen langs mijn maliënkolder. Toen stootte de andere man met zijn stok naar mijn kruis en greep me vast.

Ik weet niet hoe ik me loswerkte. Ik moet mijn zwaard opgetild en rondgezwaaid hebben, maar ik kan me niet eens herinneren dat ik hem raakte, de man met het glinsterende mes. Het enige dat ik zie is zijn neus. Zijn neus, die bij mijn voeten ligt.

Ik zie ze wegrennen.

Ik hoor de man jammeren.

Ik hoor Bertie naar adem snakken en kreunen.

Het is maar goed dat lord Stephen had gezegd dat ik mijn wapenrusting moest aantrekken.

Fransen joegen op Venetianen, en Venetianen joegen op Fransen.
Ze regen elkaar aan het mes, hakten, staken, slingerden stenen en
schoten pijlen af.

Lord Stephen en ik probeerden ze tegen te houden, en dat deden
ook veel andere ridders en schildknapen, zoals Milon en zelfs sir
William, maar het was bijna onmogelijk. Het waren er zo veel die
door de smalle straten renden, elkaar zochten en doodden.

Het was donker, en lord Stephen en ik raakten elkaar algauw
kwijt. Ik wist niet waar ik naartoe moest gaan. Ik had het koud en
zweette en trilde. Mijn mond was droog. Ik was bang dat ik zou
sterven. En toen kwam ik de hoek om en zag dat ze Bertie weg-
sleepten.

Het begon rond de vesper en ging de hele afgelopen nacht door.
Het hield pas op tegen de middag.

Zodra het rustig was in de ene straat, werd er in een andere gevochten. Als een vuur in Pike Forest dat je niet kunt blussen. Maar
de Fransen waren sterker, of dapperder. Ze joegen de Venetianen
terug naar hun eigen helft van de stad. Ze dreven hen bijna terug
naar het kanaal en hun schepen.

Volgens sommigen zijn de Fransen begonnen, maar niemand is
het erover eens. We zijn vanavond allemaal bij Milon langsgegaan,
en Bertie lag diep in slaap in een hoek. Milon vertelde ons dat zijn
mannen woedend zijn omdat zij buit, zoals goud, zilver, edelstenen, specerijen, zijde, tapijten en dat soort dingen, niet zelf mogen houden, en de Venetianen wel.

'Beslist niet!' zei Milon. 'Ik zeg wie en wat. Eerst wij betalen de Venetianen voor hun schepen.'

Sir William zegt dat de Fransen geen Venetiaan als aanvoerder willen. Serle zegt dat dit nooit gebeurd zou zijn als de markgraaf hier was, en dat hij alleen hoopt dat Simona veilig is. En lord Stephen zegt dat de Fransen hier niet willen blijven.

'Het komt de doge goed uit,' zei hij, 'omdat hij Zara veilig moet stellen, maar het bevalt de Fransen helemaal niet. Ze zijn net als wij al drie seizoenen van huis, en nu moeten we allemaal tot Pasen hier wachten.'

In elk geval is iedereen het erover eens dat de Venetianen erom gevraagd hebben, maar ik moet telkens aan die man denken. Zijn bloed spoot over mijn laarzen en heeft er vlekken op gemaakt. Zijn neus! Dat was niet mijn bedoeling. Ik probeerde alleen mezelf te beschermen.

Milon stak zijn kin naar voren. 'Honderd en één doden,' verkondigde hij.

'Er zal een hoop tijd en vaardigheid voor nodig zijn om de rust te herstellen,' zei lord Stephen.

'Sir Gilles de Landas. Dood!' zei Milon fel.

'Hoe?' vroeg sir William.

'Een pijl in zijn oog.'

Sir William bromde. 'Dan heeft hij niet zoveel geluk gehad als jouw schildknaap.'

'Zonder Arthur,' ging Milon verder, 'Arthur en mijn heelmeester, Bertie nu dood.'

Lord Stephen keek omlaag naar Bertie. 'Arme donder!' zei hij.

Bertie zei iets in zijn slaap. Hij maakte in elk geval een geluid als iemand die iets zegt. Als een leucrota. Daarna begon hij te hijgen. Het bovendeel van zijn lichaam is bedekt met een brijomslag van majoraan, maar ik kon zien dat het bijna twee keer zo groot is als normaal. Zijn gezicht is heel bleek en glinstert van het koude zweet. Zijn handen en voeten zijn ook koud. Dat is een teken dat iemand misschien doodgaat.

Bertie niet!

Vannacht zal de Dood vast nog niet voor hem dansen. Hij zal schoppen en schreeuwen en tegen de Dood zeggen dat hij weg moet gaan…

68

Jihad

Is oorlog altijd goddeloos?

Als legers vechten, beweren ze dan altijd allebei dat God aan hun kant staat?

Moet de Heilige Kerk spreken met een tong van vuur?

Worden er altijd onschuldige en hulpeloze mensen het slachtoffer?

Mijn oogleden zakken omlaag. Ik heb vijf keer overgegeven en mijn keel doet zo'n pijn. Mijn hoofd duizelt.

Merlijn heeft eens tegen me gezegd dat als ik de juiste vragen zou kunnen stellen...

Vanuit mijn kamer in de woontoren keek ik naar een boot, niet veel groter dan onze landingssloep, die voortstoof tussen ons en het eiland dat Ugli genoemd wordt en er zo mooi uitziet. De boot had twee masten, één van ongeveer acht meter en een veel kortere achterin, en hij scheerde en stuiterde over de golven. De harde westenwind was bijna een storm en joeg hem naar de kust.

De man aan het roer liet de boot zwenken, zodat hij recht op me afkwam en naar het land stoof. Ik vloog de vierennegentig treden af en rende naar het water om hem op te wachten.

Zodra de boot knarsend vastliep op de kiezels, leken de twee zeilen reusachtige witte vogels die worstelden in een onzichtbaar net. Het tuig klapperde en kraakte, en boven in de grootste mast snorde het kleine windvaantje.

Er waren maar zeven mensen aan boord. De roerganger en zijn maat, en twee mannen met baarden en drie vrouwen die vreemde karmozijnrode kappen droegen die tot onder hun middel kwamen, en walnootkleurige rokken tot op hun enkels.

De oudste man riep naar mij. Ik kon hem niet verstaan.

'Gegroet voor God!' zei ik, en ik hield de boeg stil.

De man fronste.

'Spreekt u Engels?' vroeg ik. '*Français?*'

'*Français. Oui, oui.*'

'*Moi aussi. Un peu.*'

De man schudde zijn hoofd en zei iets tegen zijn metgezel. '*Allah zij met je!*' zei hij daarna tegen mij.

Hetzelfde wat de stervende man in Coucy had gezegd, en de kooplieden in Venetië. Het waren Saracenen.

De oudste man ging aan wal en de jongste volgde hem met een lange doos die op een doodskist leek. Ze lieten de drie vrouwen voor zichzelf zorgen, en ze kregen alle drie een natte rand aan hun rok. Ze tjilpten als vinken in het voorjaar.

Terwijl we het aan de roerganger en zijn maat overlieten om de zeilen te strijken, leidde ik de Saracenen omhoog naar onze woontoren, maar er was niemand, dus nam ik hen mee naar Milons huis. Milon was weg om gedragsregels te bespreken met Villehardouin, maar zijn priester Pagan was in de grote zaal. Verder waren er minstens een dozijn ridders met hun schildknapen, en Bertie lag nog steeds op een berg stro in de hoek.

Eerst dachten de Saracenen dat we Zaranen waren. De oudste keek woedend en zijn wenkbrauwen gingen op en neer toen Pagan uitlegde wie we waren en hoe we Zara hadden heroverd, en hem vertelde dat we met de schepen op weg zijn naar Jeruzalem.

Toch was hij in het begin heel hoffelijk, en Pagan ook.

Hij zei dat hij Nasir heette en zangleraar was.

'Net als Ziryab!' riep ik uit. 'Ik heb over hem gehoord.'

Nasir streek over zijn zwarte baard. Hij vertelde ons dat de jonge man zijn leerling was en Zangi heette. Hij vertelde ook dat de vrouwen zijn twee echtgenotes en zijn dochter waren.

'Twee echtgenotes!' riep ik uit.

'De andere twee zijn thuis,' antwoordde Nasir. 'Allah heeft hen gespaard.'

Vier echtgenotes! Dat zou geen enkele Engelse vrouw goed vinden!

'Vuile smeerlap!' gromde een van Milons ridders.

'Hoe heten jullie?' vroeg ik aan de vrouwen.

'Voor mij hebben ze een naam,' kraste Nasir. 'Voor jou niet.'

'Wie denk je dat je bent?' zei een andere ridder, en hij stapte op Nasir af. 'Dit is onze woning, niet de jouwe.'

'Huichelaars!' snauwde Nasir. 'Jullie geven niets om jullie heilige plaatsen. Jullie gebruiken jullie tenten als kerk. Het enige dat jullie willen is onze rijkdom. Ons goud, onze zijde en specerijen…'

Pagan en Milons mannen keken elkaar aan. Ze hebben al eerder beledigingen uitgewisseld met Saracenen.

'Hou je gemene gedachten voor je!' zei de eerste ridder.

'Of ik snij je tong af!' zei de andere.

'Jullie zijn ongedierte!' zei Nasir. 'Zwermen vliegen zonder vleugels. Ongelovigen! Jullie vallen mensen aan met hetzelfde geloof.'

De Fransen begonnen te morren. Ze werden onrustig.

'Jullie zijn varkens!' zei Nasir. 'Melaatse varkens. De zonen van zeugen!'

Nu wees Pagan naar de Saraceense vrouwen. 'Zij hebben hun kleur gestolen van de nacht!' spotte hij. 'En ze hebben hun adem gestolen uit oude latrines.'

'Laffe christen,' snauwde Nasir. 'Het rijk van het Kruis zal ten onder gaan.'

Pagan hief zijn beide handen in de lucht. 'In de naam van God…' schreeuwde hij.

Nasir stond op. Hij zag eruit als een van de boze profeten uit het Oude Testament.

'In de naam van Allah!' brulde hij terug, en zijn stem trilde. 'We hebben een geschenk voor jullie.'

Hij liep naar Zangi en wenkte de drie vrouwen naderbij. Ze bogen zich samen over de doos die op een doodskist leek. Toen klonk er een vreselijk gekletter, en ze sprongen uiteen. Alle vijf zwaaiden ze met een kromzwaard, en ze krijsten.

'Allah! De hand van Allah! Allah!' krijsten ze.

Iedereen bukte, dook weg en sprong opzij. We trokken allemaal onze dolk.

'Jihad!' bulderde de zangleraar. 'De wraak van God is op u neergedaald!'

Ze doodden drie van ons en verwondden er nog vier. Ze probeerden Bertie doormidden te hakken, maar Pagan wierp zich over hem heen en dus doodden ze hem.

Maar wij waren met meer. Milons ridders overmeesterden Nasir en daarna Zangi; ze sneden hen de keel door en ontwapenden de vrouwen.

De vrouwen begonnen zich op hun keel te slaan en te gillen.

Ik kon het niet meer aanzien. Niet toen de mannen hun kleren begonnen af te rukken.

Ik rende weg.

Het kon me niet schelen waarheen.

Maar ik kon nergens heen. In deze duistere wereld is geen plaats om je te verbergen.

Milons mannen smeten hun vijf lijken in het zoute water.

Maar ze gaan niet weg... Ik weet niet hoe ik mezelf kan laten ophouden met denken.

Ik wil niet met lord Stephen praten. Ik wil alleen zijn.

Verwonden, doden…
Wanneer is het verkeerd, en kan het ooit juist zijn?
De jongen in de mangneel. Giscard. De Zaraanse raadsleden die onthoofd werden. De Fransen en Venetianen die als dollen tekeergingen. De man die ik heb verwond. Nasir, Zangi en de vrouwen zonder naam. Pagan. Milons mannen. Alle ridders in mijn zienersteen…
Wat moet ik doen, als ik niet eens weet wie onschuldig en hulpeloos is, en wie niet?
Vrouwen die doden!
Hoe diep moeten de Saracenen ons haten…
Al die haat en dat lijden. Hoe kan iemand daar in zijn eentje ook maar iets aan veranderen?

69

Miserere mei

De kerk opende haar armen.
Er was niemand binnen. Toen ik over de marmeren vloer liep kon ik mijn eigen voetstappen horen.
Al het kerkzilver was vast al geroofd, maar hoog aan de noord-muur, naast een windgat, hing een bronzen kruisbeeld.
Ik keek op naar Hem en Hij keek omlaag naar mij.
Zijn gezicht was zo afgemat. Zijn jukbeenderen staken bijna door zijn gespannen huid naar buiten.
Hij is voor mij gestorven. Hij is gestorven voor ons allen. Onze Verlosser.
Waarom heeft Hij de Zaranen niet gered? Waarom staat hij toe dat we elkaar verwonden en doden? Waarom heeft hij verkozen om ons vrij te laten?
Als we elkaar kwetsen, kwetsen we Hem dan ook?
Heb mededogen met me, Heer. Heb mededogen.
Bij de deur bleef ik nog even staan en draaide me om. Er scheen een straal zonlicht door het windgat, die het kruisbeeld trof. Het ene moment lichtte het op, het volgende moment bloedde het.

70

De heilige tuin

Er gluurde een non rond de geribde eikenhouten deur.

Ze deed hem een stukje open en ik stapte naar binnen.

Ze vroeg me niets. Ze legde eenvoudig haar kalme handen op mijn pijnlijke schouders en keek me aan. Toen sloeg ze zonder haar hoofd te bewegen haar ogen op naar de hemel en glimlachte heel licht. Ik vond dat ze op Maria leek.

Ze leidde me naar een fonteintje waarvan het water in een stenen schaal spatte. O! Ik dompelde mijn gezicht erin. Mijn hele hoofd. Ik probeerde alles weg te wassen.

'Dank u,' zei ik. 'God zij met u!'

De non keek verbaasd. '*Govorite li engleski?*'

'Wat? Is dat…'

'Slavisch, ja. Spreek je Engels?'

'Ik ben Engels,' zei ik gretig.

Ze keek me met stralende ogen aan. Daarna sloeg ze haar ogen weer op naar de hemel en glimlachte gelukzalig.

'Ik heb nooit Engelsen ontmoet,' zei ze. 'Ik heb Engels geleerd. Ken je Oxford?'

'Ik heb van Oxford gehoord,' antwoordde ik. 'Geleerden.'

De non klapte in haar handen. Toen pakte ze mijn rechterarm en we liepen door de kloostergang naar een kleine tuin, die beschermd werd door hoge muren.

'In naam van de hovenier, gegroet!' zei ze. 'Begrijp je dat? Het Evangelie van Johannes.'

Haar stem was heel helder en deed me denken aan die van lady

Alice, maar de manier waarop ze praatte was eenvoudig en nogal aarzelend.

'Dit is de tuin van de heilige liefde,' vertelde ze me. Ze schudde haar hoofd. 'Hij staat nog niet in bloei. Niet in december. Kijk!' zei ze, terwijl ze zich bukte naar een plant met witgevlekte bladeren. 'Sint-pieterskruid. Of zeg jij Maria's melkdruppels?'

'Ik weet het niet,' zei ik. 'Lady Alice zou het weten. Ze is mijn stiefmoeder. In Engeland.'

'Hier is een passiezuring,' zei de non. 'Gele aartsengel. Hemelladder.'

'Dit is sint-janskruid,' zei ik. 'We plukken het op Sint-Jansavond en leggen het buiten bij elke deur. En onder ons kussen…'

De non lachte. 'Nonnen niet!' zei ze. 'Dit is aronsstaf. En hier groeit spijknardus: christusstappen.'

'Waar komen ze allemaal vandaan, die heilige bloemen?'

'Ik kweek ze. Ik laat ze opsturen.'

'Opsturen?'

'Uit andere *samostan*.' Ze kneep haar ogen samen en glimlachte. 'Slavisch!' zei ze. 'Kloosters! Ik laat ze opsturen uit andere kloosters. Andere landen.'

'Hoe kun je planten versturen? Dan komen ze meer dood dan levend aan.'

'Net als jij,' zei de non.

Ik kreunde. 'Het is hier zo vredig. Mijn hoofd!'

De non glimlachte als de zon in de vroegste lente.

'Ik zou hier voorgoed kunnen blijven,' zei ik.

'Je wikkelt ze in wasdoek, naait het doek dicht en smeert het in met honing,' zei de non met haar hoge, heldere stem. 'Daarna strooi je er meel over. Zo kun je planten versturen naar waar je maar wilt.'

We gingen naast elkaar op een bankje zitten. De decemberzon twinkelde en warmde mijn rug. Ik weet niet hoeveel tijd er zo vergleed.

Toen begon de kloosterklok te luiden, en de non stond op, streek haar habijt glad en trok haar witte kap recht. Haar huid was smetteloos als die van een baby.

Ik begon weer te rillen.

'Blijf tot je gereed bent,' zei ze. '*Da?*'

'Ja,' antwoordde ik. 'Maar…'

'Sst!'

Heel even raakte een van haar handen mijn hoofd, zo licht als de vleugel van een vlinder. 'Ik ben zuster Cika,' zei ze. 'En jij?'

'Arthur.'

'Arthur?'

'Nou ja, sir Arthur de Gortanore.'

'Laat Jezus geboren worden in de wieg van je hart,' zei ze zacht. 'We verwachten je.'

En toen gleed ze weg, als een beekje in de zomer.

Ik had urenlang gelopen voordat ik bij die geribde eikenhouten deur kwam. Daar ben ik zeker van. Ik weet niet waarom ik aanklopte. Ik wist niet dat het een vrouwenklooster was.

Maar toen ik mezelf later uitliet, zag ik dat ik maar een klein eindje van onze woontoren vandaan was. Blijkbaar had ik in cirkels gelopen.

71

Vrouwe, wij danken u

'Een van Gods grootste geschenken is het geheugen,' zei lord Stephen.

Het was kerstdag. We zaten boven op de stadsmuur. Zara lag aan onze voeten.

'Als het tegenzit,' zei hij, 'troost het geheugen ons. We herinneren ons betere tijden.'

'Schrijven is ook gedeeltelijk herinnering,' zei ik. 'Mijn grootmoeder vindt dat als je je iets niet kunt herinneren, het ook niet de moeite waard is om het te weten, maar daarvoor is er te veel kennis.'

De klokken van de ronde kerk die eruitziet als een misvormd brood, begonnen te luiden. De beschermheilige ervan is Donat, maar

        ik weet niet
            wie of wat
                Donat was.

'Kerstmis heeft ons verrast,' zei lord Stephen. 'We hebben ons er nauwelijks op voorbereid.'

'Kerstmis is als een muur van geborgenheid,' zei ik. 'Dat heb ik eens geschreven. Wij zijn er allemaal binnen, en we eten, drinken, blijven warm en zingen...'

'Dit jaar niet.'

'... maar we weten dat de honger, verschrikkingen, angsten, kansen en zorgen van het jaar nog daarbuiten zijn. We weten dat ze allemaal op ons wachten.'

Lord Stephen knikte. 'Dat is zo,' zei hij. 'Zullen we bidden voor lady Judith? Zullen we bidden voor iedereen in Holt?'

'En Caldicot,' zei ik. 'Als ik aan Kerstmis denk, zal ik altijd aan Caldicot denken. Iedereen die joelblokken naar het kasteel sleept en naar elkaar roept. De witte zakken van hun adem. Wat Hazenlip vermomd als een wauwelende wildeman, en lady Helen die doet alsof ze hem niet herkent. En Merlijns zalmensprong.'

'Wat was dat?'

'U kent Merlijn.'

'Niemand kent hem,' zei lord Stephen met een vage glimlach.

'We hielden een springwedstrijd en Merlijn sprong ruim veertien meter!'

Lord Stephen keek me aan en schudde heel langzaam zijn hoofd.

'De liederen, de tamboerijn en de zwijnenkop,' zei ik, 'en de hulst, taxus, klimop en maretak, en de raadsels...'

Lord Stephen hief kalm zijn rechterhand.

'Het spijt me, heer.'

'Nee, nee. Het is in orde.' Hij liet zijn hoofd zakken en slikte. 'Ook het geheugen is een tweesnijdend zwaard. Troost en weemoed.'

'We zongen altijd dit kerstlied,' vertelde ik hem.

> *'Vrouwe, wij danken u*
> *Met ons hart gedwee en mild*
> *Voor het goede dat u ons gaf*
> *Met uw lieve kind.'*

'Ja,' zei lord Stephen. 'Er zijn verscheidene dingen om voor te bedanken. Ik had het nooit verwacht, maar Bertie blijft leven, en het lijkt erop dat hij volledig zal herstellen.'

'Taddeo dacht dat er een kans was,' zei ik.

'En jij lijkt wat meer jezelf,' voegde lord Stephen eraan toe. 'En laten we dankbaar zijn dat markgraaf Boniface weer bij ons is.'

260

'Het zijn vreselijke weken geweest,' zei ik.

'Wel, we zullen gauw te weten komen of het de moeite waard was dat hij naar Rome is gegaan,' zei lord Stephen. 'In elk geval zal de doge nu niet zo gemakkelijk zijn zin krijgen, en de discipline wordt beter.'

'De klokken versnellen,' zei ik.

'Hoe eindigt dat lied?' vroeg lord Stephen. 'Dat je daarnet zong.'

'Moeder, kijk op me neer
Met uw lieve ogen,
Geef me vrede, geef me uw zegen,
Vrouwe, als ik sterf.'

'Zo is het,' zei lord Stephen.

72

Het hart dat wacht

Kerstmis in Zara was somber, en er is al zoveel verkeerd gegaan dat de mensen bang zijn voor wat er in het nieuwe jaar gaat gebeuren. Maar wat er ook gebeurt, het begint in ons hart, is het niet? Ik heb dit vers gemaakt over Jezus voordat hij geboren werd.

Jezus luisterde in fluisterend bos:
'Ik ben bleke bloesem, bloedige bes,
Ik ben ruwe schors, scherpe doorn.
Dit is de plaats waar je wordt geboren.'

Jezus daalde af naar de snerpende zee:
'Ik ben de lange arm, de woeste jutter,
Ik ben prikkend zout, jagend springtij.'
Hij schoof de beker van de zee opzij

En hoorde de hemel die gierde en blies:
'Ik ben het gewelf, de gedaantewisselaar,
Ik wieg en wacht en kus en donder,
Ik ben dak en vloer zonder grens.'

De dag liep hij, hij liep de nacht,
Bij zonsopgang kwam Jezus bij het hart.
'Hier en nu,' zei het hart dat wacht,
'Is waar je moet worden geboren.'

73

Ivoor, goud en obsidiaan

Koning Arthur zit aan een van de uiteinden van de grote hal in Camelot te praten met zijn pleegbroer sir Kay.
'Meer dan veertig ridders zijn op zoek gegaan naar de Graal,' zegt hij. 'Maar sir Gawain heeft gefaald. Sir Lancelot heeft gefaald. Hoe kan iemand dan nog slagen?'
'Ik betwijfel of iemand zal slagen,' antwoordt sir Kay.
'Sir Galahad?' zegt de koning. 'Sir Bors?'
Sir Kay trekt zijn wenkbrauwen op en laat een scheef glimlachje zien. 'Zelfs sir Perceval is niet volmaakt,' zegt hij. 'Maar uzelf?'
Arthur-in-de-steen schudt zijn hoofd. 'Vrouwe Fortuna zou het me verhinderen,' zegt hij. 'En mijn eigen tekortkomingen.'
Nu rijdt een jonge vrouw die een kap draagt en een wit muildier berijdt – de vrouw die al eerder naar Camelot is gekomen – weer zomaar de hal binnen.
'Stijg af!' roept sir Kay.
De jonge vrouw trekt zich niets van hem aan.
'Ik zei: stijg af!' schreeuwt sir Kay grof.
'Vergeef me,' zegt de vrouw, 'maar ik stijg niet af totdat er een ridder naar Corbenic komt en de Graal wint. Het schild dat ik hier achterliet, hangt nog steeds aan die pilaar. Is hier niet één ridder die het kan opeisen?'
'Veel van mijn ridders hebben de Graal tot hun droom en queeste gemaakt,' antwoordt koning Arthur. 'Meer dan veertig van hen zijn nu in het veld; ze rijden door wouden, steken zeeën over...'
'Ze zouden beter in hun eigen hart kunnen kijken,' zegt de jonge vrouw.

Nu brengt ze haar rechterhand omhoog en slaat haar kap naar achteren.

De koning en sir Kay slaan hun ogen neer.

Ze is nog steeds kaal.

'Er groeit geen haar op mijn hoofd,' zegt ze zacht. 'Er groeit helemaal niets tot er een ridder naar Corbenic komt en de vraag stelt.'

'Wat is je boodschap?' vraagt de koning.

'Sire,' zegt de jonge vrouw, 'koning Pellam, de bewaker van de Graal, groet u, de grootste koning van middenaarde. Hij smeekt u om al uw ridders die nog hier in Camelot zijn, aan te sporen om de Graal te gaan zoeken. De wereld is een woestenij.'

'Dat zal ik doen,' antwoordt de koning.

De jonge vrouw doet het zakje af dat om haar nek hangt.

'Koning Pellam heeft u dit geschenk gezonden,' zegt ze.

Arthur-in-de-steen maakt het zakje open. Hij haalt er een leesstok uit, vrij lang en licht gebogen, als een benen haarspeld. Het ene eind loopt spits toe, het andere is vlak en driehoekig.

'Ivoor,' zegt de jonge vrouw. 'Met gouden banden.'

'En deze kleine driehoek?' vraagt de koning.

'Een edelsteen, gemaakt van vuur en ijs.'

'Zoiets moois heb ik nog nooit gezien,' zegt de koning.

'Koning Pellam lijdt nu vreselijke pijnen,' vertelt de jonge vrouw hem. 'Maar vroeger wees hij met dit stokje de woorden aan als hij de bijbel las.'

'En zo zal ik de woorden van koning Pellam ter harte nemen en ernaar handelen,' zegt koning Arthur. 'Bedank hem en verzeker hem dat ik al mijn ridders zal aansporen om de Graal tot hun queeste te maken. Vertel hem dat ik deze leesstok zal gebruiken als ik de bijbel lees.'

74

Niet meer dan pionnen

Ik wilde niet gaan. Na wat daar gebeurd is. Maar ik had geen keus. Zodra we klaar waren met het avondeten, gingen lord Stephen, sir William, Serle en ik allemaal naar Milons hal, en Simona kwam met ons mee.

Milon vertelde ons dat er gisteravond Duitse afgezanten van het hof van koning Philips van Zwaben zijn aangekomen. Op de eerste dag van dit nieuwe jaar. Vanochtend hebben ze de doge, markgraaf Boniface en de Franse leiders ontmoet, en vanmiddag is er een tweede ontmoeting geweest.

'Eerst,' zei Milon, 'zij vertellen ons onze plicht.'

'We kennen onze plicht,' zei Serle.

'Ze zeggen, we trekken op voor God, we trekken op om goed te maken wat slecht is, en het is nu onze plicht om mensen te helpen die beroofd zijn.'

'Wie is er beroofd?' vroeg lord Stephen achterdochtig.

'Wij,' zei Serle. 'Wij zijn beroofd van Jeruzalem.'

Milon stak zijn kaak naar voren en tuitte zijn lippen. 'Ik eerst!' zei hij. 'Dan jullie. De afgezanten komen van koning Philips en de broer van zijn vrouw, Alexios Angelos, de kroonprins van Constantinopel. Zijn troon is geroofd. Hij is de ware keizer, niet zijn oom.' Milon wendde zich tot Serle. 'Jij hoe oud?' vroeg hij.

'Ik? Negentien.'

'Heel goed. Alexios Angelos ook negentien. Hij en koning Philips zeggen, als de kruisvaarders Constantinopel belegeren en hem helpen, hij ons helpt. Hij geeft ons eten als de Venetianen, de Venetianen…' Milon wierp zijn hoofd naar achteren en keerde zich naar Simona.

'De Venetianen geven alle kruisvaarders een jaar lang voedsel,' legde Simona uit. 'Tot Sint-Jansavond. Daarna zal Alexios Angelos het doen.'

'*Si*,' zei Milon. 'En hij geeft ons tweehonderdduizend zilveren marken. Tweehonderdduizend! En hij levert ook een kruisvaardersleger van tienduizend man.'

'Geklets!' zei sir William. 'Voorraden, zilver, mannen… die zijn niet zo goedkoop als woorden.'

'Laten we naar de voorwaarden luisteren,' zei lord Stephen geergerd.

'Loze beloften!' mopperde sir William.

'En Alexios Angelos biedt aan te zenden vijfhonderd ridders naar het koninkrijk Jeruzalem,' ging Milon verder, 'en hen daar te houden.'

'Onzin!' riep sir William uit.

'En,' zei Milon terwijl hij zijn armen spreidde, 'Alexios Angelos zegt zijn rijk – het Byzantijnse rijk – zal trouw zweren aan Rome.' Hij schudde langzaam zijn hoofd, alsof hij nauwelijks kon geloven wat hij zei.

'Het klinkt gul,' zei ik.

'Waarom biedt hij ons niet meteen het paradijs?' vroeg sir William.

'Wat vindt u ervan, heer?' vroeg ik aan Milon.

'De doge herinnert de kruisvaarders eraan wij zijn Venetië nog vierendertigduizend zilveren marken schuldig,' antwoordde Milon.

'En met het geld dat Alexios Angelos ons belooft, zouden we onze schuld kunnen betalen,' zei lord Stephen.

'*Si*,' zei Milon.

'Ik weet wat ik ervan denk,' zei sir William. 'Als jullie Fransen en

de doge dit aanbod aanvaarden,
is onze kruistocht tot mislukken
gedoemd. Het wordt een ramp.'
Niemand antwoordde.
'Mensen maken fouten en over-
leven die,' zei sir William. 'God
weet dat ik fouten heb gemaakt.
Maar dit zou schandelijk zijn!
We zijn toch pelgrims? Strijders
voor Christus.'

Sir William ging steeds harder praten en ik dacht aan Pagan, Milons mannen en de Saracenen, en ik werd plotseling bang.
'Nee!' riep mijn vader uit. 'We zijn gewoon pionnen. Pionnen in
handen van leiders die onze kruistocht voor hun eigen doelen ge-
bruiken.'
'De abt de Vaux zegt wij moeten rechtstreeks gaan naar Jeruzalem,'
zei Milon. 'Graaf de Montfort zegt dat ook.'
'Sir William de Gortanore is het ermee eens,' verkondigde mijn va-
der. 'En jij, Serle? Alsof ik dat niet kan raden!'
'Ik weet het niet zeker,' zei Serle.
'Dat weet je nooit,' antwoordde sir William.
'Ik bedoel, het is niet aan mij.'
'Dat is het wel,' zei mijn vader. 'En jij, Arthur?'
'Ik weet niet genoeg, heer. Is het waar dat Alexios Angelos keizer
zou moeten zijn? Zullen we Constantinopel moeten aanvallen?
Het is een christelijke stad. Hoe lang gaat dit allemaal duren?'
'Heel juist, Arthur,' zei lord Stephen. 'Haastige keuzes zijn meestal
verkeerd.'
'Maar ik weet wel wat ik wil,' voegde ik eraan toe. 'Ik wil het ko-
ninkrijk Jeruzalem binnengaan.'
'Dit Duitse aanbod klinkt misschien eenvoudig,' zei lord Stephen,
'maar het zal grote gevolgen hebben.'

'Het verbaast me dat jullie twee nog niet gestikt zijn in de overdaad van jullie eigen woorden,' merkte sir William op.

'Maar alles bij elkaar, sir William,' ging lord Stephen verder, 'geloof ik dat ik geneigd ben het met je eens te zijn.'

Op de terugweg naar onze woontoren kwam sir William naast me lopen. Althans, dat probeerde hij. Maar zijn botten doen pijn en hij raakt snel buiten adem.

'Ik ben achtenzestig,' zei hij.

'Ja, heer.'

'Loop eens wat langzamer! We vertrekken pas met Pasen.'

'Het spijt me, heer.'

'Pasen… en dan? Constantinopel! Geloof me, Arthur, als het zo doorgaat, zie ik Gortanore niet terug.' Sir William hijgde. 'Tom krijgt Gortanore en het kasteel in de Champagne. Dat heb ik je verteld.'

'Ja, heer.'

'Daar woont lady Cécile.' Tot mijn verbazing sloeg mijn vader toen zijn linkerarm om mijn schouders, en ik zal nooit weten of het kameraadschappelijk bedoeld was of om me langzamer te laten lopen. 'En je weet dat ik jou tot erfgenaam van Catmole heb benoemd.'

'Dank u, heer.'

'Je hebt er recht op,' hijgde sir William. 'In Gods naam, waarom die haast? Ik heb je erover verteld, is het niet?'

'Eén voet in Engeland en één voet in Wales,' antwoordde ik.

'De kronkelende rivier,' zei sir William. 'De mooie heuvel, ja, de kasteelheuvel en het groen van het gras in de weiden langs het water. Ik zou daar graag nog eens rijden, jongen.'

75

Een olijftak

'Hebt u ver gereden, heer?' vraagt sir Lancelot.

De bisschop van Rochester bekijkt zijn mantel. Die zit onder de modderspatten.

'Vanaf het hof van koning Arthur in Carlisle,' zegt hij. 'Ik heb hier een brief uit Rome. De Heilige Vader draagt koning Arthur op om Guinevere terug te nemen als zijn koningin en vrede te sluiten met jou. Hij waarschuwt de koning dat hij iedereen die in Brittannië woont in de ban zal doen, als hij niet gehoorzaamt.'

'Wat zegt de koning?' vraagt sir Lancelot.

'Hier is zijn grootzegel als vrijgeleide voor als je de koningin terugbrengt naar zijn hof, en zijn brief waarin hij belooft het verleden te laten rusten.'

'Ik heb de koningin nooit van de koning willen scheiden, maar alleen haar leven willen redden,' zegt sir Lancelot. 'God zij geloofd dat de paus tussenbeide is gekomen. Ik zal Guinevere met duizend keer zoveel genoegen terugrijden naar Carlisle als ik haar heb meegenomen. Maar als iemand…'

De bisschop van Rochester wuift met zijn hand. 'Wees niet bang!' zegt hij. 'Het woord van de paus is Gods wet. Het is niet zijn bedoeling, of de mijne, om de koningin te schande te maken of jouw woede op te wekken.'

'En zal de koning ook vrede met mij sluiten?' vraagt sir Lancelot.

'Daar verlangt hij naar. Hij zegt dat er al genoeg is geleden. Maar sir Gawain wil er niets van weten. Je hebt Gareth gedood, zijn meest geliefde broer. Hij zegt dat hij je zal opjagen tot een van jullie de ander heeft gedood.'

Sir Lancelot zucht. 'Vertel koning Arthur dat ik koningin Guinevere over acht dagen bij hem zal brengen,' zegt hij.

Koningin Guinevere en sir Lancelot rijden te paard de grote binnenplaats van Carlisle op, waar Guinevere op de brandstapel gebonden werd en verzengende vlammen langs haar enkels lekten. Honderd ridders en vierentwintig edelvrouwen volgen hen, elk met een olijftak. Ze dragen allemaal groen fluweel en gouden kettingen, en hun paarden ook, tot aan hun vetlokken. Maar de koningin en sir Lancelot zijn allebei gekleed in goudlaken.
Sir Lancelot en de koningin stijgen af. Hij pakt haar rechterarm vast en ze lopen tot voor de koning.
Arthur-in-de-steen kijkt hen dreigend aan. Hij beweegt zich niet. Geen spier. Hij zegt niets.
'Mijn koning,' zegt sir Lancelot luid, 'zoals de paus verlangt en u me beveelt, heb ik uw koningin teruggebracht. Koningin Guinevere is trouw. Maar u hebt geluisterd naar lasteraars en kwaadsprekers, u hebt afgunstige leugenaars geloofd. Zij zijn het die ontrouw zijn, niet uw koningin. Niet ik.'
'Je bent een verrader!' schreeuwt sir Gawain.
'Waar is sir Mordred?' vraagt sir Lancelot.
'Weg!' antwoordt sir Gawain. 'In Camelot.'
'De enige overlevende,' zegt sir Lancelot. 'Hoe had ik met veertien gewapende ridders kunnen vechten als God niet aan mijn kant stond?'
'Sir Lancelot,' zegt de koning. 'Je bent mijn beste ridder geweest. Ik heb je altijd geprezen en geëerd. Ik heb je geen reden gegeven, geen enkele aanleiding, om te doen wat je hebt gedaan.'
Sir Lancelot wendt zich tot sir Gawain. 'De koning weet hoe ik hem heb gediend,' zegt hij tegen hem, 'en jij zou het je ook moeten herinneren. Je zou je onze hechte vriendschap moeten herinneren. Als jij me goed gezind was, zou hij dat ook zijn.'

'De koning kan doen wat hij wil,' zegt sir Gawain. 'Jij en ik zullen nooit vrede sluiten. Je hebt drie van mijn broers gedood, en mijn twee zonen.'

'Ik hield van Gareth en hij hield van mij,' zegt sir Lancelot hoofdschuddend. 'Ik heb hem geridderd; hij was edel en hoffelijk. Maar hij was ongewapend. Gaheris, Florence en Lovel waren ook ongewapend. Het was niet mijn bedoeling hen te doden.'

Sir Gawain zegt niets.

De koning zegt niets.

'Toch zal ik boete doen,' zegt sir Lancelot tegen de koning en sir Gawain. 'Ik zal op blote voeten van Sandwich naar Carlisle lopen, en na elke tien mijl zal ik een klooster stichten waar monniken en nonnen kunnen bidden voor sir Gareth, sir Gaheris en je zonen. Ik zal ze laten bouwen en er geld voor geven.'

Nog steeds zeggen koning Arthur en sir Gawain niets.

'Dat is toch een beter gedenkteken dan een vete tussen ons?' zegt sir Lancelot.

De wangen van veel van de ridders en edelvrouwen op de binnenplaats glinsteren.

'Ik heb je gehoord, en alles wat je aanbiedt,' antwoordt sir Gawain, 'en ik heb genoeg gehoord. De koning zal doen wat hij wil, maar ik zal je nooit vergeven dat je sir Gareth hebt gedood. Als de koning het je vergeeft, verlaat ik het hof. Ik zal hem niet langer dienen.'

'Gawain…' begint sir Lancelot.

'Nee!' zegt sir Gawain. 'De tijd voor woorden is voorbij. Je hebt hier een vrijgeleide, maar je moet Engeland binnen twee weken verlaten. Je moet naar je landgoederen in Frankrijk gaan. Je hebt de koning verraden en je hebt mij verraden. Twee weken, en dan kom ik je achterna.'

'Ik wou dat ik nooit naar het hof van koning Arthur was gekomen,' zegt sir Lancelot, 'als ik nu eerloos wordt verbannen. Maar het Rad van Fortuin dat ons optilt, gooit ons ook neer.' Sir Lancelot loopt naar de koning. 'Ik ben uw beste ridder geweest,' zegt hij. 'Zeker ook door mij is onze Ronde Tafel in alle streken van middenaarde geëerd en gevreesd.'

'Je zult je nergens kunnen verbergen,' zegt sir Gawain.

'Verbergen?' antwoordt sir Lancelot. 'Ik wacht je op in Frankrijk.'

'Genoeg!' gromt sir Gawain. 'Laat de koningin vrij! Verlaat dit hof!'

Sir Lancelot draait zich om naar koningin Guinevere, en zij keert zich naar hem. Ik kan haar kastanjebruine ogen zien. De kleine gele vlekjes erin. Haar wenkbrauwen als veren. Fier en zonder te knipperen beantwoordt ze de blik van haar ridder.

'Vrouwe,' zegt sir Lancelot zodat iedereen het kan horen, 'nu moet ik u en dit edele verbond voorgoed verlaten.' Hij komt dicht bij de koningin en gaat zachter praten. 'Bid voor me. Vertel goede dingen over me. En als valse tongen u bedreigen, laat me dan meteen halen. Ik zal u redden.'

Sir Lancelot kust de koningin.

Haar ogen staan nu vol tranen. Ze grijpt zijn rechterpols vast. Zacht spreekt ze woorden voor hem alleen.

Sir Lancelot verheft zijn stem weer. 'Is hier iemand die de koningin ervan beschuldigt dat ze koning Arthur ontrouw is geweest? Laten we eens kijken wie er zijn mond open durft te doen.'

Niemand zegt iets.

Sir Lancelot neemt koningin Guinevere bij haar rechterarm en brengt haar naar haar koning. Hij buigt zijn hoofd, en keert zich om.

De koning huilt. Iedereen op de binnenplaats heeft tranen in zijn ogen. Iedereen behalve sir Gawain.

76

De brief van de paus

Drie van de Franse afgezanten die naar de paus zijn gegaan om uit te leggen waarom we Zara hebben belegerd, zijn veilig teruggekomen. Maar de vierde, Robert de Boves, heeft zijn eed gebroken. Hij verdween in Venetië en ging aan boord van een koopvaardijschip om naar Syrië te varen.

Op het middaguur begonnen alle kerkklokken van Zara te luiden, en er liepen omroepers door de stad om bekend te maken dat de Heilige Vader ieder van ons groet en goed begrijpt dat we Zara alleen belegerd hebben om ons grote leger bijeen te houden. Hij heft zijn banvonnis op en verleent ons allemaal absolutie.

Iedereen was dolblij. Dezelfde Fransen en Venetianen die elkaar probeerden te doden, omhelsden elkaar nu en huilden. Mensen juichten. De straten bruisten.

Maar wat de omroepers riepen was niet waar! Niet eens bijna waar. Lord Stephen heeft het me verteld op strikte voorwaarde dat ik het aan niemand anders vertel.

'Milon heeft me de brief van de Heilige Vader laten zien,' zei lord Stephen somber. 'Eerst zegt de paus dat hij zijn oren nauwelijks kan geloven. Hoe konden we een christelijke stad aanvallen waar kruisbeelden aan de muren hangen? Maar hij aanvaardt dat we het met grote tegenzin deden en alleen omdat het het minste was van twee kwaden.'

'Dat is toch waar?' vroeg ik. 'Anders zou de doge ons zijn schepen niet hebben laten gebruiken.'

'Maar de Heilige Vader is boos omdat de doge en zijn raadsleden hem niet om vergiffenis hebben gevraagd.'

'In de San Marco zei de doge tegen ons dat hij het recht had om Zara te heroveren,' zei ik.

'De paus zegt dat hij onze kruistocht geen schade wil toebrengen en ons daarom absolutie zal verlenen…'

'God zij geloofd!' riep ik.

'… op bepaalde voorwaarden, en als wij bepaalde beloftes doen,' ging lord Stephen verder. 'Maar de Venetianen verleent hij geen absolutie.'

'Maar dat is niet wat de omroepers zeiden,' riep ik uit.

'Nee,' antwoordde lord Stephen. 'Onze leiders hebben niet alleen besloten de brief van de paus geheim te houden. Ze hebben ook een nieuwe verzonnen.'

'Waarom?'

'Uit angst, denk ik. Als de mannen de waarheid wisten, zouden ze nog ontevredener zijn. Dit geeft hun hoop. Maar er is nog iets,' vertelde lord Stephen me. 'In zijn brief zegt de Heilige Vader ook dat hij een brief heeft ontvangen van de keizer van Constantinopel, en hij waarschuwt de kruisvaarders nadrukkelijk om er niet bij betrokken te raken. Hij weet dat we voorraden nodig zullen hebben, en hij heeft de keizer geschreven en hem in naam van Christus verzocht om ervoor te zorgen.'

'Wat gaat er gebeuren?' vroeg ik.

'God mag het weten!' antwoordde lord Stephen. 'De afgezanten hebben meer dan drie weken gewacht en we hebben nog steeds geen beslissing genomen. Waarom zouden onze leiders zich iets van de waarschuwing van de paus aantrekken, tenzij het hun toevallig uitkomt? Ze hebben zijn brief over de belegering van Zara ook genegeerd.'

'Het is allemaal zo verward,' zei ik.

'Dat is het zeker,' antwoordde lord Stephen. 'Met elke dag die voorbijgaat, raakt deze kruistocht dieper in de problemen.'

In de schemering liepen lord Stephen en ik over de stadsmuren, en hij begon weer over Holt te praten. De pauwen. En Wilf die de herfst-ooi ving en verbeten vasthield, en achteroverviel. En of hij meer mannen uit Wigmore had moeten laten komen om het kasteel te beschermen terwijl wij weg zijn.

Ik zei niet veel. Ik geloof niet dat hij dat wilde. Hij wilde alleen mijn gezelschap.

Maar toen wendde lord Stephen zich tot mij en vroeg me wat ik dacht dat ik van hem geleerd had...

Hij denkt meer na en piekert meer dan op San Nicolo. Hij kijkt telkens achterom.

77

Byzantijnse ogen

Je kunt niet ontdekken hoe mensen zijn door naar hun neus of hun oren te kijken. Of wat ze voelen door naar hun handen te kijken. Maar als je in hun ogen kijkt...

Berties ogen, flitsend en uitdagend, en Ygerna's ogen, geduldig en starend; de ogen van koningin Guinevere, brandend en ijzig; Toms ogen, ontspannen, vriendelijk en geamuseerd; de ogen van sir William, het ene bloeddoorlopen, het andere glinsterend.

Ik zie de lange rij Zaranen nog voor me die hun huizen moesten verlaten, zoals ze door de landpoort de stad uit sjokten, en de jongen die Godard te pakken kreeg, en de vrouw die door de Vlaamse kerels op de markt werd aangerand, en de vijf Saracenen voordat hun ogen vurige vlammen werden.

Ik geloof dat ogen het weer van de ziel verraden.

In de kerken hier zijn kleine schilderijen die iconen worden genoemd, en daarop hebben Maria, Jezus en de heiligen, martelaren, aartsvaders en jonge vrouwen allemaal veel grotere ogen dan op schilderingen in Engeland of Frankrijk:

donkere amandelen verlicht door innerlijk vuur,
wijd als van een hinde, soms weemoedig,
waakzaam en berekenend,
verlangend en lankmoedig,
duister, enigszins bezoedeld,
oud-jong en zie-door-de-nacht,
terughoudend, naar binnen gekeerd.

Byzantijnse ogen! Ze zijn mysterieus. Kijk erin, heel diep, en je begint je af te vragen of je iets van ze kunt begrijpen.

78

Strijd

'Ik heb ook een alfabet van ridders,' zegt sir Lancelot. Hij kijkt links en rechts naar alle mannen die bijeen zijn in de hal. 'Graaf Armagnac, sir Bors, sir Blamore en sir Bleoberis, sir Clegis en sir Clarrus, sir Dinas, graaf Estrake, graaf Foix, sir Galihodin en sir Galahantine... Uit het diepst van mijn hart dank ik jullie allemaal voor jullie trouw, en omdat jullie met me meegevaren zijn naar Frankrijk.'

Veel van de ridders kloppen op de bladen van de lange tafels of slaan op hun dijen als teken van hun steun.

'Jullie hebben gehoord dat koning Arthur en sir Gawain uit Cardiff zijn uitgevaren en hier in Beaune geland zijn met zestigduizend man,' zegt sir Lancelot. 'Jullie hebben gehoord dat de koning sir Mordred tot regent van Engeland heeft benoemd in zijn afwezigheid, en koningin Guinevere aan hem heeft toevertrouwd.'

'Daar zal hij spijt van krijgen,' zegt sir Bors.

'Nu heb ik vandaag te horen gekregen dat de koning en sir Gawain zeven van mijn kastelen in brand hebben gestoken, zodat ze tot de grond zijn afgebrand. Wat moeten we doen?'

'Hoe langer we treuzelen, hoe erger het wordt,' antwoordt sir Bors onmiddellijk.

'Dit is wat ik ervan denk,' zegt sir Lionel. 'Al onze steden hebben sterke muren. Laten we al onze landlieden daar in veiligheid brengen, en wachten tot de mannen van de koning hongerig en ongeduldig worden en op hun vingers beginnen te blazen. Dan gaan we hen te lijf zoals wolven een kudde schapen.'

'In Gods naam,' zegt sir Bors, 'laten we hen aanvallen.'

'Dat doe ik liever niet,' antwoordt sir Lancelot. 'Ze zijn christenen en ik vergiet niet graag christelijk bloed. Oorlog is altijd slecht, en moet altijd de laatste toevlucht zijn. Ik zal mijn koning een boodschapper sturen.'

Oorlog is altijd slecht...

Kardinaal Capuano zei: 'Oorlog is gewelddadig, oorlog is wreed, oorlog is bloedig, maar ook natuurlijk. Oorlog is natuurlijk en vrede is onnatuurlijk.'

'Wat bent u van plan te doen?' vraagt sir Gawain fel.

'Ik geloof niet dat er ooit een man zo beheerst, zo behoedzaam en zo eervol is geweest,' antwoordt de koning zacht.

'Bent u helemaal hierheen gekomen om nu terug te gaan? Als u dat doet, zal iedereen op aarde zeggen dat u zwak bent. Zwak of onverstandig.'

Arthur-in-de-steen knikt. Zijn ogen zijn wonden. 'Ik zal je raad opvolgen,' zegt hij. 'Ik zal geen vrede sluiten met sir Lancelot. Spreek jij met de boodschapper. Ik kan mijn tong niet dwingen de woorden te zeggen.'

Onmiddellijk loopt sir Gawain naar de boodschapper.

'Vertel sir Lancelot dat het tijdverspilling is om mijn oom voorstellen te doen en dat hij te lang gewacht heeft om nog vrede te sluiten. En zeg hem dat ik, sir Gawain, niet zal rusten tot ik hem heb gedood, of hij mij.'

Nu is sir Gawain bij de stadspoort. Hij rijdt op Kincaled, draagt zijn hele wapenrusting en houdt een reusachtige lans vast.

Sir Lancelot staat hoog boven hem op de muur, met veel van zijn ridders.

'Hoor je me, verrader?' schreeuwt sir Gawain. 'Waarom verstop je je als een konijn in zijn hol? Dag in dag uit vecht ik met je mannen. Ik heb sir Bors verwond. En sir Lionel. Ben je bang voor me?'

Overal om zich heen hoort sir Lancelot stemmen.

'Sir Lancelot! Nu!… Hij is gek van woede… Snoer hem de mond met modder… Verdedig je eer…'

'Kom naar beneden, verrader!' schreeuwt sir Gawain. 'Betaal met je bloed voor de dood van mijn broers!'

Nu komt koning Arthur aandraven naast sir Gawain.

'Mijn koning!' roept sir Lancelot omlaag. 'Mijn koning! Ik had allang met u kunnen vechten. Zes maanden ben ik geduldig geweest. Maar nu beschuldigt sir Gawain me van verraad. Ik wil niet met u vechten, maar hij blijft me maar tarten als een beest in het nauw.'

'Geklets!' schreeuwt sir Gawain. 'Als je met me durft te vechten, kom dan nu naar beneden.'

Ik zie sir Lancelot en veel van zijn mannen door de stadspoort rijden. Sir Lancelot en sir Gawain zeggen niets. Naast elkaar gaan ze voorop, naar een wei niet ver buiten de muren, en ze draven elk naar een uiteinde ervan.

Ze vellen hun lans. Ze heffen hun schild. Ze roepen en sporen hun paard aan, en laten hun teugels los.

Hun wapenrusting rinkelt, leer kraakt en kreunt, de hoeven van de paarden ranselen de grond.

Dit zijn de twee mannen van wie de koning het meest houdt. Deze mannen, die ooit goede vrienden waren.

Sir Lancelot en sir Gawain stoten allebei hun lans in het midden van het schild van de ander. Ze trekken hun zwaard. Ze delen zulke harde slagen uit dat de benen van hun paarden bezwijken, en ze zakken in elkaar.

Vóór de middag wordt sir Gawain met het uur sterker, zo sterk als een reus, en sir Lancelot kan zich alleen maar verdedigen. Sir Gawain slaat zijn schild in stukken, hij hakt kepen in sir Lancelots zwaard tot het zo kartelig is als Berties tanden, en hij deukt zijn helm en kneust zijn hersenen…

Maar rond het middaguur begint sir Gawains kracht weg te vloeien. Hij is nu alleen nog maar zichzelf.

'Nu!' hijgt sir Lancelot. 'Nu is het mijn beurt.'

Meteen geeft sir Lancelot sir Gawain zo'n mep op de zijkant van zijn hoofd dat hij opzij wankelt en omvalt. Er stroomt bloed over zijn gezicht. Sir Lancelot blijft onbeweeglijk staan.

'Dood me en maak er een eind aan!' hijgt sir Gawain. 'Verrader! Als je me spaart, zal ik opnieuw tegen je vechten.'

'Je bent gewond,' antwoordt sir Lancelot. 'Ik zal nooit een man doden die zich niet kan verdedigen.'

Langzaam wendt hij zich af van sir Gawain en strompelt naar zijn paard.

Sir Gawain veegt het bloed uit zijn ogen. Hij probeert overeind te komen...

Sir Gawain is weer bij de stadspoort. Hij rijdt op Kincaled, draagt zijn hele wapenrusting en houdt een reusachtige lans vast.

'Hoor je me, verrader?' schreeuwt hij. 'Ik ben sir Gawain. Kom naar buiten! Kom vechten!'

'Jezus sta me bij als ik ooit aan jouw genade ben overgeleverd zoals jij aan de mijne,' roept sir Lancelot naar beneden. 'Dat zou mijn einde zijn.'

Sir Lancelot en sir Gawain rijden met een donderend gedreun op elkaar af.

Sir Gawains lans vliegt in honderd stukken, maar sir Lancelot raakt het midden van het schild met zo'n kracht dat Kincaled steigert en sir Gawain afwerpt.

Sir Gawain springt achteruit om Kincaled te ontwijken en trekt gretig zijn zwaard.

'Stijg af!' schreeuwt hij. 'Mijn merrie heeft me teleurgesteld, maar deze zoon van een koning en een koningin zal jou niet teleurstellen.'

Opnieuw wordt sir Gawain zo sterk als een reus. Sir Lancelot ontwijkt, bukt, duikt weg, buigt zijn lichaam opzij en naar achteren.

Hij spaart zijn adem, en hij spaart zijn huid. En elke keer dat hij een slag afweert, raakt sir Gawain wat meer ontmoedigd.

'Het is middag!' roept sir Lancelot. 'Je bent sterk, sir Gawain. Maar je hebt je best gedaan, en nu zal ik mijn best doen.'

Sir Lancelots zwaard prikt en streelt sir Gawains wapenrusting. Het fluistert. Het schramt en snijdt. Sir Gawain doet wat hij kan om zich te verdedigen, maar nu zwaait sir Lancelot zijn zwaard en geeft sir Gawain een mep op de zijkant van zijn hoofd, precies op de plaats waar hij al eerder gewond was.

Sir Gawains knieën knikken en kijken in tegengestelde richtingen. Hij wankelt en zakt bewusteloos op de grond. Als hij eindelijk zijn ogen weer opendoet en het bloed eruit knippert, ziet hij sir Lancelot die zich over hem heen buigt.

'Verrader!' mompelt sir Gawain. 'Je hebt me nog niet gedood. Vooruit! Maak er een eind aan.'

'Ik zal met je vechten als je op je benen kunt staan en je wond genezen is,' antwoordt sir Lancelot, 'maar ik zal nooit een man slaan die al gewond is. God behoede me voor die schande. Er zijn manieren waarop een ridder mag vechten, en manieren waarop hij nooit mag vechten.'

Langzaam draait sir Lancelot zich om en strompelt naar zijn paard.

'Verrader!' roept sir Gawain hem achterna. 'Zodra ik kan, zal ik weer met je vechten. Ik zal niet rusten tot een van ons dood op de grond ligt.'

79

Deserteurs

De Franse voetknechten mogen dan geloven dat de paus zijn banvonnis heeft opgeheven, ze zijn nog steeds ontevreden. Ze klagen
dat de helft van het voedsel dat de Venetianen hebben geleverd
verrot is, en ze willen hier niet nog tien weken rondhangen.
Maar het ergste is dat sommigen van hen echt gedeserteerd zijn.
Simona kwam vanochtend de woontoren binnenrennen en vertelde ons dat een aantal mannen uit Poitiers – genoeg om de bemanning tot gehoorzaamheid te dwingen – midden in de nacht
aan boord van een Venetiaanse galei is geslopen en haar landvas-
ten heeft losgemaakt.
De bemanning kon niets doen, want ze waren in de minderheid

en ongewapend, en hoewel sommige Venetianen aan wal wakker werden van het geschreeuw, konden zij ook niets doen. Ze stonden op de kade en keken hoe de donkere schim door de vaargeul dreef, en ze hoorden de Fransen schreeuwen: 'Roeien! Roeien, verdomme! Roei of verdrink!'

Drie Venetiaanse zeelieden kwamen echt in het water terecht en ze konden niet zwemmen. Niemand weet of ze geduwd werden, of struikelden in het donker, of sprongen en hoopten dat iemand hen zou redden.

Simona zegt dat het misschien wel honderd mannen uit Poitou waren. Maar waar kunnen ze naartoe gaan? En zullen ze er ooit aankomen? In elk geval zijn ze ontsnapt. En een van onze schepen is weg.

Het nieuws over de deserteurs zit ons allemaal dwars. Lord Stephen blijft maar met zijn ogen knipperen en afkeurend met zijn tong klakken, Turold is taai, Rhys is rusteloos, en Serle is nijdig.

'Die lui uit Poitou zijn geboren lafaards!' verkondigde sir William. 'Er rust een vloek op deze kruistocht.'

Ik denk telkens dat onze woontoren gaat omvallen. Er komt binnenkort een storm.

80

Een halve paardendeken

Ik ben vanmiddag bij zuster Cika op bezoek geweest. We zaten in de heilige tuin en ze zei dat ik er minder als een vogelverschrikker uitzag dan een maand geleden, en vrij knap voor een Engelsman, en dat de enige echte kracht innerlijke kracht is... Ze is soms grappig, en heel kalm, en mijn bezoek aan het nonnenklooster is het enige goede dat er vandaag is gebeurd.

Beneden is iedereen nog steeds heel prikkelbaar en ruzieachtig. Daarom vroeg ik lord Stephen of ik na het avondeten weg mocht gaan. Hier boven in mijn kamer kan ik tenminste schrijven.

Kort voor het eten kwam Bertie voor het eerst sinds hij door die pijl geraakt is naar ons toe.

'Milon denkt dat jullie vast wel willen weten wat er besloten is,' begon hij. 'Vanmiddag hebben de Franse leiders, markgraaf Boniface en de doge het aanbod van prins Alexios Angelos aanvaard en...'

'De dwazen!' riep sir William. 'Dat is rampzalig!' Hij smeet zijn beker met wijn tegen de muur.

'Milon zegt dat als jullie bij ons komen ontbijten...'

'Ik splijt zijn hoofd!' snauwde sir William. 'Wat bezielt ze toch allemaal?'

Toen Bertie allang weer weg was, ging sir William nog steeds door met vloeken en klagen, en lord Stephen zei tegen Serle dat hij, als we naar Constantinopel moeten gaan, niet inzag hoe we binnen drie jaar thuis konden komen, en Rhys vertelde dat er iets mis is met al onze paarden: het ene moment zijn ze rusteloos, het volgende lusteloos...

Tijdens het avondeten begonnen we over Holt te praten, en Rhys vertelde ons dat hij zich afvroeg of hij na drie jaar nog iets zou hebben om naar terug te keren.

'Waarom niet?' vroeg lord Stephen.

'Het is net als dat verhaal over de man die zijn zoon zijn boerderij en zijn land gaf,' zei Rhys. 'Zijn zoon zette hem op straat met niets anders dan een halve paardendeken.'

'Heeft hij zijn eigen vader eruit gegooid?' riep Serle uit.

'Mijn zoon heeft mijn huis en mijn landje,' zei Rhys.

'Schandelijk!' snoof sir William. 'Jullie stalknechten en koeherders zijn verdomme net beesten!' Hij slurpte een hele beker wijn leeg en richtte zich tot mij. 'Nou, ik neem geen risico,' verkondigde hij luid. 'Jij hoeft niet te denken dat jij of Tom iets van me krijgt. Ik geef je geen duit en geen morgen grond voordat ik doodga…'

81

Bloedig staal

Ik hoorde geschreeuw in de hal.

Ik liet mijn ganzenveer vallen, pakte mijn kaars en rende naar beneden. Mijn voetzolen kletsten op de stenen treden.

Vlak voordat ik de galerij bereikte, klonk er een enorme dreun, en daarna gekletter.

De eettafel lag op zijn kant, en sir William en lord Stephen stonden aan weerszijden tegenover elkaar. Op de grond lagen kannen, bekers, lepels en messen, en over de stenen vloertegels stroomde rode wijn.

Mijn vader was gezwollen van de wijn, en blind van woede.

'Worm!' tierde hij. 'Stuk vuil! Hoe durf je? Achter mijn rug.'

Lord Stephen gaf geen antwoord, maar sir Williams woede voedde zichzelf.

'Ze is niets waard! Gewoon een werkmeid uit Wales. Smeerlap! Bemoeizuchtige dwerg! Wat heb jij ermee te maken? Of Arthur?'

Mijn vader schopte naar een gebroken kan en liep naar het dichtstbijzijnde eind van de tafel. Ik zag zijn rechteroog glinsteren. Toen zag hij mij.

'Als je over de duivel praat!' snauwde hij, en hij deed een slingerende stap in mijn richting, terwijl hij met zijn vinger zwaaide. 'Als mensen beginnen te graven,' zei hij, en zijn stem werd koud als staal, 'vinden ze misschien hun eigen botten. Heb ik je dat niet gezegd, Arthur? Hun eigen botten.'

Mijn vader boerde. Daarna wendde hij zich weer naar lord Stephen en spuugde hem in zijn gezicht. 'Zwarte bellen!' mompelde hij.

Lord Stephen richtte zich een stukje op. 'Nee, sir William,' zei hij.

Zijn stem was kalm en vastberaden. 'Niet hun eigen botten. De botten van een dode.'

Sir William gromde.

'Ik denk dat je Arthurs moeder hebt bedreigd. Je hebt haar gedwongen het bed met je te delen, en daarna heb je haar man vermoord.'

Mijn vader trok zijn dolk uit zijn gordel.

Ik balde mijn vuisten.

Mijn vader stapte naar voren.

'Nee!' schreeuwde ik. 'Nee!'

Sir William stormde op lord Stephen af en bracht zijn rechterarm naar achteren.

Lord Stephen bleef gewoon staan, knipperend met zijn ogen. 'Lieve hemel!' zei hij verbaasd. Hij bewoog zich niet eens.

Ik sprong van de galerij omlaag.

Maar ik was te laat.

Sir William stak hem. Ik denk dat hij op lord Stephens hart mikte, maar het staal verdween in zijn linkerschouder, helemaal tot aan het gevest, en toen trok sir William het er weer uit, druipend van het bloed.

Even stond lord Stephen nog rechtop. Toen werd hij melkwit en viel achterover. Zijn hoofd sloeg tegen de stenen vloer.

Ik stortte me krijsend op mijn vader. Ik greep hem van achteren vast en sloeg mijn armen om hem heen.

We worstelden.

Met mijn linkerhand greep ik zijn rechterpols. Ik kneep.

Hij beet in mijn knokkels.

Ik probeerde hem te dwingen de dolk te laten vallen. Ik hoorde mezelf naar adem snakken.

'Bastaard!' hijgde hij. 'Dwerg! Ik neem jou ook te grazen.'

Ik kneep en kneep. Hij zoog zijn longen vol lucht. Zijn hele lichaam zette uit en hij schreeuwde naar de hemel. Hij brulde.

Mijn vader boog zich grommend naar achteren. Ik had zijn rechterpols nog steeds vast. Hij wierp zich naar voren en gooide me bijna over zijn hoofd.

Hij wankelde. Hij viel. Hij zal altijd blijven vallen...

Mijn vader viel naar voren en ik viel met hem mee, terwijl ik nog steeds zijn pols vasthield. Zijn arm sloeg tegen de stenen vloer, werd tegen zijn lichaam gedrukt en dreef het bloedige staal er diep in.

Hij stak het mes in zijn eigen hart.

82

We sterven een beetje

Ik heb hem niet gedood.

Maar ik heb telkens het gevoel dat ik het wel heb gedaan. Ik haatte hem en heb een keer geschreven dat ik wou dat hij dood was.

Maar hij was mijn vader. Ik ben zijn zoon.

Ik ging snel Milon halen en hij kwam meteen met me mee.

Milon sloot de ogen van mijn vader en maakte het kruisteken over hem. 'Moge God hem verwelkomen!' zei hij schor.

Daarna zei Milon dat ik zo snel mogelijk Taddeo moest gaan halen, de chirurgijn van de doge. Dat deed ik, en tegen die tijd waren Rhys en Turold teruggekomen, en ze droegen mijn vader naar de crypte om zijn lichaam voor te bereiden op de begrafenis. Taddeo gaf lord Stephen meteen een aderlating en ik zat de hele nacht bij hem in zijn kleine kamer. Ik dacht na. Ik bad. Af en toe hield ik zijn hand vast. Ik luisterde naar zijn ademhaling. Ik sliep geen moment.

Serle kwam pas vanochtend vroeg terug. Hij was bij Simona geweest.

Hij vond me bij lord Stephen en ik vertelde hem wat er was gebeurd. Serle leek verbijsterd, en bang, en hij liet zich op zijn knieën zakken.

'Ik ben hier de hele nacht geweest,' zei ik.

'Ga wat rusten,' zei hij. 'Ik neem het van je over.'

Maar ik kon niet rusten. Ik liep naar buiten, en zodra ik op de geribde deur klopte, was zuster Cika er, en ze leidde me meteen naar de heilige tuin.

'Ik verwachtte je,' zei ze. 'Is het je vader?'

Mijn hart begon te bonzen.

'Hoe weet u dat?' vroeg ik.

'Door wat je hebt gezegd en niet hebt gezegd,' antwoordde zuster Cika. 'Je ogen! Door te denken, te kijken, door – hoe zeg je dat? – aan te voelen. Er zijn veel manieren om iets te weten.'

Ze nam mijn handen tussen de hare.

Toen begon ik te snikken. Over mijn wangen stroomden hete tranen. Ze drupten in mijn schoot. Ik vertelde haar alles.

'Laat ze stromen!' zei zuster Cika liefdevol. 'Spoel je pijn weg, en je verdriet.'

We zaten heel lang naast elkaar.

Ik herinner me dat de kloosterduiven hun lieflijke, klokkende liederen zongen.

'Als ik niet geprobeerd had mijn moeder te vinden,' zei ik, 'zou lord Stephen er nooit bij betrokken zijn geraakt. En als ik niet naar mijn kamer was gegaan...'

'Nee,' zei zuster Cika. 'Jij hebt niets verkeerds gedaan.'

'Maar ik hield zijn pols vast.'

Op de een of andere manier wist zuster Cika wat ik dacht. 'Het is niet jouw schuld,' zei ze tegen me.

'Hij was mijn vader, maar hij gaf niets om me. Hij wilde me doden.'

'Maar jullie hadden hetzelfde bloed,' zei zuster Cika teder. 'Wie kan zijn vader zien sterven en niet zelf een beetje sterven?'

'Ik heb het gevoel dat lord Stephen mijn vader is,' zei ik. 'Ik voel me zo verloren.'

Zuster Cika kneep zacht in mijn hand. 'Arthur,' zei ze, 'je trekt het je aan, je denkt en voelt, je staat wakker in de wereld, en hoe wakkerder we zijn, hoe meer pijn het doet als degenen van wie we houden ziek zijn of ons verlaten. Zo zijn Gods kinderen. Maar Hij staat nooit toe dat we meer pijn hebben dan we kunnen verdragen.'

Om ons heen wiegde en wuifde de amandelbloesem.

'Ik zal voor lord Stephen bidden. Alles komt heus goed,' zei zuster Cika, bijna alsof ze afscheid nam. 'Neem mijn woorden mee op je pad. Levend sterven we, maar stervend leven we, Arthur.'

Zuster Cika glimlachte een beetje naar me en sloeg haar ogen op.

Toen ik terugkwam in onze woontoren, gaf Taddeo lord Stephen net weer een aderlating om zijn sappen in evenwicht te brengen. Hij zegt dat hij verder niets voor hem kan doen.

Zijn steekwond is schoon en scherp, maar de buil waar hij met zijn schedel tegen de grond is geslagen is zo groot als mijn knieschijf, er komt nog steeds pus uit en hij is helemaal paars. Ik heb het haar op zijn achterhoofd weggeschoren en moet twee keer per dag een brijomslag van majoraan aanbrengen. Hij slaapt nu al drie dagen, en dat is zelfs nog langer dan Bertie.

Lord Stephen. Hij is bijna een vader voor me. Het zal mijn hart breken als hij sterft.

83

Honderden en honderden mijlen

Nee, God verwelkomde mijn vader niet.

De hemel spuugde in zijn graf en er woei een felle wind uit het noordoosten. Die rukte mijn muts van konijnenbont af en joeg hem over de begraafplaats. Ik kreeg hem maar net te pakken voordat hij het water in rolde.

We begroeven mijn vader vlak naast het graf dat Bertie en ik gegraven hebben voor Giscard, de voetknecht uit Provins. Ik greep met mijn linkerhand een kluit korrelige aarde, kneep hem fijn en liet de korrels in het graf druppelen. Dat deden we allemaal. De aarde fluisterde en grinnikte.

Ik voelde niets. Ik was niet bedroefd, zoals toen we kleine Luke begroeven. Niet opgelucht. Ik voelde me alleen verdoofd, bedoel ik. Dat is nog steeds zo. Ik weet dat ik het erg moet vinden. Misschien komt dat later.

Na de begrafenis omhelsde Serle me, en Simona ook, en Gennaro en Bertie. Turold pakte mijn handen beet en sommige van Milons ridders en mannen bogen naar me en uitten hun medeleven. Maar Wido, Giff en Godard niet. Die waren er niet, en Rhys zat bij lord Stephen. Toen greep Milon mijn rechterelleboog en leidde me weg van de begraafplaats. We liepen terug door de landpoort en klommen op de stadsmuren.

De wind trok de wolken aan stukken. Ze leken op ongekaarde wol.

'Hier kwam ik met lord Stephen,' zei ik. 'Heel vaak. Hij vertelde me dat het geheugen een van Gods grootste geschenken is. Omdat het ons kan troosten.'

'Je bent een ridder,' begon Milon. 'Mijn ridder.'

'Ja, heer.'

'En een goede jonge ridder.'

'Ik denk het niet.'

'Heel goed,' zei Milon. Hij tikte op zijn hoofd en op zijn hart. 'Ik kijk naar je. Je hoopt, je voelt mee...'

'Te veel soms,' zei ik.

'En je bent dapper,' zei Milon. 'Je redt Bertie. En in Soissons...' Milon klopte op mijn arm. 'Je bent een ridder,' zei hij weer, 'maar je hebt nog plichten tegenover lord Stephen. Ja?'

'Ja, beslist!' zei ik.

'Hij zal niet meer vechten.'

'Wat bedoelt u?' Het prikte achter in mijn nek.

'Hij zal niet meer vechten. Misschien niet meer opstaan.'

'Nee!' zei ik. 'Dat is niet waar. Ik weet het zeker.'

Milon zei niets.

'Ik heb bijna de hele tijd naast hem gezeten. Gisteren bewoog hij zijn lippen. Hij begint water te zuigen uit een spons. En zijn oogleden trilden. Dat deden ze eerst niet.'

Milon legde een hand op mijn linkerschouder. 'Misschien hij gaat dood,' zei hij kalm en vriendelijk.

'Nee!' zei ik. 'Niet waar. Ik weet het zeker.'

'Misschien hij blijft leven,' zei Milon. 'Maar het duurt lang voor hij geneest.' Hij zweeg even. 'Je plicht tegenover lord Stephen is om hem te helpen… naar huis te gaan.'

'Naar huis!'

Milon keek me aan.

'Maar dat kan ik niet! Hoe kan ik dat? Ik heb het kruis aangenomen. Ik kan mijn eed niet breken.'

Milon wachtte een tijdje. De wind dreef alle wolkenflarden naar zee. Milon wreef over zijn neus.

'Deze kruistocht is slecht, steeds slechter,' zei hij, en hij maakte zijn rechterwijsvinger nat in zijn mond en hield hem omhoog.

'Maar als we naar huis gaan, zullen we het Heilige Land nooit zien. Sir William heeft een eind gemaakt aan onze droom om naar Jeruzalem te reizen.'

Milon blies naar zijn wijsvinger. 'Jeruzalem en Saracenen? Nee! Constantinopel en christenen? Ja! *Désastre!*'

'Dat dacht sir William ook.'

'Wat is jouw droom?' vroeg Milon me. 'Een jonge kruisridder zijn? Vechten? Of je mensen leiden op je eigen landgoed?'

'Nou ja…' zei ik. 'Allebei!'

Milon schudde zijn hoofd en glimlachte. 'Wat is moeilijker?' zei hij. 'Niet makkelijk voor jou. Niet makkelijk voor mij zonder jou! Maar ik zeg, je plicht is te zorgen voor lord Stephen. Ga naar huis. Lord Stephens vrouw… lady Judith. Goede vrouw. Sterke vrouw.'

'Ja,' zei ik.

'Leg haar uit. En sir Williams vrouw…'

'Lady Alice.'

'Ja, praat met haar.' Milon schudde zijn hoofd. 'Niets is makkelijk. Maar nu jij vindt Mair, jouw moeder, ja?'

Ik zoog mijn adem in. 'U hebt van haar gehoord,' zei ik. 'Daarom hebt u die ring in mijn zwaard laten graveren.'

Milon glimlachte. 'Lord Stephen,' zei hij. 'Hij heeft me het geheim verteld.'

'Het komt allemaal doordat hij mij heeft geholpen,' begon ik ongelukkig, 'doordat hij probeerde…'

We zaten een tijdje zwijgend op de muur. Er schoten allerlei vragen door mijn hoofd.

Alleen? Hoe? Hoe vind ik een schip dat ons terugbrengt naar de
andere kant van de Adriatische Zee? En in de Alpen ligt nog
sneeuw, is het niet, in maart? Hoe lang moet ik wachten voordat
we die kunnen oversteken? Ik weet dat lord Stephen beter wordt,
maar als hij nu toch achteruitgaat? Als hij sterft… Wat zijn er nog
meer voor vragen, waaraan ik niet heb gedacht?

Milon glimlachte en knikte. Hij zei dat ik lord Stephen natuurlijk
niet in mijn eentje naar huis kon brengen.

'Rhys en Turold zijn lord Stephens mannen,' zei hij. 'Ze gaan met
je mee. Dat is niet goed voor mij, maar…' Milon haalde zijn
schouders op.

'Dank u,' zei ik.

'En Simona,' voegde Milon eraan toe. 'De kruistocht is niet goed
voor Simona. Ze gaat met je mee naar Venetië.'

'Weet ze dat?' vroeg ik.

'Gennaro vertelt het haar nu.'

'En Serle?'

'Serle? Hij gaat met mij mee.'

'Maar hij en Simona…'

Milon haalde weer zijn schouders op. 'Liefdesverdriet,' zei hij. 'Zo
gewoon als schelpen op het strand.'

Daarna vertelde Milon me dat hier gisteravond een koopvaar-
dersgalei uit Split is aangekomen. Als de bora dan is uitgeblazen,
vertrekt hij overmorgen vroeg en vaart recht over de Adriatische
Zee naar Venetië. 'Geen piraten in de winter,' zei Milon tegen me.

'Maar dat is te snel,' zei ik. 'Dan kan ik nog niet klaar zijn.'

'Het moet,' zei Milon kortaf.

'Het kan niet. Ik moet alles inpakken. Ik moet met Serle en Bertie praten. En hoe moet het met Bonamy? Rhys en ik moeten morgen allebei met hem gaan rijden, voor zo'n lange zeereis.'

'Geen paarden op het koopvaardijschip,' zei Milon langzaam, terwijl hij me bleef aankijken.

'Wat bedoelt u?'

Milon schudde zijn hoofd.

'Maar ik moet Bonamy meenemen!' riep ik. 'Dat moet!'

'Transportschepen nemen paarden mee,' zei Milon. 'Koopvaardersgaleien niet. Nu geen transportschepen naar Venetië.'

'Dan rijd ik erheen,' zei ik fel. Maar terwijl ik het zei, begreep ik dat het onmogelijk was.

'Jij, Turold en Rhys kopen paarden in Venetië,' zei Milon. 'Ik geef je geld, veel geld. Geld om naar huis te gaan.'

'Arme Bonamy!' riep ik uit.

Maar eigenlijk bedoelde ik: arme ik!

'Simona helpt je in Venetië,' zei Milon. 'Na de kruistocht Bertie en ik komen naar Engeland. Ja?'

'Ja, heer.'

Het lijkt allemaal zo ver weg.

Milon stompte me zacht tegen mijn borst. 'Wij brengen Bonamy,' zei hij.

Ik snoof.

'Bertie...' begon ik, 'hij is zo...'

'Ik weet het,' zei Milon bedachtzaam. 'De zoon van mijn zuster.'

'Heer, zorg alstublieft goed voor hem.'

'En jij, Arthur, zorg voor lord Stephen.'

'Dat zal ik doen,' zei ik. 'Ik zal het doen.'

In mijn hoofd en mijn hart heb ik vandaag honderden en honderden mijlen gevaren. In verschillende richtingen.

De donkere aarde in, met mijn vader sir William de Gortanore.

En nu dit. Deze lange reis...

84

Aan alles komt een eind

Gisteren raakte de bora buiten adem, en toen begon de warme sirocco te blazen uit het zuidoosten, en de kapitein had grote haast om uit te varen. We moesten gisteravond aan boord komen, om bij zonsopgang te kunnen vertrekken. Alles is zo snel gegaan. Gisterochtend heb ik majoraan, lijnzaad en alsem gehaald bij de chirurgijn, en toen holde ik naar het klooster om zuster Cika nog één keer te zien. Ik klopte hard op de geribde deur, maar er deed niemand open. Misschien waren ze allemaal bij de terts. Daarna kostte het me vrij veel tijd om Bertie te vinden. Hij was niet in Milons huis of met zijn paard aan het rijden, en uiteindelijk vond ik hem in mijn eigen torenkamer, waar hij zomaar wat uit het raam staarde.

'Ik heb je overal gezocht,' zei ik.

Bertie stompte tegen de muur.

'Zo voel ik me ook,' zei ik. 'Boos en nog erger.'

'Zeg tegen Milon dat je blijft.'

'Dat kan ik niet!' riep ik uit. 'Ik moet voor lord Stephen zorgen. Milon heeft gelijk. Ik moet hem naar huis brengen.'

'Maar...'

'Ik weet het.'

'Aan alles komt een eind,' zei Bertie. 'Toen die Duitse hansworsten me kaakslagen gaven, en we samen naar de *campo* gingen en de Saracenen ontmoetten, en ik je vertelde dat ik een leucrota was, en toen die pijl me doorboorde en jij me redde...'

'Ik weet het,' zei ik.

Bertie schudde woest zijn hoofd.

298

'Ik zal jou ook missen,' zei ik. 'Je maakt me aan het lachen. En je maakt me ongerust.'

'Waarom?'

'Wat denk je?'

Bertie trok een lelijk gezicht.

'Je moet niet zo'n zielige pissebed zijn,' zei ik, 'en niet alles geloven wat andere mensen je vertellen.'

Bertie en ik keken elkaar aan, en het volgende moment omhelsden we elkaar.

'Je bent tenminste weer helemaal beter,' zei ik schor. 'Milon heeft beloofd dat hij naar Engeland komt, en hij zegt dat hij jou meebrengt.'

'En Bonamy.'

'Het is je geraden, Bertrand de Sully!' zei ik.

Ik hoorde dat iemand me riep. Dus deden Bertie en ik wie het eerst beneden was, en hij won.

Serle stond onder aan de trap te wachten. 'O, ben je daar?' zei hij. 'Ik ga rijden met Kortnek. Heb je zin om mee te komen?'

'Natuurlijk!' zei ik.

Bertie en ik omhelsden elkaar weer en hij rende de hal door.

Plotseling herinnerde ik me mijn droom over Saraceense vissen en onze galei die zonk. Ik herinnerde me Bertie die lachte en koprollen maakte en wegdook in de duisternis. En ik wist dat ik hem nooit meer terug zou zien.

85

Geef hun hoop

Toen we eenmaal buiten de stadsmuren waren, lieten Serle en ik Kortnek en Bonamy hard werken. We galoppeerden minstens twee mijl en toen hielden we in.

Ik wreef over Bonamy's vurige nek. 'Rhys heeft een keer een lied gemaakt over de kleuren van paarden,' zei ik.

Serle gaf antwoord op wat ik voelde, niet op wat ik zei.

'Ik zal voor hem zorgen,' zei hij. 'Ik zal mijn best doen.'

'Wil je een brief sturen naar sir John en lady Helen?' vroeg ik.

'Je weet dat ik niet kan schrijven.'

'Ik zal hem voor je schrijven.'

'Wat moet ik zeggen?'

'Wat wil je zeggen?'

'Ik weet het niet,' zei Serle. 'Wat ze willen horen.'

'Zeg dan drie dingen. Over jezelf.'

'Over mij? Het gaat goed met me. Ik ben gezond. Zeg dat.'

'Drie bijzondere dingen, bedoel ik. Dat je een Venetiaans meisje hebt gered van boze zeelieden… Ik weet het niet. Over Zara. Dat je, als je je ogen dichtdoet, Caldicot ziet, en de wintertarwe die groeit…'

Serle schudde zijn hoofd. 'Jij bent beter met woorden dan ik.'

Mijn mond werd droog. 'Of over sir William,' zei ik langzaam. 'Zeg iets over hem. Hij was je oom. De broer van sir John.'

'Je moet een afschuwelijk gevoel hebben,' zei Serle.

'Ja,' antwoordde ik zacht.

'Over wat je hebt gedaan.'

'Je bedoelt toch niet…'

'Ik bedoel niets,' zei Serle met zijn scherpe stem. 'Waarom? Zou dat moeten?'

'Als jij erbij was geweest, en niet bij Simona,' riep ik uit, 'zou het niet gebeurd zijn.'

'O!' zei Serle. 'Schuif je de schuld af?'

'Ik heb hem niet gedood!' schreeuwde ik. 'Je weet dat ik het niet gedaan heb! Hij wilde mij doden.'

Toen ik in Caldicot woonde, was Serle altijd zo oneerlijk, en ook nu kan hij soms nog gemeen en beschuldigend zijn.

Een tijdje reden we verder van elkaar. Ik liet Bonamy draven en drukte mijn gezicht tegen zijn warme nek. Toen begonnen we weer te praten.

'Jij en Simona.'

'Ja, wat?' Serle beet op zijn bovenlip, zodat die begon te bloeden.

'Ik zal het niet aan Tanwen vertellen,' zei ik. 'Ik zal haar vertellen dat je over haar en Kester praatte en vaak aan haar denkt.'

Serle keek me eigenaardig aan, achterdochtig en dankbaar tegelijk.

'Dat doe ik,' zei hij ongelukkig. 'Ik wilde je iets vragen.'

'Wat?'

'Die lappenpop. Die met de donkere ogen. Mag ik die aan Kester geven?'

Ik sloeg mijn ogen neer en toen schudde ik langzaam mijn hoofd. 'Ze is te droevig,' zei ik.

Toen we terug waren bij de stal onder de woontoren en afstegen, zei Serle: 'Je weet wel wat je hun moet vertellen. Mijn vader en moeder. Iedereen. Groet hen allen voor God. En geef hun...'

'Wat?'

Serle schudde ongelukkig zijn hoofd.

'Hoop?'

'Ja. Geef hun hoop.'

'Dat zal ik doen,' zei ik.

'En dit,' zei Serle, terwijl hij een van de glimmende koperen knopen waarmee Kortneks hoofdstel versierd was, rond en rond draaide tot hij loskwam. 'Geef dit aan Kester!'

'Dat zal ik doen!'

'Als ik niet terugkom... je weet wel... kun je dan voor hem zorgen?'

Ik glimlachte. Ik wilde huilen. Ik omhelsde Serle. Ik weet dat Milon hem zal verwelkomen, maar het zal hier moeilijk voor hem zijn zonder lord Stephen, of sir William, of een van ons. In elk geval in het begin.

'Bid voor me,' zei ik tegen hem. 'In Jeruzalem. Moge God je terug naar huis brengen!'

Toen Serle me alleen liet met Bonamy, kon ik me niet meer beheersen. Ik begon te snikken. En door mijn tranen heen zag ik Bonamy die fronste en met zijn oogharen knipperde. Toen duwde hij zachtjes zijn neus tegen me aan.

'O, Bonamy!' snikte ik. 'Bonamy!'

Ik wilde hem alles vertellen: hoe ik hem gekozen en geoefend had, dat ik hem vertrouwde en op hem rekende, en van hem hield.

Mijn gedachten en gevoelens over mensen zijn soms zo ingewikkeld. Maar mijn liefde voor Bonamy is zo eenvoudig. Zo heerlijk. Ik sloeg mijn armen om zijn nek.

86

U leeft!

'Waar ben ik?' mompelde lord Stephen.
'Op een schip, heer.'
'Dat dacht ik al.'
Hij leek niet verbaasd. Hij aanvaardde het gewoon.
Na een tijdje zei hij: 'Je glimlacht.'
'Omdat u leeft, en ik uw stem hoor.'
Lord Stephen gaapte.
Ik hield de spons met water tegen zijn lippen. 'Zuig!' zei ik.
'Op een schip,' zei lord Stephen, en hij gaapte weer.
'Ik zal het uitleggen. Maar laat me eerst wat soep opwarmen. U
hebt vijf dagen niets gegeten.'
Lord Stephen keek alleen naar me op. Zijn ogen waren wazig.
'U bent gewond,' zei ik. 'Ik breng u naar huis.'
Hij fronste een beetje, alsof hij probeerde te bedenken wat dat be-
tekende, en toen gaapte hij voor de derde keer. 'Pauwen,' zei hij.
Hij sloot zijn paarse oogleden en viel in slaap.
Rhys en Turold liggen allebei te slapen op een stapel Perzische ta-
pijten. Simona zit op de trap die naar het dek leidt, en ze wrijft tel-
kens in haar ogen…
We hebben het allebei nog moeilijk met het afscheid. We praten
morgen wel.
Vanochtend vroeg kwam de zon recht achter Zara op. Hij ver-
blindde me en ik kon geen van de torens of spitsen onderscheiden.
Langzaam werd de stad kleiner.
Tot er alleen een donkere veeg overbleef, aan de overkant van het
water.

87

Goedschiks of kwaadschiks

Mijn steen is mijn onveranderlijke poolster. Zelfs als hij me leed en verdriet laat zien, stelt hij me gerust.

Ik zie sir Mordred, de regent van Engeland, op een verhoging staan, en voor hem staan honderden ridders, die allemaal een bovenkleed dragen waarop hun wapen is gestikt. Hertogen, graven, lords en ridders. Alle groten van het land.

Sir Mordred houdt een vel perkament omhoog. Hij wuift ermee. 'Heren,' zegt hij, en hij schraapt zijn keel. 'Deze brief komt van sir Gawain.' Sir Mordred slaat een kruis. 'Koning Arthur is dood!' roept hij met luide stem. 'Uw koning is dood.'

Even volgt er een stilte, een ongelovige stilte, en dan breekt er een groot rumoer los in de hal.

'God beware zijn ziel,' roept sir Mordred uit, maar alleen de ridders die het dichtst bij hem staan kunnen hem horen. 'Hij is in de strijd gedood door sir Lancelot.'

Zoals de donder dreunt en de hemel schudt, zodat het geluid langs de horizon rolt: zo is het nu in de hal.

Sir Mordred wacht, met gebogen hoofd.

'Hij was mijn vader,' roept hij uit, en zijn stem is vlak en somber. 'Ik ben zijn zoon.' Hij zwijgt even. 'Zijn tijd is gekomen en zijn tijd is voorbijgegaan. Zolang hij leefde, leidde hij ons door ons te dienen en diende hij ons door ons te leiden. God behoede zijn ziel!'

Rondom sir Mordred beginnen mannen te roepen.

'De koning is dood! Lang leve de koning!'

'Mordred!'

'Kroon Mordred!'

'*Vivat!*'

'Moge Christus onze Heer u leiden!'

'Koning Mordred!'

Hoe kan koning Arthur nou dood zijn? Als het waar was, zou mijn zienersteen het me hebben laten zien. En hoe kunnen ze denken dat Mordred een rechtvaardige koning zou zijn?

Nu zie ik sir Mordred en koningin Guinevere in Winchester. Haar zijden jurk is zwart, met zilveren draden erdoor.

Guinevere kan het nauwelijks verdragen om hem aan te kijken, deze man die sir Lancelot haat, en die de konkelende zoon is van haar eigen echtgenoot.

'Ik zal open kaart spelen,' zegt sir Mordred. 'In het belang van dit koninkrijk moeten jij en ik één zijn. In hart en lichaam.'

De koningin verstijft. Ze is heel stil.

'Ik begeer je… In het belang van dit koninkrijk zal ik met je trouwen.'

De vrouw van zijn vader.

De koningin slaat haar ogen op en kijkt haar stiefzoon recht in het gezicht. 'Je hebt gelijk,' zegt ze. 'Groot gelijk! Ik betreur de dood van de koning. En ik betreur de oorzaak ervan.'

'Je bent verstandig,' zegt sir Mordred. Zijn stem is als een pas geslepen mes.

'Als wij gaan trouwen,' zegt de koningin, 'moet ik naar Londen. Ik moet brokaat kopen. Ik moet met mijn naaisters praten. Met mijn edelsmeden. Honderden dingen regelen.'

Sir Mordred geeft een klein knikje.

'En linnen. Korenblauw,' zegt Guinevere gretig. 'Een nieuw begin!'

'Laten we een dag afspreken,' zegt sir Mordred.

Nu begrijp ik het!

Nu begrijp ik waarom koningin Guinevere tegen sir Mordred zei dat hij gelijk had.

Ze durfde niets anders te zeggen. Ze wilde zijn vertrouwen winnen, tijd winnen, en ontsnappen… waarheen dan ook.

Nee. Niet zomaar ergens heen. Naar de Tower in Londen. Ik herken hem.

Sir Mordred staat buiten de muren en praat tegen de aanvoerders van zijn blijden, katapulten en mangnelen.

'Het kan me niet schelen wat jullie naar hen gooien,' schreeuwt hij. 'Gooi alles! Dode honden, keien, emmers mest, natte houtblokken, modder uit de rivier, rotte vis, stukken metaal, straatstenen. Haal die muren neer!'

In een van de torens staat een ridder, en de mannen van sir Mordred joelen naar hem, als een troep bastaarden en straathonden.

'Koningin Guinevere laat dit zeggen,' roept de ridder naar beneden. 'Ze zal zichzelf doden. Ze steekt liever een dolk in haar eigen hart dan dat ze trouwt met sir Mordred.'

Sir Mordreds hondenridders grommen, keffen, blaffen en janken.

Nu zie ik de oude aartsbisschop – de man die koning Arthur in Canterbury heeft gekroond – met zijn gouden staf, en drie priesters.

'Hoe durft u?' zegt de aartsbisschop streng. 'Hoe durft u te doen alsof koning Arthur dood is? Die brief is niet echt. U hebt alle ridders bedrogen. Ik heb vandaag een brief van de koning ontvangen…'

De aartsbisschop steekt zijn hand in zijn mantel. 'Hoe durft u uzelf op te dringen aan de vrouw van uw vader?'

'Zo is het genoeg!' snauwt sir Mordred.

'U hebt Gods woede gewekt,' zegt de oude aartsbisschop. 'U hebt uzelf te schande gemaakt. U hebt het hele ridderschap onteerd.'

'Genoeg, zei ik!' schreeuwt sir Mordred.

'Hef dit beleg op, of ik zal u vervloeken met alles wat mij ter beschikking staat.'

'Doe wat je kunt!' zegt sir Mordred met snijdende stem. 'Ik trek me er niets van aan.'

'Ik zal doen wat juist is,' antwoordt de oude aartsbisschop. 'U bent een verrader.'

'Lastige priester!' snauwt sir Mordred. 'Nog één woord en ik sla je hoofd eraf.'

De aartsbisschop trekt zijn mantel strakker om zich heen. Hij draait zich om.

'Oude dwaas!' roept sir Mordred hem na. 'De mannen van Engeland staan aan mijn kant. Ze zijn eensgezind. Met Arthur was er alleen maar oorlog. De ene oorlog na de andere. Ruzies! Woede! Nu is er hoop. Ik geef ze hoop!'

'Verrader!' zegt de aartsbisschop weer.

Sir Mordred draait zich met een ruk om naar de hoge muren. Hij kijkt omhoog en brult: 'Kun je me horen? Ik zal Guinevere krijgen, goedschiks of kwaadschiks! Als Arthur terugkomt, wacht ik hem op.'

88

Een jongen en een meisje

Vandaag is de feestdag van Sint-David die op bedevaart ging naar Jeruzalem, en dat betekent dat het mijn verjaardag is.

'Weet je hoe oud je bent?' vroeg Simona me.

'Natuurlijk. Zeventien.'

'Op welke dag van de week ben je geboren?'

'Dat weet ik niet,' zei ik, 'maar het was de eerste dag van de maand.'

'Dat is een goede dag,' vertelde Simona. 'Je zult roem verwerven, en knap en wijs zijn, en je houdt van boeken, en van lezen en schrijven.'

'Dat laatste is in elk geval waar,' zei ik.

'Wees voorzichtig met water,' waarschuwde Simona me. 'Je zou kunnen verdrinken.'

'Hoe weet je dat?' vroeg ik.

Simona's ogen werden groot. 'Dat weet iedereen,' zei ze. 'Mijn vader was geboren op de eerste dag van september.'

'Hoe oud ben jij?' vroeg ik aan Simona.

'Ik weet het niet precies. Misschien eenentwintig, en ik ben op een dinsdag geboren. Ik zal je een geboortegeheim vertellen.'

'Wat bedoel je?'

'Ik heb zes oudere broers, en mijn ouders baden om een dochter. Maar toen ik geboren werd was ik een jongen.'

'Een jongen?'

'Ze zeiden zoveel gebeden en huilden zoveel, dat ik een meisje werd,' zei Simona.

'Dat geloof je toch niet?'

Simona glimlachte. 'Zo graag wilde hij me, zei mijn vader.'

89

Mijn eigen zoon

'Ik voelde mijn hersens kopjeduikelen,' zegt sir Gawain tegen koning Arthur. 'Vier weken heb ik niet goed kunnen zien. Niet goed kunnen denken.'

Ze zitten op zachte hertenhuiden in een kring van lichtgeel en violet licht. Naast de koning ligt zijn bijbel, geopend, en erop rust de prachtige leesstok die koning Pellam, de bewaker van de Graal, hem heeft gegeven. Ivoor, goud en obsidiaan... Boven hen ruist en ratelt de populier.

'Zo'n harde klap heeft sir Lancelot me gegeven,' zegt sir Gawain, terwijl hij over de zijkant van zijn hoofd wrijft. 'Maar nu is de lente in de lucht! En in mijn bloed! Over drie dagen kan ik weer met de verrader vechten.'

Nu komt er een ruiter naar hen toe galopperen, en de twee mannen verstijven en krabbelen overeind.

'Arthur, koning van Brittannië!'

'Neem de tijd, man,' zegt Arthur-in-de-steen. 'Je hebt lucht nodig om te praten.'

'Van de aartsbisschop van Canterbury, sire. Sir Mordred heeft een brief vervalst – een brief, zegt hij, van sir Gawain – waarin staat dat u dood bent.'

'De verrader!' schreeuwt sir Gawain.

'Hij heeft uw troon in bezit genomen, sire! Hij zegt dat hij met uw koningin gaat trouwen.'

De koning balt zijn vuisten.

'Ze is naar de Tower in Londen gevlucht en sir Mordred belegert die nu. Hij dreigt de aartsbisschop te onthoofden.'

Een windvlaag schudt de populier, en de lichtgele en violetkleurige vlekken trillen en dansen.

'De helft van de mannen die in Engeland zijn achtergebleven, hebben zich bij hem aangesloten, sire,' hijgt de boodschapper.

'Ik begrijp het,' zegt de koning zacht. 'Zo beloont hij het vertrouwen van zijn vader.'

Hij loopt langzaam weg. Hij stapt rond de populier. Sir Gawain en de boodschapper kijken naar hem.

'Mijn zoon,' zegt hij tegen zichzelf. 'Mijn eigen zoon. Hij is een monster.' Hij blijft even staan, dan komt hij terug naar de wachtende mannen.

'Elke dag dat u weg bent uit Engeland, sire...' begint de boodschapper.

Koning Arthur kijkt hem aan. 'Als ik raad nodig heb,' zegt hij, 'zal ik erom vragen. Hef het beleg op, Gawain!'

'Maar...'

'Het belangrijkste eerst. Mijn koninkrijk. Mijn arme volk. Mijn vrouw die lijdt. We varen naar huis en zullen jacht maken op Mordred. Pas daarna zullen we met sir Lancelot vechten.'

'Ja, heer,' zegt Gawain gehoorzaam.

'Ach!' zegt de koning. 'Ging sir Lancelot nu maar met ons mee.'

90

De hoofdlijn en de hartlijn

Simona en ik moeten allebei hetzelfde doen: we moeten het nieuws over onze vader mee naar huis nemen. Zij moet haar moeder vertellen dat Silvano verdronken is toen de *Violetta* zonk, het schip dat hij naar haar had genoemd. En ik moet lady Alice over sir William vertellen, en hoe hij lord Stephen heeft aangevallen.

Simona hield tenminste van haar vader en hij hield van haar.

'Hoe zit het met lady Alice?' vroeg Simona me. 'Zal ze verdriet hebben?'

'Sir William sloeg haar.'

Simona haalde haar schouders op. 'Mijn vader sloeg mijn moeder ook,' zei ze.

'En hij was de helft van de tijd weg, bij lady Cécile. Dus moest zij twee landgoederen beheren, en de boeken bijhouden, en dat maakte haar aan het huilen. Hij was twee keer zo oud als zij. Maar misschien... misschien zal ze hem missen.'

'Eerst wel, daarna niet,' zei Simona.

Toen we gisterochtend vroeg de Porto binnenvoeren, werd het water minder ruw. Het wiegde ons zacht en de roeiers juichten. Ze staken allemaal een hand op van hun riem en zwaaiden.

Ik staarde naar San Nicolo. We kwamen vlak langs ons kamp. Maar er was niemand.

Serle en ik zijn een keer naar een heuvel gereden waar honderden jaren geleden een veldslag is geweest tussen de Welshmen en de Saksen, die de Welshmen wonnen. Er was niets te zien. Niets te voelen of te horen. Maar toch ook weer wel.

Ik denk dat het op San Nicolo net zo zal zijn. Over honderd jaar zal ons grote, rusteloze leger nog in de lucht hangen.

Gisteren hebben Simona en ik met de kapitein gepraat. Hij heet Hamadat. Zijn moeder is christen, maar zijn vader is een Saraceen.

'Dat heb ik nog nooit gehoord,' zei ik.

Hamadat had diepliggende ogen, en zijn huid was gebarsten en donker als een dadel.

'In Aleppo wel,' zei hij. 'En in Nabloes. Saracenen en ongelovige vrouwen. Saraceense vrouwen en ongelovige mannen.'

'Maar hoe ontmoeten ze elkaar?'

Hamadat haalde zijn schouders op. 'Handel. Kruistochten. Bedevaart.'

'Wat vindt hun familie ervan?'

'De vader van mijn moeder wilde geen bruidsschat betalen,' zei de kapitein.

'Hoe meer ik te weten kom, hoe meer ik besef hoe weinig ik weet,' zei ik.

Toen ik Hamadat vertelde dat we de Alpen wilden oversteken, gooide hij zijn handen in de lucht. '*Stupido!*' riep hij uit. 'De profeet beware je!'

Als ik lord Stephen helemaal over land naar Engeland breng, is het blijkbaar mijn bedoeling om hem te doden, zei Hamadat, want dan wordt hij doodgeschud. Bovendien worden we vast door rovers aangevallen, tenzij we ons aansluiten bij een grotere groep. En Mont Cénis en de andere bergpassen liggen nog minstens zes weken vol met sneeuw.

'Het is veiliger en sneller om per schip te gaan,' zei Hamadat, 'en gemakkelijker voor lord Stephen. Genua! Neem paarden en steek het land over naar Genua. Het is een goede weg. Hij is Romeins.'

'Hoever is dat?'

'Hmm!' gromde Hamadat, en hij tuitte zijn droge lippen. 'Twin-

tig dagen. Niet meer. Ga mee met mijn kooplieden. Ze brengen vracht naar Genua. Zijde, parfum, tapijten, parels!'
'Ik moet met Turold en Rhys praten,' zei ik tegen Hamadat.
'Allah zij dank!' zei Hamadat.
'En na Genua,' vroeg ik, 'waar moeten we dan naartoe?'
'Dat is makkelijk! Je zoekt een koopvaarder naar Frankrijk... of Engeland...'
Terwijl ik met Hamadat praatte, dacht ik er steeds weer aan dat ik moet beslissen waar we naartoe gaan, en dat maakte me opgewonden en zenuwachtig. Ik moet de beslissing nemen. Ik moet het doen.
Hamadat heeft gelijk. De Alpen oversteken zou veel ongemakkelijker zijn voor lord Stephen, en minder veilig. Dus zelfs als het niet zo eenvoudig is om een schip te vinden als hij zegt, ook al moeten we daar een paar weken wachten, dan is het nog beter om naar Genua te gaan.
Dus dat gaan we proberen.

Zodra we hadden aangelegd op Rialto, heel dicht bij de San Marco, ging Simona onderdak voor ons zoeken, en algauw kwam ze glimlachend terug en zei dat ze plaats had gevonden in een benedictijnenklooster. We droegen lord Stephen erheen, en de monniken verwelkomden ons en brachten lord Stephen naar de ziekenzaal. Toen ging Simona snel weer weg om haar moeder en broers te zoeken. We zagen haar niet meer, tot vanochtend.
Lord Stephen is net een baby, alleen huilt hij niet. Hij slaapt en slaapt, hij wordt wakker om wat te drinken en te eten, plast en bevuilt zichzelf, en valt dan weer in slaap. Ik wou dat hij wakker bleef. Ik wou dat hij vragen begon te stellen, een beetje klaagde, afkeurende geluiden maakte en met zijn ogen knipperde.
'Het probleem met jou, Arthur,' zei Turold tegen me, 'is dat je al-

tijd wilt dat de dingen nú gebeuren. Of gisteren. Lord Stephen slaapt omdat hij slaap nodig heeft.'

Gistermiddag kleedden de twee monniken in de ziekenzaal lord Stephen helemaal uit, ze wasten hem van top tot teen en vernieuwden zijn omslagen. Ze voerden hem gekookte kippenborst, die ze fijngehakt hadden en gemengd met goed gare appelen.

'Zodra hij wat sterker is,' zei een monnik, 'zullen we hem in melk geweekt hertenvlees geven. Dat ruimt het wondvuil en wondslijm in zijn lichaam op.'

'Hier!' zei een ander. 'Kauw hierop.'

'Wat is het?'

'Venkel. Dat zuivert je adem.'

'Je hele lichaam,' zei de eerste monnik. En hij glimlachte.

Sinds ons vertrek uit Zara hebben we om beurten bij lord Stephen gezeten, maar hier hebben altijd twee monniken dienst in de ziekenzaal.

Dus toen Simona vanochtend kwam, ging ik samen met haar de Saraceense kooplieden zoeken op de *campo*.

Ze zaten in hun tent van tapijten en herkenden me meteen. Een van hen riep naar me.

'Wat zegt hij?' vroeg ik aan Simona.

'Struisvogelkop!' riep Simona uit.

Ik lachte, gaf de twee mannen een hand en maakte een buiging voor de vrouw.

De vrouw fronste en wees naar het dier op een van hun tapijten dat half vogel en half beest was.

'Ze vraagt waar je blauwwitte vriend is,' zei Simona.

'Bertie?'

'Niet dood?' vroeg de vrouw.

'Nee hoor!' zei ik. 'Hij is… op kruistocht.'

'Hu!' riepen de twee mannen vol afkeer uit.

'Ze vraagt waarom jij daar niet bent,' zei Simona tegen me.

'Mijn heer is gewond.'

Ik was zo blij hen weer te zien. Ik weet dat ze Saracenen zijn, maar ze zijn open en hartelijk.

'Ik wil wat specerijen kopen,' zei ik.

Ze knepen alle drie hun ogen tot spleetjes en zogen hun adem in, alsof ik om een stuk van de maan vroeg.

'Gember, komijn en zo.'

De vrouw stalde kleine zakjes gember, komijn, kaneel, foelie en koriander uit.

'Je moet afdingen,' zei Simona. 'Ze houden van een woordenstrijd.'

Simona had gelijk. Het was net als op de markt van Ludlow.

'Tien marken,' zei een van hen.

'Tien!'

'Goedkoop. Goedkoop voor de struisvogelkop!'

'Tien kan ik niet betalen,' zei ik. 'Zoveel kost het om twee paarden een jaar te voeren.'

'Negen. Heel goedkoop.'

'Nee! Ze zijn niet voor mij, weet je. Ze zijn voor een edelvrouw. Lady Judith, in Engeland.'

'Ah! Specerijen voor lady. Acht!'

'Acht marken. Laatste prijs,' zei de andere man.

'Wat vind jij?' vroeg ik aan Simona.

Simona glimlachte. 'Ik denk... minder dan het kost om één paard te voeren,' zei ze voorzichtig.

Uiteindelijk stemde ik erin toe om zes marken te betalen, en de twee mannen grijnsden en we schudden elkaar weer de hand.

'Een woordenstrijd,' zei ik. 'Ja. Hadden we maar met woorden gevochten met de Saracenen... en met iedereen in Zara.'

De Saraceense vrouw stak haar hand uit en pakte mijn rechterhand, en mompelde.

'Ze zegt dat het jouw beurt is,' vertaalde Simona. 'Ze willen je hand lezen.'

'Nee!' zei ik. 'Nou ja…'
Meteen keek de man die Berties hand had gelezen, naar de mijne.
'Ik ben links,' zei ik.
De koopman pakte mijn linkerpols en floot meteen.
'Wat is er?'
De man schudde zijn hoofd en begon heel snel te praten.
'Wat zegt hij?' vroeg ik. 'Het is mijn hand, niet die van hem.'
'Hij zegt dat hij dit nog nooit heeft gezien,' antwoordde Simona.
'Je hoofdlijn en je hartlijn zijn niet van elkaar gescheiden. Ze zijn
één. Eén lijn…'
'Wat betekent dat?'
'Hij zegt dat je lang zult leven. Misschien wel zestig jaar. En je
krijgt drie kinderen. Zonen of dochters. Dat kan hij niet zien.'
'En mijn hoofdlijn en mijn hartlijn?'
Simona praatte een tijdje met de koopman. 'Hij zegt dat je nooit
een gedachte in je hoofd zult hebben zonder dat je hart het voelt
– vreugde, hoop, angst of verdriet. En je zult nooit iets voelen in
je hart zonder dat je hoofd het probeert te begrijpen.'
'Ik hoop dat dat waar is,' zei ik.
'Hij zegt dat dit een grote zwakte of een grote kracht kan zijn,' zei
Simona. 'Dat hangt van jou af.'

91

Grote bedden en andere wonderen

Ik had al van grote bedden gehoord. Niet het grote bed van sir John en lady Helen – dat is gewoon hun naam ervoor. In het grote bed in Chester kunnen dertien mensen slapen, en in het bed in Canterbury veertien. Maar het grote bed hier heeft plaats voor zestien mensen!

Ik kan niet meer in slaap komen. Daarom heb ik wat kleren aangetrokken en ben de binnenplaats overgestoken om bij lord Stephen te gaan zitten en te schrijven.

Doordat we paarden moesten kopen en laten beslaan, en een man inhuren om een draagbaar met riemen voor lord Stephen te maken, zodat hij tussen twee paarden kan liggen en niet te veel door elkaar wordt geschud, zijn we vijf nachten in Venetië gebleven.

Toen het tijd was om te vertrekken, hadden Simona en ik heel weinig te zeggen. Ik denk niet dat we elkaar ooit zullen terugzien, en zonder hoop verliezen woorden gauw hun betekenis.

'Hoe is Engeland?' vroeg ze.

Meteen zag ik Tumber Hill. Groen en groeiend. Wilde frambozen. De nieuwe beukenbladeren, zacht als vingertoppen…

Ik slikte. 'Nou ja, het is thuis!' zei ik. 'Een struisvogelkop!'

'Waarom zei die koopman dat?'

'Omdat Engeland erop lijkt, op een kaart. Dat heeft hij me vroeger verteld.'

We zaten naast elkaar te staren naar het dansende water.

'Je hebt Serle gelukkig gemaakt,' zei ik.

Simona zei niets.

'Dat zal ik me het best herinneren,' zei ik. 'Ja, en dat je weet wat liefde is en verloofd bent geweest met een Engelsman, en een jongen en een meisje bent, en met lord Stephen flirtte, en dat bloemetje van een maagdenpalm, en dat je eruitzag als een abrikoos!'

'O, Arthur!' riep Simona uit. Ze kroop tegen me aan en omhelsde me. 'Jij hebt mijn leven gered!' zei ze.

'Soms lijkt de volle maan op een abrikoos,' zei ik.

'En soms op een struisvogelkop!' antwoordde Simona. Ze lachte en snikte.

'Ik weet het!' zei ik. 'Laten we bij volle maan aan elkaar denken.'

'En elkaar een zegenwens sturen,' zei Simona. 'Ik zal jou een zegenwens sturen en een gebed zeggen voor lord Stephen.'

Zodra we Venetië verlieten, zagen we wonderen. Eerst omsloot een trillende regenboog ons en schilderde ons oranje, groen, blauw en violet.

Merlijn heeft me verteld dat regenbogen geestbruggen zijn tussen de aarde en de hemel. Terwijl hij in het bevende licht lag, bleef lord Stephen maar glimlachen en knikken. Hij keek heel gelukzalig, alsof de regenboog helemaal zijn idee was.

Tussen Padua en Vicenza zagen we een boom die krioelde van de goudhaantjes, honderden, die allemaal tjilpten. En op weg naar Verona ontmoetten we op een open plek in het bos een rondtrekkende geleerde, die met zijn rug tegen een boom een boekje met gedichten zat te lezen. Hij had een puntige zwarte baard en droeg een vuile oude schapenvacht.

'*Rus habet in silva patruus meus*,' zei hij.

'Wat betekent dat?'

'Mijn vaders broer heeft een boerderij in het midden van een woud.'

'De mijne ook,' zei ik. 'Sir John de Caldicot. In Engeland.'

'*Huc mihi saepe…*' ging de geleerde verder. 'Ik ga daar vaak naartoe om te ontsnappen aan lelijke, akelige dingen.' Hij keek op. 'Ga jij naar stille plekken?' vroeg hij aan mij.

'Ja, een open plek zoals deze,' zei ik. 'En mijn klimboom.'
'Ga daar weer heen,' zei de geleerde ernstig tegen me, '... *et me mihi reddunt.* Deze plekken geven ons onszelf terug.'
'Ik zal het doen,' zei ik.
Tussen Verona en Cremona kwamen we een ridder tegen die aan het jagen was met zijn haviken. Zijn valkenier droeg een gemuilkorfd dier. Zijn vacht was reebruin met donkerbruine vlekken. 'Zo'n dier heb ik nog nooit gezien,' zei ik in het Engels, en daarna in het Frans. 'Hoe wordt het genoemd, heer?'
'Een liebaard,' antwoordde de ridder. 'Sommige mensen zeggen luipaard.'
'Een luipaard!' riep ik uit, en ik herinnerde me dat onze stuurman Piero me vertelde over het dier in de kerk ten noorden van Zara dat naar buiten springt en kruisvaarders aanvalt. 'Hij is heel mooi.'
'Zij,' zei de ridder.
'Hebt u haar gevangen?'
De ridder lachte. 'Hier in Lombardije? Nee, ze komt uit Tartarije. Ver naar het oosten. Voorbij de landen van de Saracenen.'
'Jaagt u met haar?'
'Met één sprong doodt ze een hert of een geit,' zei de ridder. 'Vlees voor mij en mijn haviken.'
Ik keek de luipaard lang en behoedzaam aan. En met haar vurige ogen staarde ze naar mij.
De ridder glimlachte en streelde de witte buik van de luipaard. 'Net een Italiaans meisje, hè?'
'Uh... ja,' zei ik.
En na dit alles begon ik in Piacenza op de markt met een koopman te praten en kocht uiteindelijk een glazen staf met een krom

handvat. Hij zit vol met kleine, gekleurde pitjes en de koopman vertelde me dat de staf lord Stephen 's nachts tegen boze geesten zal beschermen, als ik die bij hem in bed leg. Zodra een boze geest de staf ziet, moet hij alle pitjes tellen, zei de koopman, en dat houdt hem de hele nacht bezig.

Waarom geloofde ik hem bijna?

Omdat ik alles wil doen om lord Stephen te helpen genezen, denk ik.

Ja, en nu dit grote bed.

Op de stromatras liggen verscheidene lagen gedroogde varens, en de mannen slapen aan de ene kant en de vrouwen aan de andere, gescheiden door een lang kussen.

Tot ik opstond, lagen we met zijn dertienen spiernaakt onder de mannendeken – de zes kooplieden met wie we meereizen, Turold, Rhys en ik, twee pelgrims, een koopman en een boodschapper – en ik heb nog nooit zoveel winden en boeren, gesnuif en gerochel gehoord.

Aan de andere kant lagen drie vrouwen: een moeder met een geplette neus, haar knappe dochter en een Franse non.

'Als twee of drie mensen bij elkaar liggen, hebben ze genoeg warmte,' zei de non, 'maar hoe kun je het in je eentje warm hebben?' Ze trok haar habijt uit en sloeg een kruis, en toen maakten de moeder en haar dochter een tent van hun deken en trokken ook hun kleren uit.

'Amen,' zei de vrouw met de geplette neus. 'God behoede ons voor de gevaren van deze nacht.'

Daarna kropen de drie vrouwen tegen elkaar aan en maakten bijna geen geluid meer.

Een hele tijd zongen de mannen liedjes en vertelden grappen; ze lachten ruw en trokken de deken van elkaar af. Maar eindelijk werd het rustiger, en ik moest telkens gapen. Blijkbaar viel ik in slaap...

Het gegil van de vrouwen maakte me wakker.

Turold was in het donker opgestaan en had geplast in de pot voor de deur, en daarna was hij op de tast teruggelopen naar de verkeerde kant van het bed.

'Laat me los!'

'Hu!'

'Harig zwijn!'

Pas toen ik Turold hoorde brommen en kreunen, wist ik zeker dat hij het was.

'Vooruit!'

'Ga van me af!'

Turold rolde over het scheidingskussen, tegen mij aan, en natuurlijk waren de meeste mannen toen wakker.

'Jij daar!'

'Platneus!'

'En ik dan?'

'Heb medelijden met een arme pelgrim!'

De vrouwen giechelden een beetje en ik kon ze horen fluisteren, maar ze gaven geen antwoord en na een tijdje werd het weer stil.

Maar ik kon niet meer in slaap komen.

Lord Stephen maakt zachte sabbel- en zuiggeluidjes.

92

Huil maar raak

Hamadat had gelijk!
Het was eenvoudig om in Genua een koopvaarder te vinden. We hebben heel veel geluk gehad. Dit schip brengt een lading marmer en wijn helemaal naar Cardiff.
Cardiff! Daar zijn koning Arthur en sir Gawain scheep gegaan op weg naar Beaune. En vandaar is het volgens Rhys maar vier dagen rijden naar de Middenmark. We hebben wind mee. We zijn de Zuilen van Hercules al voorbij!
Lieve God! Laat lord Stephen zijn kasteel Holt terugzien. Om ons heen kolkt de oceaan, maar ik breng hem terug naar huis. Ik breng hem terug!
Ik heb dit vastberaden vers gemaakt:

Spookgolven en rondvliegend schuim,
Huil maar raak, woeste storm!

Blauwe oogleden en bloedrode borst:
Ik breng mijn geliefde heer naar huis.

Gapende graven en suizende zeisen,
Deze last verdrinken jullie niet.

Ik hou van een meisje zo dartel en blij,
Haar naam is Winnie de Verdon.

Dolers uit boze dromen, kolk op ons af!
Wek wat je wilt, en wervel!

Waar Engeland en Wales samen dansen,
Zal het nu gauw lente zijn.

Wilde watervlakten! Zoute woestenij!

93

In mijn bloed en mijn botten

'*Attenzione!*' schreeuwde een van de roeiers.

Ik dook achter de verschansing. Net op tijd! Een reusachtige golf smakte tegen ons schip en liet ons bijna kapseizen. Er stroomde water over het dek.

Als ik geen dekking had gezocht, zou de golf me omver hebben geworpen. Ook nu was ik kletsnat, en mijn steen schitterde en glinsterde als glas in het zonlicht.

Ik hield hem stevig vast en keek erin.

Koning Arthur staat op het strand bij Dover, onder de witte krijtrotsen. Het water komt tot zijn knieën, en om hem heen raken mannen twee aan twee in gevecht, pijlen snorren, pieken stoten, zwaarden zwaaien, soldaten strompelen, landingssloepen deinen, bloed vlekt, woorden vervloeken, bidden, bevelen, dreigen, smeken...

'Achtervolg Mordred!' roept Arthur-in-de-steen. 'Grijp hem! Neem hem levend gevangen!'

Nu rent een van sir Mordreds mannen recht op de koning af. De koning keert zijn lans met zijn schild en drijft de man achteruit.

'Neem hem gevangen!' roept de koning.

'Arthur!' roept sir Kay, die door het water wankelt, 'sir Gawain is gewond. Kom naar hem toe!'

Onmiddellijk haast de koning zich over het strand. Hij ploetert door de ondiepten en legt zijn handen op de achterkant van een boot.

'Hou hem stil!' beveelt hij de mannen die om hem heen staan, en hij klautert in de boot.

De koning kan zien dat sir Gawain bijna dood is. Hij gaat op de achterste bank zitten en trekt zijn neef naar zich toe. Hij legt zijn hoofd op zijn schoot. Om hen heen klotsen de golfjes.

'Gawain,' zegt hij zacht.

Langzaam opent sir Gawain zijn ogen.

'Zoon van mijn zuster,' zegt de koning. 'De man van wie ik het meest houd in deze wereld. Jou en Lancelot heb ik meer vertrouwd dan alle andere ridders, en jij en Lancelot hebben me de meeste trots en vreugde geschonken. Nu heb ik jullie allebei verloren.'

'Oom,' zegt sir Gawain met zwakke stem. 'Mijn hoofdwond is weer opengegaan, de wond die sir Lancelot me heeft toegebracht. Ik voel in mijn bloed en mijn botten dat ik vandaag zal sterven.'

De boot deint zacht. De golfjes tillen hem telkens op.

'Als sir Lancelot vóór ons was en niet tegen ons, zou dit nooit zijn gebeurd,' zegt sir Gawain.

De koning houdt sir Gawain in zijn armen.

'Maar ik wilde geen vrede met hem sluiten,' zegt sir Gawain. 'Ik heb de twist veroorzaakt.' Nu worstelt hij om overeind te komen. 'Oom,' zegt hij, 'laat me hier perkament en een pen en inkt brengen. Ik zal sir Lancelot schrijven voor ik sterf.'

Aan sir Lancelot, de beste van alle ridders

Gegroet!

De wond die je me hebt toegebracht in Beaune, is weer opengegaan. Ik weet in mijn bloed en mijn botten dat ik gauw zal sterven.

Ik wil dat de hele wereld weet dat ik, sir Gawain, zoon van koning Arthurs zuster en koning Lot van Orkney, ridder van de Ronde Tafel, mijn eigen dood heb veroorzaakt. Het is mijn eigen schuld, niet die van jou.

Lancelot, bid voor mijn ziel. Kniel bij mijn graf. Kom terug naar dit koninkrijk.

In naam van onze oude vriendschap, kom onmiddellijk! Vaar met je ridders de zee over en red koning Arthur. Hij is in levensgevaar. De verrader sir Mordred heeft zich laten kronen. Hij heeft geprobeerd koningin Guinevere te dwingen met hem te trouwen, maar ze is naar de Tower in Londen gevlucht.

Vandaag hebben koning Arthur en ik bij Dover met sir Mordred en zijn mannen gevochten. We hebben hen op de vlucht gejaagd. Maar mijn oude hoofdwond is weer open-gegaan.

Dit vel is bevlekt met mijn levensbloed.

Er stromen tranen uit sir Gawains ogen, maar hij maakt geen geluid. Hij leunt een beetje opzij tegen de koning, en de koning houdt hem vast.
De tijd gaat voorbij.
Zacht deint en dobbert de boot.

94

Op zee

Lord Stephen dommelt weer. Zijn schouderwond geneest, maar zijn schedel heeft zo'n klap gekregen dat de binnenkant van zijn hoofd gewond is. Hij glimlacht vredig. Maar waar zijn al zijn scherpe vragen en meningen en droge grapjes? Komen die ooit terug?

'Hij zal niet meer vechten. Misschien niet meer opstaan.' Dat zei Milon. 'Misschien hij gaat dood,' zei hij.

Sir William heeft lord Stephens leven verwoest.

Zijn boze hart en dronken lichaam luisterden niet naar zijn hoofd en handelden zonder zich iets van de gevolgen aan te trekken. Net als toen hij mijn moeder misbruikte. En toen hij haar man uit de weg ruimde. Toen hij mijn ring in de golven smeet.

Ja, mijn vader heeft lord Stephens leven verwoest, en onze droom om naar Jeruzalem te gaan.

Maar er was één ding waarover hij, lord Stephen en Milon het eens waren: het gaat slecht met de kruistocht. Sir William zei dat de kruistocht onder een kwaad gesternte was begonnen, lord Stephen vond dat de doge ons voor zijn eigen doelen gebruikte, en Milon zei dat het besluit om naar Constantinopel te gaan een ramp is.

In Zara had ik nauwelijks tijd om te denken, of misschien durfde ik gewoon niet te denken. Ik was zo bang en geschokt.

Maar nu kan ik niet verhinderen dat ik denk, en me van alles herinner…

Soms word ik zwetend en bevend wakker. Ik heb dingen gezien waarvan ik zou willen dat ik ze niet had gezien.

In mijn steen is oorlog roemrijk. De strijd is snel en eerlijk, bijna pijnloos, niet gemeen en ondraaglijk. Goed vecht tegen slecht. Maar in de werkelijkheid is het lang niet zo eenvoudig.

Zelfs mijn vader wist dat. Hij bewonderde Saladin... En sir John zei dat Saladin zich eervol gedroeg en dat hij en Leeuwenhart allebei een heilige oorlog voerden.

De paus zegt dat ik door ongelovigen te doden de zaligheid verdien. Maar hoe kan dat nou waar zijn? Hoe kunnen graaf Thibaud, de kardinaal, de ridder met het kruis op zijn voorhoofd gebrand, en zelfs lord Stephen gelijk hebben? Jezus heeft ons verlost door zijn eigen leven te geven, niet door anderen te doden.

Mijn hoofd heeft moeite met wat de Heilige Vader zegt. En mijn hart heeft er ook moeite mee.

Daarom is het misschien toch het beste dat ik de kruistocht heb moeten verlaten. Maar het blijft moeilijk en teleurstellend om terug te moeten gaan.

Aan dek prikken de zoute druppels in mijn ogen, en ik zie wazig. De bulderende wind maakt me doof en de greep van de oceaan verkilt me.

Alstublieft God, laat me altijd vragen blijven stellen. Laat me zeggen wat ik denk.

95

Hiraeth

Oprijzende heuvels! Hemelheuvels! Zoals ze golven, klimmen en neerduiken.

Terwijl ons schip erheen ploegde door het zware, leigrijze water, kreeg ik het gevoel dat mijn hart zou barsten. Ik stikte bijna van verlangen.

Hiraeth! Zo noemt Rhys het, en ik geloof niet dat er in het Engels een woord voor is. Het is een verlangen naar alles, naar elk uitzicht en krakend hek, elke groene geheime plek, elke steen. Zo'n verscheurend, heftig verlangen naar huis.

De Middenmark: daar hebben de kastelen één oog naar de hemel en één oog naar de grond. Terwijl we doken en klommen, begon ik alle vertrouwde plaatsen rond Caldicot, Gortanore en Holt op te noemen, en aan hun verhalen te denken:

> Clee, Neen Savage en Upper Millichop,
> Greete en Hope Bagot, Hilluppencott,
> Cleobury Mortimer en Middleton Scriven,
> Quabbs en Glog Hill, Arscott, Duffryn,
> Snitton, Aston Aer, Llanfair Waterdine,
> En Catmole, Catmole
> Waar Wales en Engeland elkaar treffen…

Rond het middaguur gingen we veilig in Cardiff aan land. God zij geloofd!

Rhys vond gauw een Welshe boer die bereid was ons vijf paarden te lenen, en hij en zijn dochter zullen helemaal met ons naar de

Middenmark rijden om hun paarden mee terug te kunnen nemen.

Ze spreken geen van beiden een woord Engels en ik kon zien hoe
fijn Rhys het vond om zijn mond weer vol te proppen met Welshe
woorden. Zijn gezicht was de hele middag een en al glimlach.

Lord Stephen is springlevend en we vertrekken bij zonsopgang!
Langs Cardiff en Chepstow, en dan naar het noorden door het
Woud van Dean. Ross… Hereford… Als God het wil, rijden we de
vierde middag Holt binnen.

De dag nadat Jezus voor ons is gestorven, de dag voordat Hij ver-
rees.

96

Een pad van veren

We waren nog in het bos, maar ik wist dat we bijna in Holt waren, want ik hoorde ze krijsen.

'Heer!' riep ik. 'Hoort u ze?'

Lord Stephen keek op van zijn draagbaar en glimlachte blij.

'De pauwen van lady Judith!' riep ik uit.

Ik dacht aan de blauwgroene pauwen die pronkten op de tent van de Saraceense kooplieden, en de mozaïeken in de San Marco, en Simona die ons vertelde dat ze het eeuwige leven beloven.

Lord Stephen keek naar me op. 'Een pad van veren…' zei hij verwonderd.

'Heer?'

'Ben je doof?'

'O, heer!' zei ik ademloos. 'U praat! Ja, een pad van veren. Met lady Judiths pauwen, een pad van veren van de aarde naar de hemel.'

Lord Stephen glimlachte weer en sloot zijn ogen.

Hij wordt beter. Ik weet het zeker! Hij wordt beter!

Toen zochten onze paarden hun weg uit het bos, en daar lag het! Het zevenkantige kasteel boven op de kleine, steile heuvel. De gordijnmuren. De ophaalbrug. Alles was geel in het zachte licht van de late middag.

Robert was de eerste die ons zag – hij werkte op zijn landje. Daarna kwam Agnes, de genezeres, aanhinken over het pad naar het kasteel. De honden begonnen te blaffen en Sayer kwam aanlopen vanaf de hondenhokken om te zien wat er aan de hand was.

Op dat moment zag Rhys zijn vrouw bij de deur van hun huisje op het oosterf.

'Bronwen!' riep hij. 'Bronwen!' Hij steeg af en stormde haar tegemoet, terwijl hij *Gogoniant! Gogoniant!* riep.

Toen ik over het erf naar de stallen keek, dacht ik dat ik Pip zag.
Zijn vorm. Zijn kleur. Zoals hij zijn oren spitst en zijn kop een
beetje scheef houdt. Maar ik wist het niet helemaal zeker.

Hij zag me. Hij tuurde. Hij verstijfde.

Toen hinnikte hij opeens, en ik schreeuwde. Ik sprong met een
zwaai uit het zadel. Ik rende het erf over, stak mijn armen omhoog
en sloeg ze rond zijn nek.

Hij trappelde en stampte, en gooide me bijna omver.

'Pip!' riep ik. 'Pip!'

Ondertussen waren Donnet, Piers en Abel komen aanlopen vanaf het Clunveld. Ze stonden stil naast de draagbaar van lord Stephen. Ik begroette hen en daarna nam ik mijn paard bij de teu-
gel en leidde iedereen het pad op en de ophaalbrug over. Toen we
de binnenplaats opliepen, kwamen Rowena en Izzie het kasteel uit
met twee mannen die ik nog nooit had gezien.

Zodra het tot haar doordrong dat ik het was, begon die rare Izzie
te gillen en wierp zich tegen me aan. Ik moest haar vastpakken om
te voorkomen dat ik achterover viel.

'Izzie!' riep ik uit. 'Je bent net zo erg als Pip!'

De mannen waren twee van de soldaten uit Wigmore die zijn in-
gehuurd om Holt te bewaken. Izzie wil met een van hen trouwen.

Toen zag ik lady Judith in de deuropening staan.

Iedereen werd stil.

Lady Judith keek me aan. Daarna tuurde ze naar de draagbaar die
tussen de twee paarden hing. Ze sloeg haar ogen neer.

Ik liep naar haar toe. Mijn hoofd voelde aan alsof het drie meter
in de lucht zweefde.

Ik maakte een buiging. 'Vrouwe,' zei ik.

'Arthur! Gegroet voor God!' Ze keek over mijn schouder. 'Is hij
dood?'

'Nee hoor! Hij is niet dood! Hij wordt beter. Ik weet het zeker.'
Lady Judith en ik staken de binnenplaats over. Ze boog zich over lord Stephen. Hij sliep. Ze pakte de zijkant van de draagbaar vast, liet zich op haar knieën zakken en begon te bidden.
Lord Stephen deed zijn ogen open.
'Heer,' zei ze zacht. 'Mijn man.' Ze legde haar rechterhand op zijn hart.
Lord Stephen glimlachte naar haar.
'Hij is in zijn schouder gestoken,' zei ik, 'en hij is gewond in zijn hoofd.'
Lady Judith stond op en keek naar onze hele groep.
'Turold! Welkom thuis!'
Turold nam haar handen in de zijne en knikte zwijgend.
'Rhys!' zei lady Judith. 'Welkom!'
'Vrouwe,' zei Rhys, terwijl hij zacht zijn hoofd schudde. Hij wist ook bijna niets te zeggen.
Hierna begroette lady Judith de boer uit Wales en zijn dochter en bedankte hen voor hun hulp, en Rhys vertaalde wat ze zei. De meeste mensen tonen gauw hun gevoelens, maar lady Judith niet. Ze let altijd op haar manieren en je kunt niet zien wat ze denkt. Ik heb haar nog nooit zien huilen, maar ik kon haar angst voelen.
'Kan hij niet lopen?' vroeg lady Judith.
'Dat heeft hij niet meer gedaan,' antwoordde ik, 'sinds hij...'
'O. Nou ja, één stap tegelijk.'
Ze vroeg Turold en Rhys om de draagbaar los te maken en lord Stephen meteen naar de bovenkamer te brengen, en zei tegen Agnes, Rowena en Izzie dat ze mee moesten gaan. Daarna wendde ze zich weer tot mij en liep met me naar de ophaalbrug.
'Hij is aangevallen,' vertelde ik haar, 'en hij is met zijn achterhoofd tegen een stenen vloer geslagen.'
Lady Judith gaf me een arm.
'Dat kunt u beter niet doen,' zei ik. 'Ik zit onder de modder.'

'Dat zie ik.'

'En erger. Ik heb me al dagen niet gewassen.'

'Heb je hem dat hele eind hierheen gebracht?'

'Ja.'

'Uit Venetië?'

'Uit Zara, aan de overkant van de Adriatische Zee. Milon zei dat ik het moest doen. Hij zei dat het mijn plicht was om voor hem te zorgen en hem naar huis te brengen.'

Lady Judith knikte en zuchtte.

'Maar we zijn in Venetië geweest,' zei ik.

'Ik weet het. Dat meisje heeft het me verteld.'

'Tanwen, bedoelt u?'

Lady Judith snoof.

'Dus ze is thuisgekomen! Het is zo ver.'

'Dat is het zeker… En jij was helemaal alleen.'

'Niet alleen! Zonder Turold en Rhys had ik het niet gekund.'

Lady Judith keek me aan. Haar ogen waren donker en glanzend.

'Je bent vies, je stinkt en je bent uitgeput,' zei ze. 'O, Arthur!' Toen begroef ze me in haar armen, net als Winnie toen haar mantel geschroeid was. Ze streek mijn haren glad.

Er sprongen tranen in mijn ogen. Ik kon het niet helpen. Ik voelde me zo gelukkig en bedroefd, opgelucht en moe.

'Jij hebt je plicht gedaan,' zei ze hartelijk. 'Meer dan je plicht.'

'Eigenlijk is hij mijn vader.'

'Ja,' zei lady Judith, terwijl ze me van zich af duwde, maar haar handen op mijn schouders hield. 'Ik wil nog meer horen, veel meer, maar eerst moet ik lord Stephen wassen en verzorgen, en hem in een schoon bed leggen. Rowena en Izzie kunnen me helpen, en dan wil ik dat Agnes zijn wonden onderzoekt. En jij…'

Ik gaapte!

'Precies. Jij moet je wassen en je door Gubert iets te eten laten geven, en dan gaan slapen.'

'Ooit,' zei ik, 'toen ik ook zo vies was, liet lady Helen me in de gracht zwemmen.'

'Heel goed! Ga naar beneden naar de platte steen om in de rivier te zwemmen.'

'In de donkere schoot van de maalstroom!' zei ik, en ik gaapte weer.

'Ik heb geen idee wat je bedoelt,' zei lady Judith scherp, 'en ik denk niet dat ik het wil weten.'

Ik glimlachte. 'Daar zaten Rowena en Izzie vroeger om bezweringen uit te spreken,' vertelde ik haar.

'Morgen is het paasfeest,' ging lady Judith verder, 'en het is belangrijk om te doen wat we altijd doen. Dat zou lord Stephen zeggen.'

'Bedoelt u...'

'Ik bedoel de eucharistie vieren, en samen de Swansback beklimmen, met iedereen hier op het landgoed, en hazenpastei eten.'

'En het nest van de paashaas zoeken.'

'De oude gebruiken,' zei lady Judith. 'Ze zijn goed, en geruststellend.'

'Er is zoveel om u te vertellen,' zei ik. 'En te vragen.'

'Lady Alice heeft beloofd dat ze hierheen zal komen,' zei lady Judith. 'Arthur, wat is er?'

'Niets!'

Lady Judith keek me strak aan, als een arend.

'Zij zijn toch niet ook naar huis gekomen?'

'Wie?'

'Sir William en Serle.'

'Nee!' zei ik. 'Nee, zij niet.'

'Nou,' ging lady Judith verder, 'je kunt mij en lady Alice alles vertellen. En natuurlijk zijn er dingen die je moet weten.'

Ik gaapte nog een keer.

'Zijn schouder, zei je?'

'En zijn hoofd,' antwoordde ik. 'Zijn achterhoofd. Vanbinnen.'
'Soms duurt het heel lang tot een wond genezen is,' zei lady Judith.
'Ik hoef jou maar aan te kijken, Arthur, om te zien wat voor ver-
schrikkingen je hebt doorstaan.'

97

Werktuigen van de geest

Soms ontwaak ik niet knipperend of gapend, maar klaarwakker, met het idee dat ik net mijn steen heb horen roepen. Ik trek meteen mijn hemd en mijn broek aan en dan pak ik mijn steen uit. Ik neem hem in mijn rechterhand en verwarm hem. Ik word weer een deel ervan.

Zo was het vroeg op deze bleekgroene paasochtend. Ik werd wakker in mijn kamertje boven in het kasteel, nog voordat alle dorpelingen snuivend en kuchend, zacht pratend, bij elkaar kwamen op de binnenplaats, klaar om de Swansback te beklimmen en naar de opkomende zon te kijken.

Ik herinner me dat we dat deden, en dat Haket uitriep: 'Het Lam! Zien jullie Zijn witgloeiend vaandel, en het bloedige kruis?'

Rowena zei dat de zon bloedrood leek, en Izzie zag hem zo zwart als de vleugel van een aalscholver. Ik dacht dat hij goudgeel was, en daarna paarsrood en groen, en begon te tollen, maar lord Stephen zei dat de zon witgloeiend was, en hij vertelde me dat iedereen die het kruis aanneemt, het Lam heeft gezien.

Mijn steen schitterde…

Drie ridders knielen in een prieel bij de bewaker van de Graal. De gewonde koning. Er sijpelt nog steeds glinsterend bloed uit de gapende wond tussen zijn ribben.

Het hele prieel met de verschrompelde wijnranken en het verdorde gras straalt licht uit dat verblindender is dan de opkomende zon.

'Jullie zijn eindelijk naar Corbenic gekomen,' fluistert de koning. Hij heeft zo'n pijn. 'Sir Perceval, sir Galahad en sir Bors, jullie zijn één in drieën, en met zijn drieën één. Jullie hebben Salomons zwaard gerepareerd, zijn naar het Eiland van de Olifanten gereisd, hebben het Draaiende Kasteel tot stilstand gebracht, met het schild van Jozef van Arimathea gevochten tegen de duivelse Ridder van de Draak, en vele andere wonderen verricht. Maar vooral, ver voor dat alles, zijn jullie echte ridders van het hoofd en het hart.'

De drie ridders buigen hun hoofd.

'Jullie zijn de uitverkorenen,' zegt de Graalkoning met hese stem. 'Jullie weten dat een man het nooit waard is om ridder te worden alleen omdat hij dapper is. Kracht en vaardigheden zijn slechts middelen; het zijn geen ambities of idealen. Een ridder heeft altijd plichten...'

Ja, een hart hebben zo hard als diamant, en ook een hart zo zacht als warme was. Ruimdenkend zijn, vrijgevig en gul.

'Jullie zijn de uitverkorenen,' zegt koning Pellam weer. 'Sir Perceval, sir Galahad en sir Bors, jullie hebben jezelf aan God gegeven. Sta nu op en ga naar de kapel van de Graal. Ga nu en stel de vraag.'

Mijn zienersteen flitste; hij verblindde me half.

De Heilige Graal is niet bedekt. Hij is een en al licht. Er rijst een zuil van zonlicht uit op.

Sir Perceval, sir Galahad en sir Bors knielen ervoor. Ik zie hun gezichten erin weerspiegeld.

De lucht is zwaar van wierook en mirre.

Uit de Graal verrijst een man. Hij verrijst, met donkere ogen. Behalve zijn lendendoek is hij naakt, en zijn handen, voeten en ribben bloeden.

'Mijn zonen!' zegt Jezus. 'Mijn zonen! Ik zal me niet meer voor jullie verbergen.'

De wangen van de drie ridders zijn nat en glanzen.

'Zoveel ridders hebben gezocht,' zegt Jezus. 'Velen zijn dichtbij gekomen. Elke man of vrouw, en elk kind in deze wereld kan de gewonde koning genezen en de woestenij weer vruchtbaar maken.'

Sir Perceval, sir Galahad en Sir Bors: drie mannen die spreken als één.

'Wie dient de Graal?' vragen ze.

'De Graal dient mij,' antwoordt Jezus. 'De Graal dient jullie.' Jezus verheft zijn stem. 'Mijn lichaam en mijn bloed zijn in jullie, en elk van jullie wordt de levende Graal. Jullie zijn ridders van het hoofd en het hart. Werktuigen van de geest.'

De drie ridders buigen hun hoofd, en heffen het op.

Boven de Graal, in de zuil van licht, verrijst Jezus. Hij verrijst weer!

Mijn steen bleef heel lang stralen. Hij lag in de palm van mijn hand en straalde.

De jonge vrouw met de kap – die op een muildier Camelot binnenreed – knielt bij koning Pellams bed, samen met sir Perceval, sir Galahad en sir Bors, en veel andere edelvrouwen en ridders. Ze begint het slaapliedje te zingen dat ik haar al eerder heb horen zingen:

In een prieel van wingerdhout,
Behangen met rood glanzend goud,

Staat een bed waarin een ridder wacht,
Zijn wonden bloeden dag en nacht.

Koning Pellams vreselijke wond, het gapende gat tussen zijn ribben, houdt op met bloeden. Al zijn wonden gaan dicht.

Zijn huid lijkt weer helemaal gaaf.

Rond de koning huilen en bidden alle ridders en edelvrouwen. De jonge vrouw brengt haar hand omhoog en duwt haar kap naar achteren. Haar haar begint al te groeien, het is korenblond.

De bomen schudden zacht hun kruinen, groen gras schiet op uit de grond, vinken tjilpen en zingen. Aan de wijnranken van het prieel zwellen de druiven, met bedauwde schil.

Koning Pellam zucht. Eindelijk kan hij in vrede sterven. Hij sluit zijn ogen.

De aarde zucht en begint te ademen.

De woestenij ligt er niet meer troosteloos bij.

'Maar onze wereld wacht en lijdt nog,' zegt sir Galahad. Hij houdt het schild vast dat de jonge vrouw heeft opgehangen aan de pilaar in Camelot: het sneeuwwitte schild waarop Jozef van Arimathea met bloed een kruis heeft geschilderd. 'Ik heb werk te doen,' zegt hij. 'Ik zal naar Sarras varen, dicht bij Jeruzalem, en vechten met Estorause, de heidense koning.'

'Zolang ik leef, zal er nooit een einde komen aan mijn queeste,' zegt sir Bors. 'Ik zal op kruisvaart gaan.'

Sir Galahad buigt zich over de Graalkoning en neemt voorzichtig zijn scharlakenrode hoed af, waarop een gouden kruis is aangebracht. Hij zet hem op het hoofd van sir Perceval.

'Nu ben jij de bewaker van de Graal,' zegt hij.

'Zovelen van ons hebben gezocht,' zegt sir Perceval. 'En velen zijn dichtbij gekomen. Elk van ons heeft een droom nodig.'

Beneden op de binnenplaats komt iedereen bij elkaar. Een pauw stapt parmantig over de ophaalbrug. Krijsend verkondigt hij de verrijzenis.

98

In de bovenkamer

Lady Alice droeg haar oude bruinoranje mantel. Ze hief haar teugels op om te groeten, zoals ze altijd doet, en ik voelde zo'n golf van vreugde door me heen gaan dat ik, zodra ze was afgestegen, mijn armen om haar heen sloeg en haar fijnkneep.
'Arthur!' riep ze met haar heldere stem. Ze kuste me op mijn wangen, schudde haar jurk uit en duwde haar rossige krullen onder haar kap. 'Me zo fijnknijpen!' zei ze berispend. Ze hield haar hoofd schuin en bekeek me. 'Ben jij het echt? Waar is iedereen? We hadden niet gedacht dat je dit jaar al zou thuiskomen!'
'Kom mee naar de bovenkamer,' zei ik. 'Daar is lady Judith. En…'

Hoe lang zouden we met ons drieën in de bovenkamer onder het wandkleed hebben gezeten, terwijl lord Stephen in de binnenkamer lag te slapen?
De zon was nog niet lang voorbij zijn hoogste punt toen lady Alice kwam aanrijden, en hij bloedde en stierf toen we opstonden.
Ik vertelde hun alles.
Van achteren naar voren.
Ik bedoel dat ik hun eerst vertelde hoe sir William lord Stephen had aangevallen. Ze verstijfden allebei en gingen rechtop zitten.
Eerst keken ze elkaar niet aan, hun borst ging op en neer, maar toen begonnen ze allebei te huilen en te snikken, en lady Judith liep naar lady Alice toe en trok haar omhoog en hield haar heel lang in haar armen.
Soms zitten ook woorden alleen maar in de weg.

Na een tijdje stelden ze mij vragen, eerst aarzelend, alsof ze het eigenlijk niet wilden weten.

Ik gaf antwoord. Ik beantwoordde al hun vragen. Ik vertelde hun over de verschrikkingen, de Saraceense zangleraar en zijn vrouwen en hun hakkende kromzwaarden, de jongen, de Zaranen met duistere ogen, de oude Saraceense kooplieden die geslagen werden, de kruisvaarders die elkaar aanvielen en Bertie die gewond werd, en de lappenpop. Ik vertelde hun dat er zoveel bloedvergieten en wreedheid was dat het gewoon begon te lijken, net zo gewoon als beleefdheid en vriendelijkheid hier.

Soms moest ik ophouden omdat een van hen weer begon te huilen en de ander meehuilde, maar ik vertelde hun ook veel andere dingen. Over Simona, en de *Violetta* die zonk, en dat lord Stephen en ik vaak met elkaar praatten en hij me goede raad gaf, en over de heerlijke dag toen Milon me tot ridder sloeg en me een prachtig zwaard gaf, en dat sir William de oudste ridder was van het hele leger en ik de jongste en dat we de doge ontmoetten… Soms luisterden ze, en soms leken ze ver weg, in hun eigen hoofd en hart.

Maar toen ik hun over de gouden ring van mijn moeder vertelde! Dat ze hem had gestuurd en dat Thomas hem aan mij had gegeven, en dat sir William hem van mijn vinger rukte en in zee gooide! Toen luisterden ze allebei, en het hele lichaam van lady Alice schokte alsof ze de stuipen had.

'God vergeve hem!' snikte ze. 'God vergeve hem! Ik kan het niet.'

Lady Judith liet Catrin honingkoekjes voor ons boven brengen, en sap dat van peren was geperst. We zaten rustig bij elkaar en praatten over kleinigheden. Dat mijn laarzen weer gestikt moeten worden, en dat lady Alice vanochtend op weg hierheen een rode wouw heeft gezien, en dat Grace dit jaar in Gortanore het nest van de paashaas heeft gevonden.

'Gubert heeft hazenpastei voor ons gemaakt,' zei lady Judith. 'En Arthur heeft de woorden gesproken.'

'Welke woorden?' vroeg lady Alice.

'Die lord Stephen met Pasen altijd spreekt voordat we gaan eten,' antwoordde lady Judith. 'Hij laat de haas de palmen van zijn handen zien en zegt: "Eostre, Eostre, dit is uw haas. Wij danken u en eten hem voor de paas."'

'Wie is Eostre?' vroeg lady Alice. 'Weten jullie dat?'

Lady Judith schudde haar hoofd.

'In Zara is een kerk,' zei ik, 'en de bouwers hebben marmer van de oude Romeinse tempel gebruikt met de namen van oude goden erop. Eostre zou ook zo'n naam kunnen zijn.'

Toen stond lady Judith op en vroeg lady Alice om met haar mee te gaan naar het bed van lord Stephen en daar te bidden. Ze draaide mij om zodat ik naar het wandkleed keek

'Zoals je ziet, hebben Rowena en ik hard gewerkt,' zei ze. 'Dit vak laat zien hoe jullie tweeën het kruis aannemen in Soissons. Maar wat moeten mensen nog meer weten als ze over honderd jaar naar het leven van lord Stephen de Holt kijken? Wat moet dit geborduurde linnen vertellen, Arthur? Jullie kruistocht is afgebroken, maar toch is hij het grootste avontuur geweest in lord Stephens leven. Ik vind dat we vier of zelfs vijf vakken moeten borduren, en jij?'

'Er is zoveel,' zei ik. 'Eén vak zou de Saraceense kooplieden met al hun specerijen kunnen laten zien.'

'Jij moet kiezen.'

'Lord Stephen herinnerde me eraan dat ik ze moest kopen,' zei ik, 'en ik heb ze op de terugweg in Venetië voor u gekocht. Een heleboel verschillende soorten.'

Toen lady Judith en lady Alice weer terugkwamen uit de binnenkamer, zei ik dat ik niet wist wat ik tegen Tom en Grace moest zeggen.

'Moeten ze alles weten?' vroeg ik.

'Ja,' zei lady Alice onmiddellijk. 'Het zal hun pijn doen. Niemand wil kwaad horen over zijn eigen vader. Maar uiteindelijk is het beter om de hele waarheid te vertellen. Dat weet je, Arthur.'

Lady Judith nam een slokje perensap en schraapte haar keel. 'Wat je ons hebt verteld, was heel pijnlijk, Arthur,' zei ze. 'Pijnlijk en moeilijk. Ook voor jou. Dat weet ik. Je bent heel voorzichtig geweest...'

'En eerlijk,' voegde lady Alice eraan toe. Ze keek lady Judith aan en ik zag dat ze een klein knikje gaf. 'Wij moeten jou ook iets vertellen,' zei lady Alice.

Zodra ze dat zei, moest ik eraan denken hoe sir John me had verteld dat hij en lady Helen niet mijn echte ouders waren.

'Wat?' zei ik. 'Waarover?' Mijn hart kwam opstandig omhoog in mijn borst. 'Toch niet over mijn moeder?'

Lady Alice schudde zacht haar hoofd. 'Nee,' zei ze.

'Waarover dan?'

'Over Winnie.'

'Wat?'

'Ze is pas veertien. Niet eens vijftien. Jullie zijn natuurlijk verloofd, maar…'

'Is het Tom? Is dat het?'

'Je weet hoe ongeduldig en grillig ze is. Ze waait alle kanten op.'

'En mijn broer is niet streng genoeg voor haar,' zei lady Judith.

'Ze heeft je een jaar niet gezien,' zei lady Alice, 'en ze had echt gedacht dat ze je nog minstens een jaar niet zou zien. Dat dachten we allemaal.'

'Wat…' begon ik. Ik wist niet goed wat ik moest vragen.

'Je moet naar Verdon gaan,' zei lady Judith.

'Er is nog niets besloten,' zei lady Alice. 'Helemaal niets. Het is alleen niet zo duidelijk als zou moeten.'

'Ik wist het bijna,' zei ik. Ik keek naar mijn ruwe knokkels en dacht aan het vers dat ik voor Winnie heb geschreven: 'Waarom zou ik dan twijfelen aan je trouw?'

'Je moet naar Verdon gaan,' zei lady Judith nog eens.

'Dan wordt het duidelijker,' zei lady Alice. 'We zullen je allemaal helpen, maar jij en Winnie en Tom moeten zelf beslissen.'

99

De stem van een engel

'Die vriendin van je,' zei Rahere.

Hij keek me met zijn hemelsblauwe oog aan, en daarna met zijn groene oog.

'Wie?'

'Die uit Caldicot hierheen is gelopen, alleen om jou te zien.'

'Gatty.'

Rahere trok zijn wenkbrauwen op, bracht zijn fluit omhoog en speelde een triller. 'Al ben je nu een ridder, van haar kun je nog wel wat leren.'

'Dat heb ik al gedaan.'

'Schavuit!'

'Nee! Dat bedoel ik niet.'

'Die priester met zijn dikke buik heeft haar hierheen gebracht.'

'Oliver! Ik hoopte dat hij dat zou doen!'

'Om mij naar haar stem te laten luisteren. Do, re, mi... Uit haar neus en haar hoofd. Boven uit haar hoofd.'

'Ze heeft nooit les gehad.'

Rahere haalde zijn schouders op. 'Ze heeft de stem van een engel,' zei hij. 'Herinner je je dat ik je over die Saraceen vertelde? Over Ziryab, de zangleraar?'

Ik dacht aan Nasir en sloeg mijn ogen neer. 'Ja,' zei ik.

'Als hij jouw Gatty had gehoord... mmm... Ik weet het niet. Als alle christenen en Saracenen Gatty zouden kunnen horen, denk ik niet dat ze nog zouden willen vechten.'

'Rahere!' riep ik uit. 'Dat is geweldig!'

'Ze zou in het klooster moeten gaan om zangles te krijgen en

gebruik te maken van haar stem. Dat heb ik tegen Oliver gezegd.'
'Wat zei hij?'
'Het kost geld om in het klooster te gaan, een heleboel geld, en dat heeft Gatty niet. En ook niemand om voor haar te betalen. Wat is er zo grappig?'
'Het idee dat Gatty een non zou worden,' zei ik glimlachend.
'Nou, het is heel jammer als ze de hele dag op het veld moet werken,' zei Rahere. 'Dat vind ik.'
Ik kan bijna niet wachten om Gatty terug te zien, en haar alles te vertellen wat er is gebeurd. Ze zal meer belangstelling hebben en het beter begrijpen dan wie ook.
Ik wil dat Gatty voor me zingt.

Kennis van goed en kwaad

Het was alsof ik in de Hof van Eden keek, alleen waren Winnie en Tom natuurlijk niet naakt.

Ze droegen witte linnen bloezen met lange mouwen, en broeken die ze in hun laarzen hadden gestopt, en handschoenen, en witte sluiers.

Ze stonden dicht bij elkaar naast de afgedekte bijenkorf, en ze gingen zo op in elkaar en wat ze aan het doen waren, dat ze mij niet zagen, midden in de boomgaard. Ik leunde tegen de stam van de appelboom en keek naar hen.

Het was de achtste dag van april in het jaar des Heren 1203. De boomgaard van lady Anne zoemde en gonsde, en strekte zich uit in het zonlicht. Alles leek nieuw, elke graspriet, elk blad. Om me heen bloeiden pollen sleutelbloemen en witte viooltjes, en ik rook de vochtige geur van jonge akkermunt.

Opeens giechelde Winnie, gaf Tom een duw en rende weg. Ze holden rond door de boomgaard, terwijl Winnie gilde en Tom riep, en toen kreeg hij haar te pakken. Ze wierpen hun hoofd achterover en lachten, en hij liep met haar terug naar de bijenkorf.

Ze waren zo vrij. Zo… zorgeloos. Ze weten niet hoe mensen elkaar kapotmaken. Ze hebben de dood niet geroken. Ze hebben geen nachtmerries die je kwellen als je slaapt.

Wat leken ze jong, Winnie en Tom!

Ik wou dat ik net zo kon zijn als zij.

Ik wou dat ik gewoon weg kon gaan.

Tom was Adam en Winnie was Eva, en ik was de appel met de kennis van goed en kwaad. Ik dacht: kon ik maar weggaan en hen niet lastigvallen met liefde, verdriet en schuldgevoel, dan zouden zij blind, onschuldig en blij in de boomgaard kunnen blijven, en eeuwig kunnen leven.

'Kom op!' zei Winnie. 'Laten we hem openmaken!'

Tom en zij trokken en tilden de oude, verweerde linnen kap van de korf en onmiddellijk werd de lucht om hen heen wazig van de gevaarlijke, boze bijen.

Winnie en Tom grepen naar hun hoofd, trokken hun sluiers over hun gezicht en liepen struikelend in mijn richting.

Ik zag de bij niet eens, totdat ik voelde dat hij me stak. In mijn rechterpols.

Ik gilde, en Winnie en Tom hoorden me. Ze trokken hun sluiers omhoog en staarden me verbaasd aan.

'Ik ben gestoken!' zei ik.

Ze konden geen van beiden geloven dat ik het echt was. Ze liepen om me heen.

'Ik ben geen spook,' zei ik. 'Jullie zijn het die eruitzien als spoken.'

'Arthur!' gilde Winnie.

'Arthur!' zei Tom, en hij kwam op me af en omhelsde me, en toen sloeg Winnie haar armen om ons allebei.

'Ik wist niet dat je terug zou komen,' zei Winnie buiten adem en beschuldigend, alsof het mijn fout was. 'Ik dacht…'

'Dit doet pijn,' zei ik.

'Ik zal hem eruit halen!' zei Winnie. 'Heb je een mes, Tom?'

'Ik doe het wel,' zei ik.

Winnie greep mijn pols. 'Ik zie het zwarte puntje,' zei ze. 'Tom!'

'Ik doe het zelf,' zei ik tegen haar. Ik trok mijn dolk uit de schede en schoof het lemmet over mijn huid naar de angel. De derde keer kwam hij eruit.

'Dat doet pijn,' zei Tom.

101

De bitterste dag

Koning Arthur zit op een verhoging in een groot paviljoen, omringd door honderden ridders en bisschoppen. Sir Kay, sir Lucan, sir Bedivere, sir Dinadan, sir Grummor Grummorson, de bisschop van Rochester, de aartsbisschop van Canterbury. Alle belangrijke mannen van het koninkrijk die hem trouw zijn, behalve de drie ridders van de Heilige Graal.

'In mijn droom,' roept hij uit, 'was ik gekleed in goudbrokaat. Overal om me heen en onder me was diep water, zo zwart als de tong van de duivel, en het wemelde er van de slangen en slijmerige beesten, zeewezens met snuiten en slagtanden.

Schreeuwend om hulp werd ik wakker, en toen ik weer in slaap viel, zag ik Gawain met een heleboel mooie edelvrouwen en meisjes.

"Ik was bij je toen je stierf," zei ik tegen hem. "Maar nu zie ik dat je springlevend bent! Wie zijn al deze edelvrouwen en meisjes?"

"Alle vrouwen voor wie ik heb gevochten terwijl ik leefde," antwoordde sir Gawain. "Ze hebben God gesmeekt of ik u mocht waarschuwen, en ze hebben me naar u toe gebracht. Vecht morgen niet met sir Mordred, want dan wordt u gedood. Samen met al uw volgelingen."

"Wat moet ik dan doen?" vroeg ik.

"Sluit een verdrag met Mordred en wees zo gul als nodig is," zei sir Gawain tegen me. "Bied hem nu meteen Cornwall aan. En Kent, als het moet. Bied hem heel Engeland aan, na uw dood. Win tijd! Binnen een maand vaart sir Lancelot met zijn leger naar huis. Hij zal met sir Mordred vechten en hem doden, en iedereen die hem trouw is."

Daarna verdween sir Gawain,' vertelt de koning zijn ridders en bisschoppen. 'Ik heb hem altijd liefgehad en vertrouwd, en ik zal doen wat Gawain zegt. Ik wijs sir Bedivere en sir Lucas aan om naar sir Mordred te rijden en hem een verdrag aan te bieden.'

De ridders en bisschoppen van koning Arthur blijven stil.

'Zeg tegen hem dat ik hem morgen op het middaguur zal ontmoeten op die heuveltop, ieder van ons met veertien man. Dan zal ik een verdrag met hem tekenen. Maar jullie moeten allemaal waakzaam zijn!' roept de koning uit. 'Mordred is glad als een aal. Hij is een verrader! Als jullie een zwaard zien schitteren, laat dan de hoorns en trompetten schallen en galoppeer zo snel jullie kunnen de heuvel op. Dood sir Mordred!'

'Ik vertrouw mijn vader niet,' zegt sir Mordred tegen zijn mannen. 'Waarom is hij plotseling van gedachten veranderd?'

Veel van zijn ridders mompelen instemmend.

Sir Mordred kijkt zijn paviljoen rond. 'Ik vertrouw hem niet!' snauwt hij. 'Hij zal wraak proberen te nemen. Ik zal met hem praten, maar jullie moeten waakzaam zijn, jullie allemaal. Als jullie een zwaard zien schitteren, bestormen jullie de heuvel. Dood mijn vader!'

Nu bestijgt sir Mordred zijn zwarte paard, en hij en veertien van zijn ridders draven tegen de zanderige helling op naar de top van de heuvel.

Koning Arthur en zijn mannen wachten daar al. Ze hebben een lage tafel meegebracht en in de luwte van een doornbosje gezet, met bekers en kannen wijn erop.

Sir Mordred stijgt af. Hij loopt langzaam naar zijn vader. Ze omhelzen elkaar niet en ze geven elkaar ook geen hand. Ze raken elkaar niet eens aan. De twee mannen knikken.

Koning Arthur herhaalt zijn aanbod. Sir Mordred aanvaardt het.
'Op deze manier winnen we allebei,' zegt de koning. 'En er zullen
geen onschuldige levens verloren gaan. Er zal vrede heersen in Engeland.'
'Geef dat er vrede is in onze tijd, Heer,' antwoordt Mordred.
'Laten we hier dan allebei aan werken en een verdrag tekenen,' zegt
koning Arthur.
Nu schenken sir Bedivere en sir Lucan wijn in, en ridders die ooit
vrienden waren en samen vanuit Camelot op avontuur gingen,
beginnen te praten, en glimlachen weer.
Er twinkelt iets in het doornbosje. Een oog.
Uit het bosje kronkelt een adder te voorschijn, ik zie de ruiten op
zijn rug. Hij glijdt over de zanderige bodem en bijt een van de ridders in zijn rechtervoet.
De ridder schreeuwt. Hij grijpt naar zijn gevest en trekt zijn zwaard
om de adder doormidden te hakken. De kling schittert in het zonlicht.

Onder aan de heuvel blazen hoorns en trompetten. Korte, scherpe stoten.

Ik hoor duizenden mannen grimmig schreeuwen.

'Arm Engeland!' roept de koning uit. 'Alleen door een adder! Nu kan deze veldslag niet meer voorkomen worden.'

Arthur-in-de-steen en sir Mordred keren elkaar de rug toe. Ze stijgen op en rijden omlaag naar hun legers, twee duistere, brekende golven die dringend en duwend, brullend en zwoegend tegen de heuvel op kolken.

Mijn steen is stil als een graf.

Ik kan vormen zien in de duisternis. Bergen armen, benen, rompen en hoofden. Bloeddoorlopen, uitpuilende ogen.

Lieve God! Twee reusachtige legers, honderdduizend man, alle beste mannen van Engeland, en er staat geen man meer overeind.

Nee! Ik zie koning Arthur, overdekt met bloed, bij sir Bedivere en sir Lucan staan.

'Jezus vergeve me!' mompelt de koning. 'Mijn vrienden... Mijn ridders van de Ronde Tafel... Mijn broer Kay... alle goede mannen uit de graafschappen van Engeland. Er is nog nooit zo'n bittere dag geweest.'

Sir Bedivere en sir Lucan kreunen, te uitgeput om te antwoorden.

'Ik wou dat ik wist waar die verrader is,' zegt de koning. 'Ik wou dat ik zeker wist dat sir Mordred dood is.'

Koning Arthur zucht. Hij wrijft het bloed uit zijn ogen en kijkt om zich heen.

'Daar!' zegt hij. 'Zien jullie hem, leunend op zijn zwaard? Naast die stapel dode mannen!'

'Sire,' kreunt sir Lucan, 'laat hem met rust.'

'Geef me mijn lans,' zegt de koning.

'Hij is nu geen bedreiging meer,' zegt sir Lucan. 'Hij is alleen en wij zijn met ons drieën. Sire, denk aan uw droom.'

'Mijn eigen zoon,' gromt koning Arthur. 'Hij is slecht. Ik moet hem uit de weg ruimen. Of ik nu sterf of blijf leven, sir Mordred zal me niet ontkomen.'

'God beware u!' roept sir Bedivere.

De koning pakt zijn lans met twee handen vast en rent recht op zijn zoon af. 'Verrader! Verrader!' brult hij.

Sir Mordred rent met opgeheven zwaard op zijn vader af.

Koning Arthur drijft zijn lans dwars door sir Mordreds lichaam, vlak onder zijn schild.

Sir Mordred blijft komen. Hij duwt zijn lichaam helemaal tot aan de handbeschermer van koning Arthurs lans. Naar adem snakkend zwaait hij met zijn zwaard, en de kling klieft zijn vaders helm.

Sir Mordred valt opzij, aan de lans van zijn vader geregen. Zijn mond is wijdopen, als de poort van de hel.

Koning Arthur zakt in elkaar op een bed van kiezels, modder en bloed.

102

Ik weet het echt niet!

'Hij stak lord Stephen eerst met zijn dolk!' zei ik. 'Ik probeerde hem tegen te houden, maar toen keerde hij zich tegen mij. We worstelden, en hij struikelde en stak zichzelf. Ik heb hem niet gedood, maar ik had het gevoel dat ik het wel had gedaan.'
Om ons heen tjilpten en zongen de vinken. Ze zongen dat alles verandert en toch hetzelfde blijft.
'We hebben hem in gewijde grond begraven,' zei ik. 'De wind huilde.'
Tom sloot zijn ogen. 'God beware zijn ziel!' zei hij plechtig.
Een tijdje zaten we zwijgend op de omgevallen perenboom. Hij veerde nogal. Elke keer dat een van ons bewoog, ging de ander op en neer.
'Hij is gestorven zoals hij heeft geleefd,' zei Tom.
'Wat bedoel je?'
'Opvliegend en boos.'
'En gewelddadig en zelfzuchtig,' voegde ik eraan toe.
'Ja, dat was hij.' Tom knikte.
'Toch is het heel raar zonder hem,' zei ik. 'Hij was onze vader.'
'Voor mij was hij nooit een echte vader,' zei Tom. 'Meestal deed hij of ik niet bestond. En wat was hij nou voor jou?'
'Je kunt je voorstellen hoe ik me voelde toen hij opeens in Venetië opdook,' zei ik.
'Ik kende hem amper,' zei Tom. 'De helft van de tijd was hij weg naar Frankrijk.'
'Ik heb zijn maîtresse ontmoet,' zei ik.
'O ja?'

'Lady Cécile.'

Tom floot.

'Dat zal ik je later vertellen. Ga verder!'

'Ja, hij was de helft van de tijd in Frankrijk,' zei Tom, 'en hij bleef vaak dagenlang in Catmole.'

Catmole! Mijn hart maakte een sprong.

'Dat landgoed is nu van jou,' zei Tom.

'Ja.'

'We moeten met lady Alice praten en alles regelen.' Tom glimlachte, maar zijn ogen keken ernstig.

'En Winnie?'

Tom trok rimpels in zijn voorhoofd en zuchtte. 'Ik weet het,' zei hij. 'Ik bedoel, ik weet het niet.'

Tom. Mijn halfbroer, mijn vriend, mijn rivaal...

Hij draaide zich om en keek me aan met zijn helderblauwe ogen.

'Tom!' zei ik. 'Ik wou dat het anders was gegaan. Ik wou dat je met ons mee was gekomen. Op de dag dat ik tot ridder werd geslagen, wou ik dat je erbij was, jij meer dan wie ook.'

Tom knikte. 'Ga nu maar met haar praten,' zei hij. 'Ik weet dat jij het wilt, en zij is zo ongeduldig dat ze waarschijnlijk barst als je het niet doet.'

'Waar bleef je zolang?' vroeg Winnie.

Ze had haar witte kleren verruild voor een linnen jurk, zo blauw als vergeet-mij-nietjes, en haar wilde bos goudrood haar bij elkaar gebonden in haar nek.

'Wat was er zo belangrijk?'

Maar toen kwam Winnie, zonder op mijn antwoord te wachten, heel dicht bij me. Ze sloeg haar armen om me heen en drukte zich tegen me aan. Ik voelde haar schouders en haar borsten, en... haar hele lichaam. Ze zuchtte lang en diep. Toen nam ze mijn hoofd tussen haar handen en keek me strak aan met haar luipaardenogen...

Haar mond was zo zacht. Haar adem zo warm. Ik sloot mijn ogen. Ik had het gevoel dat ik zou gaan huilen. Toen maakte ze zich glimlachend van me los.

Ik merkte dat ik buiten adem was en trilde.

'Zo!' zei Winnie vastberaden.

'Maar ik dacht…'

'Wat?'

'Jij en Tom.'

Winnie schudde haar hoofd, en haar haren zwiepten heen en weer.

'Ik weet het niet!' riep ze. 'Ik weet het echt niet!'

'Maar…'

'Ik weet het!' Ze stak een hand uit en trok aan de verlovingsmunt die om mijn nek hing. 'Ik wilde het niet.'

'Nee!' zei ik luid. 'En ik wilde niet dat sir William doodging.'

'Nee!' gilde Winnie, en ze hield snel haar handen voor haar oren. 'En ik wilde niet dat lord Stephen gewond zou raken, ik wilde de kruistocht niet verlaten en zo gauw terugkomen, maar we zijn verloofd, we hebben allebei een gelofte afgelegd en ik had niet gedacht dat…'

'O Arthur, niet doen!' riep Winnie. 'Het is zo vreselijk! Kan ik niet van jullie allebei houden?'

De hal in Verdon is altijd versierd met bloemen en bladeren. Het is pas de tweede week van april, maar lady Anne heeft hem al opgefleurd met takken pluizige, gele wilgenkatjes, twijgen meidoornbloesem en potjes sleutelbloemen en viooltjes.

We zaten met ons vijven aan de grote eettafel: sir Walter en lady Anne aan de ene kant, en Winnie tussen Tom en mij aan de andere kant.

'Welkom thuis, Arthur!' begon sir Walter.

'Ja! Welkom! Welkom!' zei lady Anne.

'Twaalf maanden geleden,' zei sir Walter peinzend, 'hebben we hier in deze hal hand in hand om jullie heen gestaan, en jij en Winnie hebben de verlovingsmunt gebroken.'

'Dat weten we allemaal,' zei Winnie brutaal.

'Hou je mond!' zei lady Anne.

Sir Walter zuchtte.

'En jij, Tom,' ging hij verder. 'Ik herinner me dat je gezegd hebt dat je graag met Winnie zou trouwen als Arthur niet terugkwam van de kruistocht.'

'Dat was een grapje, heer.'

'Niet helemaal,' antwoordde sir Walter. 'Dit is een moeilijke situatie. Voor jou, Arthur, omdat jij en Winnie elkaar trouw hebben beloofd, en ik weet hoeveel je om haar geeft. Ze heeft je vers voor ons voorgedragen.'

'Winnie!' zei ik zacht.

'Ik wilde het,' zei Winnie.

'Voor jou, Tom,' ging sir Walter verder, 'is het moeilijk omdat jij en Arthur broers en vrienden zijn. Hem ontrouw zijn is wel het laatste wat je wilde.'

'Dat klopt,' zei Tom.

'En voor jou, Winifred, is het dubbel zo moeilijk omdat je met Arthur geloften hebt uitgewisseld, maar nu beseft hoeveel je ook om Tom geeft... en omdat het niet jouw beslissing is.'

'Dat is het wel,' zei Winnie. 'Voor een deel.'

'In elk geval kunnen we nu niet beslissen wat we moeten doen,' zei sir Walter. 'Dit soort dingen heeft tijd nodig.'

Winnie kreunde.

'Jullie tweeën hebben veel te doen, jongens. Jullie vader is dood. Jullie moeten al zijn bezittingen verdelen, en zijn landgoederen Gortanore en Catmole, en dat in de Champagne. Jullie moeten lady Alice troosten en voor haar zorgen. Het is heel belangrijk dat jullie samenwerken.'

'We staan aan dezelfde kant,' zei ik.

'Ik kan het altijd goed vinden met Arthur,' zei Tom glimlachend.
'Mooi!' zei sir Walter. 'Wel, eerst moeten jullie dit allemaal regelen.
Zoals jullie weten, neem ik aan, zijn jullie vader en ik het nooit helemaal eens geworden.'
'Maar dat zou wel gebeurd zijn,' zei ik, 'als hij was teruggekomen.'
Sir Walter zuchtte.
'Wie zal het zeggen?' zei lady Anne luchtig. 'Wie zal het zeggen?
Het ene moment had hij het erover dat jij met Winnie zou trouwen, en het volgende moment over een huwelijk van Winnie met Tom!'
'Dat hebt u me nooit verteld!' riep Winnie.
'En mijn vader heeft het mij nooit verteld,' zei ik.
Maar nu herinner ik me dat sir William wel iets heeft gezegd toen we op San Nicolo waren. Hij vertelde me dat het helemaal niet zeker was dat ik met Winnie zou trouwen. Hij zei dat het misschien beter was als ik met Sian trouwde!
Had mijn vader me voor de gek gehouden? Had hij me geloften laten uitwisselen met Winnie zonder dat het zijn bedoeling was dat ik met haar zou trouwen?
'Troebel water!' zei sir Walter. Hij glimlachte geruststellend naar ons drieën. 'Ik beloof jullie dat we erachter zullen komen wat het beste is voor ieder van jullie, en voor onze beide families.'

Het beste voor mij...
Ik herinner me dat Merlijn, toen koning Arthur verliefd werd op Guinevere, hem waarschuwde dat liefde blind kan zijn. Hij zei tegen Arthur dat hij een vrouw voor hem kon vinden die niet alleen mooi was maar ook trouw.
Het is alleen het beste voor mij om met Winnie te trouwen als ze trouw is en alleen van mij houdt.
Net als Guinevere is ze koppig en ongeduldig. Ze waait alle kanten op.

Maar ze is pas veertien.

'Toen we elkaar ontmoetten, wisten we het zo gauw...'

Voordat ik op kruistocht ging, zou ik net zo geweest zijn als Winnie nu. Ongeduldig, opgewonden en verlangend. Ik zou gedacht hebben dat elke beslissing beter was dan geen beslissing.

Zou ik veranderd zijn?

Ik weet dat ik moet proberen om geduld te hebben, ook al is het pijnlijk. Ik moet erachter komen. Ik zal vragen blijven stellen aan mijn hoofd en mijn hart.

103

Omlaag naar het water

Ze kunnen niet in een rechte lijn lopen. Ze lijken blinden. Of dronkaards.

Sir Bedivere houdt een hand onder koning Arthurs linkerarm, en sir Lucan onder zijn rechterarm, en de drie wankelen telkens opzij. Ze kunnen niet veel verder lopen.

Nu snakt sir Lucan naar adem en laat de koning los. Hij zwaait op zijn benen. Hij heeft zo zijn best gedaan dat hij een deel van zijn darmen door de wond in zijn buik naar buiten heeft geduwd. Sir Lucan kreunt en valt.

'Mijn broer!' roept sir Bedivere.

'Hij was er erger aan toe dan ik,' zegt de koning, 'maar hij was zo dapper dat hij toch probeerde mij te steunen. Moge Jezus zijn armen openen en hem verwelkomen.'

'Amen!' zegt sir Bedivere.

'Ik kan niet staan,' zegt de koning. 'Mijn hoofd tolt.'

Sir Bedivere helpt Arthur-in-de-steen om te gaan zitten in een schapenweide. De allergrootste koning in het stof en het vuil.

'Bedivere,' zegt de koning, 'pak mijn zwaard. Neem Excalibur mee omlaag naar de oever en gooi hem in het water. Kom daarna onmiddellijk terug en vertel me wat je hebt gezien.'

'Heer,' zegt sir Bedivere.

'Snel!' beveelt de koning hem. 'Er is zo weinig tijd.'

Sir Bedivere pakt Excalibur, en terwijl hij omlaag hinkt naar de oever, bekijkt hij hem aandachtig.

'De knop en de handgreep zijn ingelegd met edelstenen,' zegt hij.

'Het is nergens goed voor om dit zwaard in het water te gooien. Het is gewoon verspilling en verkwisting.'

Sir Bedivere verbergt Excalibur onder een kromme meidoornstruik en loopt vermoeid terug naar de koning.

'Wat heb je gezien?' vraagt de koning.

'Gezien? Niets, sire. Alleen golven en wind.'

'Je liegt, man,' zegt de koning. 'Je hebt het zwaard niet in het water gegooid. Ga weer naar beneden, en snel. Als je om me geeft, gooi het er dan in!'

Sir Bedivere loopt omlaag naar de meidoornstruik. Hij haalt Excalibur te voorschijn en staart ernaar.

'Ik kan het niet!' zegt hij. 'Nee! Ik kan het niet. Het zou een zonde zijn om dit edele zwaard weg te gooien.'

Sir Bedivere verbergt het zwaard weer en zwoegt terug naar de koning.

'Heb je het in het water gegooid?' vraagt de koning.

'Ja, sire.'

'Wat zag je?'

'Niets, sire. Alleen klotsend water, dat zich erboven sloot, en golven die donkerder werden.'

'Verrader!' steunt de koning. 'Je hebt me twee keer verraden. Wie zou gedacht hebben dat de man, de edele ridder die me zo trouw is geweest, me zou verraden voor een paar edelstenen? Ga weer naar beneden, en snel.'

'Sire.'

'Je hebt mijn leven in gevaar gebracht: mijn hoofdwond is koud geworden. Als je nu niet meteen doet wat ik je opdraag, draai ik je eigenhandig de nek om.'

Sir Bedivere strompelt omlaag naar de meidoornstruik en haalt Excalibur te voorschijn. Hij loopt over de oever, blijft staan op de kiezelstrook, en nu slingert hij het zwaard zo ver hij kan in het water…

'Wat zag je?' vraagt de koning.

'Er kwam een hand omhoog uit het water, een hand en daarna een arm gehuld in wit brokaat,' antwoordt sir Bedivere, 'en de hand greep naar het zwaard, pakte het bij de dwarsbeschermer, en schudde het drie keer en zwaaide ermee. Daarna verdwenen de arm, de hand en het zwaard in het water.'

'Help me nu!' fluistert koning Arthur. 'Omlaag naar het water! Ik vrees dat ik te lang heb gewacht.'

104

Thuis

'Arthur!' schreeuwde Sian.

Ze rende de hal door, wierp zich tegen me aan en omhelsde me. Storm en Bries volgden haar op de hielen. Ze sprongen blaffend tegen me op en Bries likte mijn gezicht.

'Vader!' riep Sian. 'Het is Arthur!'

'Weet je het zeker?' zei sir John glimlachend.

Ik maakte een kleine buiging. Daarna omhelsden wij elkaar ook.

'We hadden je verwacht,' zei hij. 'Lady Alice heeft een boodschap gezonden.'

'Ze heeft het u verteld,' zei ik.

'Verdon eerst. Terecht.'

'Nee, heer.'

'O! Over mijn broer, bedoel je.'

'Ja.'

'Ja! Ja, dat heeft ze gedaan.' Sir John fronste zijn voorhoofd. 'Maar kom nu mee! Je bent amper de drempel over, en lady Helen zal het me nooit vergeven als ik haar niet vertel dat je er bent. We dachten al dat je vandaag zou komen.'

'Is dit het zwaard dat Milon je heeft gegeven?' vroeg Sian.

'Hoe weet je dat?'

'Tanwen heeft het ons verteld,' zei Sian.

'Tanwen! Is ze hier?'

Sir John knikte. 'Waar ze is begonnen,' zei hij.

'Lady Judith is nog steeds boos op haar.'

'Dat zou ik ook denken,' zei sir John. 'Zomaar weglopen zonder iets te zeggen!'

'Mag ik de kling zien?' vroeg Sian.

'Maar goed,' zei sir John, 'lady Helen vindt het fijn om Kester hier te hebben. Ze zingt Welshe liedjes voor hem, laat hem paardjerijden op haar knie en vertelt hem dat hij op weg is naar de markt in Ludlow. Ik begrijp niet waarom, maar ze is dol op die viezerik.'

'Hij is zo klein,' zei Sian.

'Precies!' antwoordde sir John.

'Waar is lady Helen, heer?' vroeg ik.

'Sian!'

Sian kreunde. 'Moet het?' vroeg ze.

'Vooruit!' zei sir John. 'Ga je moeder zoeken.'

'Ik ben zo terug, Arthur,' riep Sian. 'Mag ik er iets mee hakken?'

Ik liep de hal rond...

Gatty's gezicht toen ze bloedworst proefde... Oliver die onze slakken op de muur zette en zei dat hun slijmspoor ons zou vertellen met wie we gaan trouwen... mijn nieuwe boog die schitterde in het kaarslicht... en de boodschapper van koning Jan, die telkens kreunde en naar zijn buik greep en 'Gadverdamme!' zei... en de dochter van de vioolspeler die met een doordringende stem zong:

'Liefde zonder hartenpijn, liefde zonder vrees
Is een dag zonder zonlicht, een korf zonder honing.
Dulcis amor!'

Toen lady Helen haastig binnenkwam, omhelsde ze me en streek me over mijn wangen, en gaf Sian en Storm en Bries op hun kop omdat ze in de weg liepen, en ging tekeer tegen sir John omdat hij me geen amandelmelk of bier had aangeboden, en trapte op een kever – allemaal tegelijk!

'Mag ik de kling zien?' zei Sian.

'Niet in de hal,' zei sir John. 'Geen bloot staal. Dat weet je.'

365

'Wacht op je beurt, jongedame,' zei lady Helen.

'Dat heb ik gedaan,' zei Sian.

'Arthur is er net,' zei lady Helen, 'en jij wilt hem weer meenemen.' We gingen rond het smeulende vuur zitten, op mooie, nieuwe houtblokken, afgerond aan de hoeken en geschuurd langs de randen.

'Een van de eiken is omgevallen,' zei sir John. 'Dwars over de Lark. Het heeft Brian en Macsen een hele maand gekost om hem in stukken te hakken.'

'Ik ben over de stam gelopen,' zei Sian.

Lady Helen klakte met haar tong. 'Kester is eraf gevallen. Hij kwam met zijn teen in een gat van een specht. Ik moet telkens tegen dat meisje zeggen dat ze op hem moet letten.'

'Ik ben de hele rivier overgestoken,' zei Sian.

'Ja, je bent erover gekomen,' zei sir John langzaam. 'Op het randje van leven en dood. Nu willen we alles horen, Arthur. Vooral over Serle. Maar eerst...'

'Nain!' zei lady Helen. 'Ze is in oktober gestorven.'

Ik sloeg een kruis. 'God zal haar verwelkomen,' zei ik. 'Hij zal blij met haar zijn!'

'Amen,' zei sir John.

'Ze was drieënzeventig,' vertelde lady Helen me.

'Misschien,' zei sir John. 'Soms telde ze er jaren bij op, en soms trok ze ze eraf. Eigenlijk wist ze het niet.'

'Ik weet dat ze getrouwd was met de draak,' zei ik glimlachend, 'en ik heb een keer een vers gemaakt over Nain die een wapenrusting droeg:

'Haar maliënhemd zit met veters aan haar kraag,
Haar kraag is vastgemaakt aan haar helm,
Haar helm zit geklonken aan haar neusstuk...'

Lady Helen keek me met stralende ogen aan.

'… en ze vertelde ons prachtige verhalen, zoals dat over die arme Gweno die werd neergeslagen door een dode man, en de grote koning die ligt te slapen in de heuvel… Dat verhaal zal ik nooit vergeten. Nain vroeg me een keer wat de wind zei, en vertelde me dat ik eerbied moest hebben voor de macht van alle dingen. Ik wou dat ik me alles kon herinneren wat ze heeft gezegd.'

'God zegene je, Arthur!' riep lady Helen uit.

'Nain, en nu mijn eigen broer,' zei sir John somber. 'God geve dat hij vrede vindt! Vertel ons nu maar wat er is gebeurd.'

Dat deed ik. Ik vertelde hun alles. Het was niet zo moeilijk als om het aan lady Alice en lady Judith te vertellen.

'Hij verwachtte niet dat hij zou terugkomen,' zei sir John. 'Hij was niet zo oud als Nain, maar…'

'Hij was de oudste van het hele leger,' viel ik hem in de rede.

'Maar!' zei sir John nadrukkelijk. 'Zoals ik wilde zeggen, hij begon te kraken en pijn te krijgen. Hij vertelde me dat dit zijn laatste reis zou zijn.'

'Als dat zo is,' zei ik, 'wou ik dat hij eerst alles had afgesproken met sir Walter.'

'Ik denk dat hij dat wilde,' zei sir John.

'Ik niet,' zei ik.

Sir John keek me lang aan. 'Ik begrijp het,' zei hij langzaam. 'Wel, we kunnen niet doen alsof sir William een vroom leven heeft geleid. Verre van dat. Daar weten we alles van.'

'Waarvan?' wilde Sian weten.

'Maar wat hij ook deed, of niet deed, kan nu niet meer veranderd worden. En jij, Arthur, erft Catmole.'

'Vertel ons over Serle,' zei lady Helen.

'Wel!' zei ik, en ik haalde diep adem. 'Hij is gezond. Hij wilde dat ik jullie dat zou vertellen. Hij was heel dapper en nam het op voor een Venetiaans meisje tegenover een heleboel woedende zeelieden.

Hij vroeg me om jullie te vertellen dat hij telkens aan huis denkt, en dat hij, als hij zijn ogen sluit, vaak de wintertarwe ziet groeien.'
'Heeft hij dat gezegd?' riep lady Helen uit.
'Ja.'
'*Gogoniant!*'
'Milon de Provins heeft hem opgenomen in zijn kamp,' vertelde ik. 'Serle vindt de kruistocht fijn.'
'Maar jij niet,' zei sir John.
'Het rijden, de zeereizen en de kameraadschap vond ik fijn,' zei ik. 'Oorlog stompt mensen af en maakt dat vrienden elkaar naar de keel vliegen, maar brengt hen ook dichter bij elkaar. Serle is gelukkig. Nou ja, bijna!'
Sir John knikte en glimlachte.
'Hij zal voor Bonamy zorgen voor me.'
'O ja!' zei sir John. 'Bonamy.'
'Uw geschenk aan mij,' zei ik. 'Mijn hemelspringer! Mijn trouwe vriend voor altijd. Milon heeft beloofd dat hij hem terug zal brengen.'
'En Tanwen en Kester?' vroeg lady Helen.
'Serle dacht vaak aan hen en praatte over hen,' zei ik. 'Hij stuurt Kester een klein geschenk.'
'Serle!' riep lady Helen.
'Ik denk dat hij wil dat jullie goede hoop hebben,' zei ik zorgvuldig. 'Net als hij.'
'Hoe lang blijft hij weg?' vroeg sir John.
'Er zijn zoveel problemen. Ik weet het niet. Het zou drie jaar kunnen worden.'
'Drie hele jaren!' riep Sian.
'Er is zoveel dat ik jullie wil vragen,' zei ik. 'En ik wil iedereen zien. Iedereen!'
Lady Helen slaakte een kreetje. 'Arthur!' riep ze met haar zangerige Welshe stem. 'Je bent niet veranderd.'

Maar dat ben ik wel.

'We zullen iedereen vragen om morgen hier te komen ontbijten,' zei sir John glimlachend. 'Heel ongebruikelijk! Het is niet eens een feestdag.'

'Dat is het wel!' protesteerde lady Helen. 'Het feest van Sint-Gwyddelan.'

'O ja!' zei sir John.

'En Sint-Llwchaiarn!'

'Ha! Je hebt geluk, Arthur. Twee armzalige Welshe heiligen met onuitspreekbare namen!'

Lady Helen zwaaide haar rechtervuist voor sir Johns gezicht. 'Jij... Engelsman!' riep ze. 'De draak heeft een verwenskiezel in de bron van Sint-Llwchaiarn gegooid.'

'En hij heeft het bloed van Engelsen gedronken,' zei sir John glimlachend.

'Drinken!' riep lady Helen terwijl ze opsprong. 'Jij hebt Arthur niets aangeboden, en ik nu ook niet. Vooruit, Sian! Kom mee, iets halen. We moeten Slim vragen om voor morgenochtend te bakken en vlees te snijden.'

'Met Arthurs zwaard,' zei Sian enthousiast.

Lady Helen was al bij de deur. 'Sian!' zei ze streng. 'Kom je nog?'

Ik glimlachte naar sir John. Ik voelde me zo op mijn gemak, terwijl ik daar in de hal zat. Thuis in Caldicot, waar ik iedereen ken en iedereen mij kent.

Sir John las mijn gedachten. 'Weg van huis,' zei hij. 'Nooit echt vrij. Vreselijke dingen meemaken. Jezelf tegenkomen. Zoveel dat van jou afhangt. Je zult wel erg moe zijn.'

Ik gaapte.

'De Fransen zeggen: *reculer pour mieux sauter*,' vertelde sir John me. 'Een stap terug doen om beter te kunnen springen. Dat moet jij nu doen. Uitrusten!'

'Herinnert u zich nog de sprong van Merlijn?'

369

'Wie kan dat vergeten? Het is het wonderbaarlijkste dat ik ooit heb gezien.'

'Ik wou dat we Merlijn zelf nog eens konden zien,' zei ik.

'Ik ook,' zei sir John. 'Het is nu bijna drie jaar geleden dat hij is weggegaan.' Hij schudde zijn hoofd. 'Ik begrijp het niet.'

'En ik kan nog niet geloven dat ik hem niet terug zal zien,' antwoordde ik.

'O ja!' zei sir John. 'Er is iets wat je moet weten.'

'Heer?'

'Over Gatty.'

'Wat is er met haar, heer?'

'Weet je dat Hum gestorven is?'

'Tanwen heeft het ons verteld.'

'En niet lang daarna is Gatty's grootmoeder doodgegaan.'

'Arme Gatty!'

'Mmm!' zei sir John. Hij tuitte zijn lippen. 'Er is iets met dat meisje.'

'Heer?'

'Weet je dat Oliver haar heeft meegenomen naar Holt en dat lord Stephens muzikant naar haar stem heeft geluisterd?'

'Ja, Rahere! Hij heeft het me verteld.'

'Wat zei hij?'

'Als alle christenen en Saracenen in de wereld haar zouden kunnen horen, zouden ze niet meer willen vechten.'

'Ik weet van jullie tweeën. Toen ze in moeilijkheden was, nam jij het voor haar op. En ze is naar Holt gelopen om jou te zien, en toen is ze verdwaald en heeft ze in een boom geslapen. En daarna zijn jullie stiekem naar de markt in Ludlow gegaan. Je hebt natuurlijk gelijk. Gatty is dapper, en vindingrijk... en hulpeloos.'

'Heer?'

'Daarom heb ik besloten haar te helpen.'

'Hoe, heer?'

370

'Ik weet dat het ongebruikelijk is. Ieder van ons heeft zijn eigen plaats en plichten. Maar een goede ridder mag nooit star zijn. Hij moet reageren op de omstandigheden.'

'Ja, heer.'

'Ik heb erover gedacht om Gatty in een klooster te doen,' zei sir John. 'Tenslotte kan ze onmogelijk met Jankin trouwen, nu Lankin de begrafenis van haar vader heeft verstoord.'

'Maar u hebt het niet gedaan?' vroeg ik.

'Het is te duur!' antwoordde sir John. 'De godsvruchtige vrouwen vragen een goddeloos bedrag. Ik was teleurgesteld, want Gatty had haar stem aan God kunnen schenken. Maar Vrouwe Fortuna lachte ons toe!'

'Heer?'

'Lady Helen heeft een nicht in de buurt van Chester: lady Gwyneth van Ewloe. Ze is een dochter van een van de zusters van de draak.' Sir John wreef over zijn neus. 'Ze is weduwe. Helen ging bij haar op bezoek en kwam erachter dat ze op zoek was naar een nieuw kamermeisje.'

'Toch niet Gatty?'

'Dat dacht ik ook. Maar toen vroeg ik mezelf: waarom niet? Gatty kan leren.'

'U bedoelt dat ze niet hier is?'

Sir John snoof. 'Kijk niet zo ontzet. Ik dacht dat je blij zou zijn. Denk na, Arthur! Bedenk wat voor grote kans dit voor haar is.'

'Is Gatty er niet?' zei ik weer.

'Ik heb nog nooit zoiets voor iemand gedaan,' vertelde sir John me. 'Maar... Gatty is een heel bijzonder schepsel.'

'Ik ga naar haar toe,' zei ik.

Sir John zoog zijn adem in. 'Dat denk ik niet.'

'Het moet.'

'Ik begrijp het,' zei sir John, 'maar lady Gwyneth is op bedevaart gegaan, en ze heeft Gatty meegenomen.'

'Waarheen?'

Sir John keek me recht in mijn ogen. 'Jeruzalem,' zei hij.

Het haardvuur zakte in en er kringelde een grijs rooksliertje omhoog. Ik voelde me zo moe.

'Je moet met Oliver gaan praten,' zei sir John. 'Gatty had natuurlijk geen idee wanneer je zou terugkomen, maar ik geloof dat ze een soort boodschap voor je heeft achtergelaten.'

105

Waar ben je vandaag, vraag ik me telkens af

'Beste jongen,' zei Oliver, 'ik wil dat je me over de Saracenen vertelt! En die kardinaal – Capuano. Het zwaard van de geest en de helm van de verlossing! Jeruzalem!' Oliver zwaaide met zijn armen naar de hele wereld. 'Ja, en over Venetië, en je lezen en schrijven. Ik wil horen over heilige mannen en heidenen en de weg naar de hemel, maar jij... jij wilt alleen maar naar Gatty vragen!'

'Ik zal het je vertellen!' antwoordde ik. 'Alles! Ik beloof het.'

'Maar...' zei Oliver. 'Ik ken je.'

'Sir John zei dat ze een boodschap voor me heeft achtergelaten. Kun je me die niet eerst vertellen?'

'Vertellen?' zei Oliver. Hij hees zich op van de bank en sjokte naar de kast. Hij draaide de sleutel om. 'Ik weet iets beters, Arthur. Ik zal hem je laten zien.'

Oliver hield triomfantelijk een kleine rol perkament omhoog, alsof het het grootzegel van de koning was.

'Heb jij het geschreven?'

Oliver stak zijn borst naar voren. 'En Oliver de priester en schrijver...' zei hij heel plechtig.

'Het boek van Nehemia!' riep ik. 'Maar het was niet Oliver! *En Ezra de priester en schrijver...*'

'Uitstekend, Arthur! Het is nog niet hopeloos, zie ik.' Hij gaf me het perkament. 'Je brief,' zei hij.

Ik zag meteen dat de rol was dichtgebonden met paars lint.

Het lint dat ik met mijn laatste duit voor haar had gekocht toen we naar de markt in Ludlow gingen. 'Om je haar op te binden... of rond je strohoed te wikkelen... of als ceintuur te dragen...'
Ik begon te beven.
'Ze heeft het doormidden gebeten,' zei Oliver met een lelijk gezicht. 'De helft voor jou en de helft voor haar, zei ze.'
Ik rolde het perkament uit.
'En ze wond dat van haar rond haar pols,' zei Oliver. 'Haar linkerpols.' Ik wist dat hij aandachtig naar me keek.
'Je letters zijn allemaal zo keurig en klein,' zei ik.
Oliver snoof. 'Oliver de schrijver,' zei hij. 'Maar niet Oliver de taalkundige, vrees ik. Ik heb het wel aangeboden.'

Gatty aan Arthur, vandaag

Waar ben je vandaag, vraag ik me telkens af. Ik praat vaak tegen je en zie je gemakkelijk. Je hebt de hemel op je schouders. Weet je nog toen ik zei laten we naar Jeruzalem gaan? Ik kan het niet uitleggen, maar op de een of andere manier dacht ik het, geloofde het, en nu ga ik. Jij en je zingen zullen ons allemaal beschermen, zegt lady Gwyneth.
Arthur, wanneer kom je terug? Ik ben het niet vergeten van stroomopwaarts langs de rivier. Je hebt het beloofd. Of kun je naar Ewloe rijden? Die stieren, en dat ik sir Johns wapenrusting droeg, en we Sian redden uit de visvijver en naar de markt in Ludlow gingen, en alles... Het is waar! Echt.
De beste dingen blijven.

je trouwe Gatty

Ik weet niet hoe vaak ik haar woorden las.
'Jeruzalem!' zei ik. 'Gatty! Ze zal Jeruzalem binnengaan.'

374

'Zoals we allemaal hopen te doen,' zei Oliver. 'En ik zag de Heilige Stad, het nieuwe Jeruzalem, neerdalen uit de hemel vanaf God, getooid als een bruid die voor haar man versierd is... Wel, Arthur? Welk boek?'

'Ik kan het me niet herinneren.'

Oliver maakte afkeurende geluiden. 'De Openbaring van Johannes,' zei hij.

Ik weet dat ik blij had moeten zijn – blij voor Gatty, dat ze ontsnapt was aan veldwerk en honger, en blij over haar nieuwe leven, haar zingen en haar bedevaart.

'Kom op!' zei Oliver hartelijk. 'Eerst je hoofd, dan je hart.'

'Het is... het is alleen...'

Oliver klopte me op mijn rug. 'Dank God voor Zijn genade. Hij heeft je veilig thuisgebracht.'

'En Gatty weggezonden,' zei ik.

Moeder Slim en zuster Grace

Slim waggelde de hal in, gevolgd door Ruth, en ze droegen allebei een reusachtige schaal met bergen deegkoeken, stukjes vlees en plakken kaas. Iedereen juichte.

Daarna kwam Robbie, de nieuwe keukenjongen, binnen met een klein potje dat hij omhooghield alsof het een miskelk was.

'Sleutelbloemsiroop,' zei hij met een piepstemmetje.

Iedereen lachte en Robbie werd rood.

'Voor Arthur om over zijn deegkoek te schenken,' voegde hij eraan toe.

'Je hebt sleutelbloem nodig,' zei Slim.

'Waarom?' vroeg ik.

Slim richtte zich op en legde zijn handen op zijn reusachtige buik:

'Proef deze prille sleutelbloem,
En fluister haar naam.
Waar ze ook is,
Ze zal je kunnen horen.
Het is een feilloos tovermiddel.

Droom van sleutelbloemen
En er zal je niets overkomen,
Waar je ook bent.
Ze beschermen je
En sussen je hartenpijn.'

Ik was zo blij iedereen te zien. Ruth is zwanger, maar dat is geen reden voor haar om op te houden met haar werk in de keuken – ze zegt dat ze de baby in een emmer kan doen – en Dutton zegt dat we van arme Sukkel meer bloed hebben gekregen dan van elk varken ervoor of erna, en Joan is weer in moeilijkheden geweest omdat ze haar koe in de wei van sir John heeft laten grazen, en Johanna heeft pijn in haar buik…

Tanwen! De laatste keer dat ik haar zag was toen ze werd weggeroeid van San Nicolo. De riemen kraakten en bonkten in de dollen; ze maakten zo'n hol geluid.

We begrijpen en vertrouwen elkaar, omdat we samen op kruistocht zijn geweest. Ik kan van haar op aan en om de een of andere reden voel ik me verantwoordelijk voor haar. Misschien kunnen zij en Kester een tijdje naar Catmole komen.

Kester schreeuwde toen hij me zag. Ik tilde hem op en zwierde hem in de rondte. Daarna vertelde ik Tanwen dat Serle veel aan haar denkt en over haar praat, en ik gaf Kester de glimmende koperen knoop.

'Van je vader,' zei ik tegen hem. 'Van hem en Kortnek. Het is een van de knopen van Kortneks hoofdstel. Je kunt denken dat jullie samen aan het rijden zijn.'

Kester klemde de knoop in zijn klamme vuistje.

'Laat eens zien,' zei Tanwen.

Maar Kester verborg zijn hand achter zijn rug.

Alle bewoners van Caldicot – bijna zestig – stonden in de hal te praten en elkaar te plagen en te lachen, en toen nam sir John me mee op de kleine galerij en luidde zijn handbel.

'April!' riep hij uit.

Niemand zei iets.

'Wakker worden!' zei sir John. 'April!'

Nog steeds geen woord.

'Goed dan!' Sir John schudde zijn bel. 'Januari!'

'Bij dit vuur warmen we onze hand,' riep iedereen.

'Februari!'

'Met onze schop spitten we het land.'

'Maart!'

'We zaaien als de lente begint.'

'April!'

'We horen dat de koekoek zingt.'

'Dat is zo,' zei sir John. 'We horen de koekoek zingen en we zien ons eigen jong terug naar huis vliegen.'

Iedereen juichte weer. Mijn ogen prikten.

'Elke nacht heeft zijn risico's en gevaren,' zei sir John. 'Wolven in de schapenwei, vossen in de kippenren, boze geesten in het donker, nachtmerries. Op kruistocht gaan is gevaarlijker dan dit alles. Daarom zullen we nu allemaal knielen en God danken dat hij Arthur veilig thuis heeft gebracht.'

Even was het stil in de hal, bijna helemaal stil. Alleen Joan mompelde en Brian nieste...

'Goed! Sta maar weer op!' zei sir John. 'Wel, als je een lange reis maakt, is de thuiskomst bitterzoet. Nain is gestorven. Hum is dood. Hums moeder is dood. En Lankin is dood. De wijze vrouw die we nodig hebben om ons te genezen, is zelf heel ziek. En dat niet alleen. Merlijn schijnt ons te hebben verlaten. Gatty is weg. En toch...' Sir John zweeg even. 'We zaaien... en in het donker groeit het zaad... Groene blaadjes komen op. Ruth is zwanger. Martha is zwanger.'

'Ik ook!' riep Slim. Iedereen brulde van het lachen.

Sir John wachtte tot het weer rustig was, terwijl hij met zijn wijsvinger tegen zijn bel tikte.

'Nou, Slim,' zei hij, 'binnenkort vertrekken de bedevaartgangers niet meer uit Caldicot, maar komen ze hiernaartoe. Je bent een wonder!'

Iedereen lachte weer.

'Elk eind is een begin,' riep sir John uit. 'Bladeren vallen en sterven, een boom steekt zijn donkere vingers in de lucht en ratelt ermee, en het volgende moment zijn de knoppen dik en plakkerig en dan staat hij opeens weer in blad. En zo is ook de terugkeer van Arthur... Sir Arthur, moet ik zeggen...'

Iedereen hapte naar adem.

'Ja,' zei sir John. 'Arthur is in Venetië tot ridder geslagen! Sir Arthur de Gortanore! Zijn terugkeer is een begin. Hij gaat zijn vaders landgoed Catmole, in de omgeving van Knighton, overnemen. Hij heeft werk te doen. Nieuwe plichten! Hoge verwachtingen! Ja toch, Arthur?'

'Ja, heer,' zei ik.

'Welkom thuis!'

Net toen sir John en ik omlaag kwamen van de galerij, kwam lady Alice uit Gortanore, samen met Grace, Thomas en Maggot.

'Grace en ik willen je allebei voor onszelf hebben,' zei lady Alice glimlachend tegen me, 'maar ik ben je stiefmoeder, dus je moet mij de eer bewijzen. Grace, jij kunt daarna met Arthur praten, de hele dag als je wilt.'

Lady Alice en ik wandelden naar de kruidentuin.

'Ik ben gisteren naar Holt gereden,' zei ze. 'En raad eens? Lord Stephen zat rechtop.'

'Dat is geweldig!' riep ik.

'Hij weet dat hij thuis is, maar hij kan zich niets herinneren van de reis. Ik denk dat hij weer helemaal beter wordt.'

'Ik ga naar hem toe,' zei ik. 'Zo gauw mogelijk.'

We gingen op dezelfde bank zitten waar lady Alice me vier jaar geleden vertelde dat ze geruchten had gehoord dat sir William een moordenaar was, en ik bij Sint-Edmund zwoer om het aan niemand te vertellen.

'Ik moet met Thomas en Maggot praten,' zei ik. 'U weet toch dat Thomas me mijn moeders ring heeft gegeven?'

'Nu wel,' antwoordde ze. 'Maar tot je het aan lady Judith en mij vertelde, wist ik het niet. Ze hebben ook beloofd dat ze je zouden helpen je moeder te zoeken.'

'Ja, en in ruil lieten ze mij beloven dat ik hun na sir Williams dood werk zou geven in Catmole.'

'Ze hadden niet het recht om je dat te vragen,' zei lady Alice.

'Maar ik heb toegestemd.'

'Ze waren wanhopig op zoek naar een veilige plek,' vertelde lady Alice me. 'Terwijl sir William leefde, durfden de mensen in Gortanore hen niet te beschuldigen, maar nu zullen ze hun mond opendoen. Verscheidene dorpelingen hebben me verteld dat Thomas en Maggot het lijk van Emrys begraven hebben. Je moet hen ter verantwoording roepen.'

'Wat bedoelt u?'

'Zeg hun dat ze hun belofte hebben gebroken. Zeg hun dat ze je niet hebben geholpen.'

'Ze zullen antwoorden dat ze alles hebben geprobeerd. Dat hebben ze al eerder gezegd.'

'Ze hebben je gebruikt,' zei lady Alice.

'Ze hebben lord Stephen ook bedreigd,' zei ik. 'Toen hij hen waarschuwde dat hij op een andere manier zou regelen dat ik mijn moeder kon ontmoeten, dreigden ze het aan sir William te vertellen.'

'Zie je wel,' zei lady Alice, 'het zijn twee ratten. Zeg hun dat zij zich niet aan de afspraak hebben gehouden en dat jij niet van plan bent hen naar Catmole te halen.' De blik in haar ogen werd zachter. 'Catmole!' riep ze uit, en ze glimlachte. 'Maar goed, ik weet precies hoe Thomas en Maggot zijn. Ze kunnen in Gortanore blijven, of het hun bevalt of niet, en ik zal hen in de gaten houden.'

De laatste keer dat Grace en ik elkaar in Caldicot ontmoetten, hadden we nog niet ontdekt dat we dezelfde vader hadden, en we dachten dat we ons misschien konden verloven. Ik herinner me dat we urenlang in mijn klimboom zaten. Daarna stonden we boven op Tumber Hill, maar we konden Wales niet zien, omdat het te donker was. Grace zei dat het niet betekende dat Wales er niet was, en ze noemde het een kwestie van vertrouwen. Later zei ze dat we elkaar niet vaak konden ontmoeten, maar dat zij en ik dat ook voor elkaar konden zijn. Een kwestie van vertrouwen. Ze was zo boos toen we ons niet konden verloven. Ze beschuldigde me ervan dat het me niet echt kon schelen, maar dat ik alleen zei dat ik het erg vond.

Maar de dolken zijn nu uit haar ogen verdwenen. Ze is lang en slank, en heel bleek.

We liepen naar het kerkhof om een bezoek te brengen aan Nain en kleine Luke. Ik plukte een paar bleke sleutelbloemen die op sterren leken, en legde ze aan de voet van de twee graven.

'Toen kleine Luke stierf,' zei ik, 'nam hij lady Helens geluk met zich mee. Maar nu heeft ze het teruggevonden.'

'Ik hoop dat Winnie jouw geluk en dat van Tom niet wegneemt,' zei Grace. 'Of jullie vriendschap.'

We liepen naar de muur met uitzicht op de vijver en hesen ons erop.

'Jullie hebben elkaar meer nodig dan elk van jullie haar nodig heeft,' zei ze met een dun stemmetje.

'Het komt wel goed met ons,' zei ik. 'Ik denk het echt.'

Grace stak haar arm door de mijne. 'Jongens hebben ook heftige gevoelens,' zei ze. 'Je had gelijk.'

'Je weet het nog!'

'Het spijt me voor jou en Tom. Ik hou van jullie allebei.'

We zaten een tijdje naast elkaar. Ik pakte een steentje dat op de muur lag, en wierp het met een boog in het water. Langzaam verspreidden de rimpelingen zich, tot de hele vijver zachtjes wiegde.

Grace leunde naar voren en hield haar gezicht tussen haar handen. 'Ik heb besloten non te worden,' zei ze.

'Grace!'

'Nou ja, novice. Ik heb het onze vader verteld.'

'Hij heeft mij niets verteld.'

Grace trok een lelijk gezicht.

'Wat zei hij?' vroeg ik.

'Dat het hem niet zoveel zou kosten als een bruidsschat!'

'Tom heeft het me ook niet verteld.'

'Terecht,' zei Grace. 'Hij weet dat ik het je zelf wilde vertellen. Ik heb er drie jaar over nagedacht.'

'Vanaf het moment dat...'

'Ik wil zwarte en witte kleren dragen,' zei Grace. 'Ik wil leren lezen en schrijven, net als jij. Ik wil zeven keer per dag bidden en zingen. Ik wil een bruid van Christus zijn.'

'Dat zou ik niet kunnen,' zei ik. 'Een monnik zijn, bedoel ik.'

En Gatty kan het ook niet, dacht ik. Beter een bedevaart dan een klooster.

'Eigenlijk denk ik dat je het wel kunt,' zei Grace. 'In elk geval een deel van je.'

'In Zara,' zei ik, 'op onze kruistocht, was er een non. Zuster Cika.'

'Dat is een vreemde naam. Ik treed in bij de Witte Zusters, zodra de priores me laat komen! Je weet wel, voorbij Wenlock.'

'Ik heb vreselijke dingen gezien,' zei ik. 'Een zangleraar die in stukken werd gehakt. Vrouwen die misbruikt en vermoord werden.'

'Waren het Saracenen?'

'Wat maakt het uit? Een christelijk jongetje dat vastgebonden werd en over de stadsmuur werd geschoten.'

'O, Arthur!'

'Zuster Cika nam me mee naar haar heilige tuin. Daar groeiden alleen heilige bloemen en planten. Aronsstaf, gele aartsengel... Ik wilde er altijd blijven.'

Grace knikte. 'Maar jouw weg voert door de wereld,' zei ze. 'Dat weet ik.' Ze keek me aan en haar ogen lichtten op. 'Arthur!'

We omhelsden elkaar, zittend op de muur.

'Ik ben zo blij dat je bent teruggekomen,' zuchtte Grace. 'Ik heb je weer kunnen zien. Het is een geschenk van God!'

107

Graven

'U hebt het beloofd,' zei Maggot. 'U hebt ons uw woord gegeven.'
'En jullie hebben dat van jullie gebroken,' zei ik.
'We hebben gedaan wat we konden, heer,' protesteerde Thomas.
'Meer dan dat,' zei Maggot snuivend.
'Ja, meer dan dat. Uw moeder zei dat ze niet meer kon. Ze huilt en snikt de hele tijd.'
'Hebben jullie haar verteld hoe graag ik haar wilde ontmoeten?' vroeg ik.
Maggot grijnsde en hield haar gezicht vlak bij dat van mij. 'En we hebben u haar ring gegeven en zo,' zei ze. 'Ja toch, heer?'
'Jullie hebben me alleen geholpen als jullie er beter van werden,' zei ik. 'Mijn eigen moeder! En jullie wilden me niets vertellen.'
'Dat is niet waar, hè Maggot? We hielpen u.'
'O ja? Door mij en lord Stephen te bedreigen, en te zeggen dat jullie het aan sir William zouden vertellen?'
'Nou, maar wij hebben het zware werk gedaan, hè?'
'Het heen en weer gaan,' zei Maggot. Ze veegde haar druipende neus af met de rug van haar hand.
'U gunsten bewijzen,' morde Thomas.
Maggot hield haar gezicht weer dicht bij dat van mij, zodat ik haar niet eens meer goed kon zien. 'Zwaar werk!' herhaalde ze.
'Graven!' zei ik hard.
Het was niet mijn bedoeling, maar dat zei ik.
Maggot deed een stap naar achteren en ontweek mijn blik. Thomas tuurde naar me vanuit zijn ooghoeken.
'Jullie hebben Emrys vermoord,' zei ik.

384

'Niet waar,' zei Thomas.

'Dan hebben jullie hem begraven.'

Thomas klakte met zijn tong en schudde zijn hoofd.

'Sir William heeft hem in de kelder vermoord…' zei ik.

'Wie heeft u dat verteld?' snauwde Thomas.

'De dikke muren,' zei ik. 'Niemand kon het boven horen.'

'Dat kunt u niet bewijzen,' zei Thomas.

'En ik weet waar jullie hem hebben begraven,' zei ik kalm.

Er ging een schok door Thomas heen.

'Bij die hut. Aan de rand van het woud,'

'Nee!' krijste Maggot. 'Alleen omdat…'

Thomas keerde zich met een snauw naar Maggot.

'Ik weet genoeg om jullie te laten ophangen.'

Eigenlijk wist ik veel minder dan ik beweerde. Maar het werkte.

Thomas en Maggot hadden hun eigen schuld bewezen.

'Hoe konden jullie?' vroeg ik. 'Emrys was gewond door een wild

zwijn, hè? Hij kon niet eens terugvechten.'

'Daar weten wij niets van,' mompelde Thomas.

'Ik zal jullie een keus geven,' zei ik. 'Zoek Emrys' botten voordat ik

het doe, en breng ze bij me. Hij moet begraven worden in gewij-

de grond. Als jullie dat niet doen, beschuldig ik jullie bij de recht-

spraak in de hal.'

108

De koning die was en zal zijn

Dit kleine kamertje, hierboven onder het rieten dak.
Hier heb ik naar buiten gekeken door het ronde raampje en de wereld bespied. Hier heb ik in mijn steen gekeken en de geboorte van koning Arthur gezien. Hier heb ik in mijn eigen hoofd en hart gekeken, perkament gemaakt en inkt gemengd, en geprobeerd de juiste woorden te vinden.

En dit is de schijf van de oude appelboom die Gatty en ik naar boven hebben gedragen, zodat ik mijn inktpot erop kon zetten.

Gatty! Ja, als je thuiskomt, zullen we samen stroomopwaarts lopen langs de rivier. Als je wilt, neem ik je mee naar Catmole.

Er zijn vier jaren voorbijgegaan sinds Merlijn me op de top van Tumber Hill mijn obsidiaan heeft gegeven. Mijn zienersteen. Hier verborg ik hem vroeger altijd, in deze spleet tussen twee blokken steen.

Hierboven lijkt het zo stil. Ik kan mijn eigen ademhaling horen. Als ik met mijn wijsvinger over de zachte muur wrijf, kan ik de witte schilfers naar de vloer horen dwarrelen.

Maar er scharrelde iets onder de vloerplanken, tot ik daarop stampte. Nu zit het te luisteren, net als ik. April houdt zijn mond tegen het ronde raampje en blaast voorzichtig naar binnen. In het rieten dak hoor ik zacht gepiep: de huiszwaluwen misschien, die weer thuis zijn om te nestelen.

Is er hier in middenaarde iets beters dan op een koele ochtend in april wakker worden in dit kleine kamertje, en warm onder mijn schapenvacht blijven liggen, en luisteren naar één onzekere fluiter, dan tien, dan duizend, het hele vogelkoor dat zingt naar de hoge hemel?

Dat heb ik vanochtend gedaan.

Langzaam vouwde ik de vuile doek open. Je kunt nog zien dat hij ooit geel was.

IJs en vuur. Met mijn vingers drukte ik de steen tegen mijn handpalm. Ik keek in zijn oog.

'De steen is niet wat ik zeg dat hij is. Hij is wat jij erin ziet.' Dat zei Merlijn tegen me.

Sir Bedivere draagt koning Arthur op zijn rug.

Alsof hij een klein kind is.

Hij zwoegt over de oever naar de plek waar hij Excalibur in de golven heeft geslingerd. Voorbij de kiezelstrook ligt een boot te wachten. Er zitten een heleboel vrouwen in die zwarte kappen dragen, en zodra ze de koning zien, jammeren en gillen ze.

'Leg me in de boot,' zegt koning Arthur.

Sir Bedivere schuifelt over de kiezels, met koning Arthur op zijn rug. De vrouwen reiken naar voren. Een wirwar van witte handen. Een wieg van armen. Ze wikkelen koning Arthur in scharlaken en goudkleurige doeken en leggen zijn hoofd in de schoot van een edelvrouw.

'Arthur,' fluistert ze. 'Waarom ben je zo lang weggebleven? Mijn lieve zoon!'

Haar zoon?

Ygerna! Het is Ygerna! Ik heb gezien hoe ze haar handen over haar ongeboren kind legde en de hele wereld omhelsde. Arthur is van haar weggenomen toen hij twee dagen oud was, en nu is hij eindelijk naar haar teruggekeerd.

'Je hoofdwond is zo koud,' zegt Ygerna zacht.

'Mijn heer!' roept sir Bedivere. 'Mijn koning! Wat zal er zonder u van me worden?'

387

De koning staart naar sir Bedivere. Zijn ogen zijn dof.

'Hier, helemaal alleen?'

'Ik kan je niet meer helpen,' zegt de koning zacht. 'Je moet op jezelf vertrouwen.'

Weer weeklagen alle vrouwen in de boot. Ze scheuren hun jurken met hun nagels aan flarden.

'Als sir Lancelot naar huis komt, vertel hem dan dat ik hem nodig had toen ik met sir Mordred vocht. Zeg hem dat ik altijd van hem heb gehouden.'

Sir Bedivere grijpt de rand van de boot vast. Hij kan de koning niet laten gaan.

'Ik zal het water oversteken en de heuvel binnengaan,' zegt Arthur-in-de-steen. 'Ik zal lang slapen, en veel ridders zullen daar bij me slapen. Ik zal slapen en genezen. Ik zal genezen en wakker worden, en uit de heuvel naar buiten lopen en al mijn vijanden terugdrijven, de zee in. Ik ben Arthur, de zoon van Uther en Ygerna. De koning die was en zal zijn.'

Nu leunen de roeiers naar voren. Ze trekken...

De vingers van sir Bedivere laten los.

Weg glijdt de boot over de dansende, zilveren golfjes.

In de verte verrijst een heuvel. Eerst grijsblauw en nevelig, als een lang vergeten herinnering. Dan wordt hij groen, grasgroen en groeit.

Hij kromt zijn rug. Hoog!

Het is Tumber Hill!

109

Zo'n groot geluk

Het was nooit bij me opgekomen! Ik had nooit gedacht dat Arthur de slapende koning was.

Nu weet ik dat hij niet in Caer Caradoc ligt. Of in Weston. Of Panpunton. Hij is hier in Tumber Hill.

Waar hij en Guinevere hun bruiloftsfeest hebben gehouden.

In de hal sliep iedereen nog. Sian en Grace, Slim, Tanwen en Kester, Ruth, en Robbie. Ik knipte met mijn vingers en Bries en Storm sprongen overeind.

Het was zo licht buiten. Zo helder.

Eerst liep ik helemaal rond de onderkant van de heuvel, terwijl ik mijn ogen openhield voor alles wat op een opening leek. Dat kostte me veel tijd. Misschien is het hoger. Ooit moet hier een meer geweest zijn. Ik zal blijven zoeken…

Daarna haastte ik me naar de kleine groene open plek en mijn klimboom. Ik herinnerde me de rondtrekkende geleerde die zat te lezen op de open plek in het bos bij Verona. Ik ging op mijn hoge uitkijkplek zitten tussen alle beukenbladeren die net uit hun omhulsel barstten.

Ik rende naar de top van de heuvel. Daar bleef ik staan en keek uit over de hele wereld van onze Middenmark. De rij bijenkorven. De glinsterende rivier. Onze wapperende scharlakenrode vlag. Het huis van Gatty, dat nu leegstaat. Pike Forest, de donkere heuvels. De weg naar Catmole.

De honden joegen rond in duizelingwekkende cirkels en blaften zich schor.

Op de een of andere manier liet ik al mijn angsten en zorgen achter aan de voet van de heuvel. Mijn hoofd en mijn hart zwollen van zo'n groot geluk. Ik opende me helemaal en schreeuwde het uit.

Toen ik afdaalde kwam lady Alice me tegemoet.

'Je springt als een hert! Hoe doe je dat?'

'Hard werken in het oefenperk!' hijgde ik.

'Luister, Arthur! Ik wil dat je zo gauw mogelijk naar Gortanore komt.'

'Dat zal ik doen!'

'Maar eerst heb ik voor je geregeld dat je je moeder kunt ontmoeten.'

'Mijn moeder!'

Lady Alice knikte. 'Mair,' zei ze zacht. 'Je hebt zo lang gewacht.'

'Wanneer?' vroeg ik buiten adem.

'Morgen.'

'Morgen! Waar?'

'Waar denk je?'

'De Groene Stam?'

Lady Alice glimlachte.

110

Mijn moeder

Ze was er al.
Ik zag haar zitten op de Groene Stam.
Ze droeg een strohoed en haar hoofd was gebogen. Haar handen
waren gevouwen. Ze lagen als een witte duif in haar schoot.
Er kwam een gedachte in me op: ze is hier altijd geweest, alleen
kon ik haar tot nu toe niet zien.
Ik steeg heel stil af. Ik bleef naar haar kijken, maar ik dacht dat ik
uit mijn ooghoeken iemand anders zag wegglippen in de groene
schaduwen tussen de bomen. Lady Alice?
Ze zat net zo stil en geduldig als Maria op mijn ring.
Ik liet Pips teugels los en liep naar haar toe...

Onderweg van Caldicot naar de Groene Stam moest ik er telkens
aan denken dat het zó lang heeft geduurd voordat ik mijn moeder
ontmoette, maar dat ik eeuwig zou zijn doorgegaan, omdat er
niets zó belangrijk was.
Pips galopperende hoeven sloegen het ritme van mijn eigen hart,
dat de woorden uitzong die me hadden voortgedreven: Winnies
opmerking 'Iedereen moet weten wie zijn eigen moeder is', Gatty
die zei dat ze net als ik op zoek zou gaan, en lord Stephen die zei
'Je moeder is je moeder en je moet haar vinden'.

... en heel langzaam keek ze op.
Haar violetkleurige ogen.
Wijdopen en afwachtend.

Haar Ygerna-ogen met de donkere tint van de bosviooltjes die langs de randen van Pike Forest groeien. Haar amandelvormige gezicht.

Ik snakte naar adem. 'Ik heb u al eens gezien.'

Ze keek me aan zonder met haar ogen te knipperen.

'In mijn steen. Ik kan het niet uitleggen. Nou ja, dat komt later!'

Ze slikte. Haar borst ging op en neer.

'Bent u... bent u echt mijn moeder?'

Ze knikte, langzaam, vriendelijk.

Haar ogen vulden zich met tranen.

'Ik heb zo vaak gedacht aan alle dingen die ik zou zeggen, en wat ik het eerst zou zeggen, en wat ik vooral wilde zeggen, en nu kan ik niets bedenken.'

'Ik heb je elke dag gezien,' fluisterde ze.

'Elke dag?'

'Zoals je eruitzag op mijn ring. Terwijl je me die appel gaf.'

Toen barstten we allebei in snikken uit. Ik hielp haar overeind en trok haar tegen me aan, en ik stootte per ongeluk de strohoed van haar hoofd, en we snikten en huilden. Ik had nooit geweten dat je zo'n verdriet kon voelen.

Ik kneep telkens mijn ogen dicht en probeerde op te houden.

Ze was zo klein. Zo tenger. Niet meer dan een flinter.

'Ze... ze...'

Ze kon het niet zeggen. Haar gesnik en haar stokkende adem zaten in de weg.

'Ze... ze zeiden dat je ziekelijk was, en was gestorven.'

Het hele lichaam van mijn moeder schudde.

'Ik... ik dacht dat ze je hadden vermoord,' zei ze.

'Ik ben hier,' zei ik. 'Ik ben hier. Ik ben hier.'

'Ze wilden niet dat ik je zag,' zei mijn moeder, en ik hoorde het zangerige Welshe accent in haar stem.

'Wie?' vroeg ik.

'Ze wilden me niets over je vertellen.'

Ze beefde alsof ze koorts had.

Ik snoof en op de een of andere manier begon ik me kalmer te voelen vanbinnen. De kalmte verspreidde zich door mijn hart, en mijn hoofd. Ik hield mijn moeder tegen me aan. Ze voelde warm aan en trilde.

'Het is in orde,' zei ik. 'Sir William is dood. Dat weet u toch?'

'Maar zij zijn er nog,' stootte ze uit.

'Wie? Bedoelt u Thomas en Maggot?'

Mijn moeder drukte haar hoofd tegen mijn borst.

'Ze kunnen u niets doen. Nu niet meer.' Ik hoorde dat mijn stem schor was.

Plotseling rukte mijn moeder zich van me los. Ze keek wanhopig en haar gezicht glom.

'Ik hield van je!' riep ze uit. 'Ik hield zoveel van je! Ik wilde sir William helemaal niet! Echt niet. Maar dat betekent niet dat ik jou niet wilde.' Ze greep me bij mijn schouders. 'Dat heb je toch niet gedacht?'

'Ik... ik wist het niet zeker,' zei ik.

'Ik wilde je! Ik hield van je!' riep mijn moeder. 'Ik wilde niet dat je van me werd weggenomen. Ik vond het vreselijk!'

'Ik denk dat ik dat mijn hele leven heb willen horen,' zei ik schor. Mair. Mijn eigen moeder. Haar eigen zoon. We buitelden binnenstebuiten en waren wakende dromers met rode ogen.

'Ik dacht dat je misschien op sir William zou lijken,' zei ze zacht.

Ik schudde heftig mijn hoofd. 'Ik heb voortdurend geprobeerd u te vinden,' zei ik. 'Vanaf de dag dat sir John, de broer van sir William, me over u vertelde. Ik ben hier al eerder naartoe gekomen om u te ontmoeten, weet u.'

Ik wreef in mijn pijnlijke ogen en mijn moeder bekeek me.

'Je oren steken net zo uit als die van mij,' zei ze verbaasd. 'Ik heb ernaar verlangd om te weten hoe je eruitzag.'

'Ik heb een keer gedacht dat ik een staart kreeg,' zei ik. 'Ik was bang.'

Mijn moeder lachte en snikte tegelijk. 'Je bent knap,' zei ze.

'Woont u in Catmole?' vroeg ik.

Mijn moeder knikte.

'Dat heeft lord Stephen me verteld,' zei ik. 'Hij was mijn heer, en hij wilde dat ik u zou ontmoeten. Hij en lady Alice. Weet u dat Catmole... nou ja... weet u dat het nu van mij is?'

Mijn moeder keek ongerust.

'Ik kan weggaan,' zei ze zacht.

'Weggaan?'

'Ja, als het moeilijk is.'

'Weg? Dat nooit!'

Mijn moeder staarde me aan.

'Niet nu! Nooit!' schreeuwde ik.

Ze glimlachte vluchtig. 'Je verjaagt de vogels!' zei ze.

'Luister naar ze!' riep ik. 'Naar alle vogels! Die leeuwerik! Hij zingt met heel zijn hart!'

111

Elk van ons

Toen ik naar de Groene Stam reed, was ik zo gretig en ongerust dat het voelde alsof ik tijdens de hele tocht mijn adem inhield. Maar nadat ik mijn moeder had beloofd dat ik gauw, heel gauw, naar Catmole zal komen, en nadat zij me had gerustgesteld en gezegd dat ze op me zal wachten, en zo geruisloos was weggelopen, de duisternis in...

Ik voelde me heel sterk terwijl ik naar Gortanore reed. En ook heel moe. Ik wilde niet dat er nog meer zou gebeuren! Twee keer viel ik bijna in het zadel in slaap.

Haket, de priester van lord Stephen, had gelijk toen hij tegen me zei dat veel mensen zich als beesten gedragen. Dat heb ik zelf gezien. Maar hij kan toch geen gelijk hebben gehad toen hij zei dat geen van ons Jeruzalem kan binnengaan voordat iedereen niet alleen in naam een echte christen is, maar ook in daden.

Jezus was genadig. Hij is aan het kruis gestorven om mij van mijn zonden te verlossen.

En dat sir Perceval, sir Galahad en sir Bors op queeste zijn gegaan in de wildernis, geleden hebben en de Heilige Graal hebben gevonden, was niet voor henzelf, maar voor elk van ons.

Zuster Cika vertelde me dat Saracenen en joden geloven dat iemand die het leven van iemand anders redt, daarmee de hele wereld redt. Dat geloof ik ook.

Ik geloof dat elk van ons ertoe doet.

Het zijn mensen zoals Wido, Godard en Giff, die onze wereld in een woestenij veranderen, door elkaar als schapen achterna te lopen, zonder ooit vragen te stellen of zelf na te denken, en ongevoelig te worden voor bloedvergieten en de pijn van andere mensen.

Sir John heeft gelijk. Ieder mens heeft zijn eigen plaats en zijn eigen plichten, binnen een familie, een landgoed, een koninkrijk. Maar wat ik in Catmole wil is één verbond. Eén ring van vertrouwen. Ik wil dat iedereen op het landgoed weet dat we elkaar allemaal nodig hebben en dat elk van ons ertoe doet.

Dat betekent niet dat er geen bedrog, klachten, ruzies, wedijver en woede zullen zijn. Natuurlijk wel.

Maar er zijn toch allerlei manieren om zulke dingen te voorkomen en te bestraffen zonder bloedvergieten?

Die jongen in de mangneel, en de Venetiaan wiens neus ik heb afgeslagen, en Nasir en Zangi en de vrouwen zonder naam: er gaat geen dag voorbij zonder dat ik hen zie.

Ik denk dat ik er verkeerd aan heb gedaan om Thomas en Maggot te dreigen dat ik hen zou laten ophangen. Ik wist het zodra ik het zei. Nadat sir John Lankins linkerhand had afgehakt, heeft heel Caldicot lang getobd en geleden.

Soms denk ik eraan dat Saladin de christelijke pelgrims die de tocht naar het Heilige Land maakten, gemakkelijk had kunnen doden, maar hij nam een eervolle en veel moeilijkere beslissing: hij gaf hun vrije doortocht.

Mijn steen! Mijn zienersteen!

Ik heb mijn eigen gedachten en gevoelens erin gezien. Alles wat ik hoop te worden, alles wat ik nooit mag zijn.

Ik heb mijn moeder erin gezien. En Tom, en Winnie, en Serle, en Merlijn…

Maar de laatste keer dat ik keek, kon ik helemaal niets zien in mijn steen.

Koning Arthur is de heuvel binnengegaan.

'Wat zal er zonder u van mij worden?' riep sir Bedivere.

Ja, wat zal er van hem worden?

En sir Lancelot! Zal hij terugkomen uit Frankrijk nadat hij sir Gawains brief heeft ontvangen?

Wat zal er gebeuren met de halve maan die op zijn rug ligt – het glinsterende bergkristal met de namen van alle ridders uitgehakt langs de rand?

Wat zal er met koningin Guinevere gebeuren?

Er is nu zoveel te bespreken met Tom en lady Alice.

Over Winnie, natuurlijk, maar eerst moeten we het land, het vee en de bezittingen van sir William verdelen. Tom heeft het landgoed in de Champagne nog niet gezien. Hij is nooit buiten de Middenmark geweest. En ik heb Catmole nooit gezien.

'Waarom rijd je er niet eerst naartoe?' zei lady Alice. 'Voordat we onze hoofden pijnigen met regelingen, aantallen, plichten en al dat soort dingen.'

'In mijn eentje?'

'Je bent er toch klaar voor? Je hebt je bewezen.' Lady Alice glimlachte. 'Ze wachten erop om je te verwelkomen.'

'Weet u dat hij kort voor zijn dood een arm om mijn schouders heeft geslagen?' zei ik.

'Wie?' vroeg Tom.

'Sir William. Het is de enige keer dat hij zoiets heeft gedaan.' Ik schudde mijn hoofd. 'Maar misschien was het alleen omdat ik te hard liep!'

'O Arthur!' zei lady Alice. Ze raakte mijn rechterwang aan. 'Dat zou niemand zeggen, behalve jij.'

'Nou ja, hij was aan het klagen over al het uitstel en de ruzies in Zara, en dat hij achtenzestig was en misschien… jullie niet meer zou zien. En toen begon hij over Catmole te praten. Ik kan me nog precies herinneren wat hij zei: "De kronkelende rivier. De mooie heuvel, ja, de kasteelheuvel en het groen van het gras in de wei-

den langs het water. Ik zou daar graag nog eens rijden, jongen.'"
We leunden alle drie wat naar voren en keken elkaar in de ogen.
Toen legde Tom zijn rechterhand over de hand van lady Alice, en
ik legde mijn linkerhand over die van Tom.

We richtten ons op en glimlachten.

'Het is een vreemde naam,' zei Tom. 'Catmole.'

'Nee hoor,' antwoordde ik.

Ik herinnerde me hoe ik telkens Catmole, Catmole tegen mezelf
had gezegd, nu bijna drie jaar geleden, en hoe alle letters begonnen te draaien: Catmole, Catemol... mot... calemot, olmecat...
comelat... camelot...

Camelot!

'Goed zo!' zei lady Alice. 'Dat is dan besloten. Ik zal een boodschapper sturen.'

'Niet Thomas,' zei ik.

'Geen sprake van!' riep lady Alice uit. 'Ik heb Thomas en Maggot
gezegd dat ze er niet in de buurt mogen komen, en ze weten wat
er gebeurt als ze het toch doen.'

Tom haalde zijn vinger over zijn keel en grijnsde.

'Ze moeten hier iets voor je doen, hè?' zei lady Alice.

'Hebben ze u dat verteld?' vroeg ik.

'Wat?' vroeg Tom.

'Ik heb gezegd dat ze Emrys' botten moeten zoeken,' zei ik. 'Voordat ik het doe.'

'Ze vroegen me om je te vertellen dat ze je kunnen helpen...' begon lady Alice.

'Dat zeggen ze altijd.'

'... en je kunnen geven wat je wilt.'

'O!'

'Ja,' zei lady Alice heel opgewekt. 'Een boodschapper. Ik zal mezelf
sturen! Ik zal vroeg naar Catmole rijden en iedereen vertellen dat
je komt.'

112

De koning in jezelf

Pip en ik konden de wolken niet bijhouden. Ze openden en sloten
hun vingers, en strekten ze weer, als reusachtige hemelvrouwen die
deeg kneden.
Er waren stukjes blauw. Kleine wazige beloften.
Om ons heen huppelden en renden konijnen, zonder de grond te
raken. Verwaande mannetjesfazanten stapten ijdel rond en lieten
ons dichtbij komen, maar nooit dichterbij.
Lichtzinnige, tere bladeren. Bloemblaadjes van meidoornbloesem.
Maar zodra we over de kam kwamen, doken we onder de wind.
En daar was het.
Catmole.

Het kasteel veilig genesteld op zijn mooie heuvel, bijna alsof het
daar gegroeid was; de muren, mossig en strogeel, bleek als karne-
melk in het zonlicht; de kleine vlag scharlakenrood en wit, klapperend in de wind.

Eerst steek je een hellend veld over, vol rossige, modderige koeien.
Pip kloste dwars door een poel dagverse mest.
Je daalt af naar een kronkelende rivier, en daar eindigt Engeland
en begint Wales.
Er stond iemand op de houten brug. Hij droeg een donkere kap,
maar toen ik naar hem toe reed, sloeg hij die naar achteren.
'Merlijn!' schreeuwde ik.
Ik steeg meteen af.

'Ben je het echt?' riep ik. 'Waar ben je geweest?'

Merlijn bekeek me en glimlachte. 'Ik ben waar ik nodig ben,' antwoordde hij.

'Hier en nu!' zei ik vastberaden. 'Ik heb je nodig.'

'Zoals veel jonge koningen.'

'Ik ben geen koning.'

'Maar je hebt de koning in jezelf ontdekt,' zei Merlijn. 'Ja toch? En Catmole is toch jouw... Camelot?'

'Ja! Ik weet het!'

Merlijn glimlachte, een naar binnen gekeerde glimlach. 'Je bent gegroeid in je naam,' zei hij, 'zoals ieder van ons dat moet doen. Je hebt de betekenis van de steen begrepen.'

'Wonderbaarlijk. Verschrikkelijk.'

Merlijn zuchtte. 'Net als het leven,' zei hij. 'Wel! Nu ken je het verhaal ervan.'

'Maar er is zoveel dat ik niet weet.'

Merlijn keek me aan met zijn geheimzinnige, zilvergrijze ogen. 'Dat zal altijd zo blijven,' vertelde hij me. 'Maar het is tijd om de steen terug te geven.'

'Terug te geven?'

Mijn zienersteen is de afgelopen vier jaar dag en nacht mijn metgezel geweest.

'De koning is de heuvel binnengegaan,' zei Merlijn kalm. 'De steen heeft je niets meer te zeggen of te laten zien.'

'Ik dacht dat hij van mij was,' zei ik.

Ik groef in mijn zadeltas en haalde de obsidiaan eruit in zijn stoffige, saffraankleurige doek. Ik hield hem tussen mijn handen en kneep zo hard ik kon. Daarna gaf ik hem aan Merlijn.

'Hij ís van jou,' zei Merlijn. 'Zijn verhaal zal in jou nooit eindigen, is het niet? Maar er is altijd iemand anders die net klaar is voor deze steen.'

'Blijf je hier?'

Merlijn knikte. 'Een tijdje,' zei hij. 'Als je me net zo goed behandelt als sir John! En jij, Arthur, zul je vragen blijven stellen? De juiste vragen?'

Eerst steek je een hellend veld over.
Je daalt af naar een kronkelende rivier.
Je loopt over de houten brug en betreedt een kleine weide naast het water die zo ongclooflijk heldergroen is dat alles mogelijk lijkt...
En daar was ze, mijn moeder, zoals ze had gezegd. Ze stond bij haar landje, met een witte doek om haar hoofd, en had een schof-fel in haar hand.
Ik liep met grote passen, daarna half rennend naar haar toe.
Ik hield haar tegen me aan en zei-en-zong zacht:

> 'Die leeuwerik! Hij zong met heel zijn hart.
> En wij klampten ons vast en wiekten halfwild.
> U bent voor altijd mijn moeder, van de ring.
> En ik word koning van de Middenmark.'

Overal om ons heen verlieten de bewoners van Catmole – drieën-veertig zielen, zegt lady Alice – hun landjes en huisjes, en liepen naar ons toe. Ze kwamen uit de stallen, het varkenskot en de schaapskooi, van de visnetten die van oever tot oever gespannen waren; ze kwamen van de bijenkorven en de kruidentuin, de boomgaard, de akkers en de open velden.
Ik begroette hen. Eén voor één.

Over een hellend veld en omlaag naar een rivier, zilver glinsterend in het zonlicht... over de houten brug en door een weide bij het water... kom je bij drie reusachtige eiken die hun klauwen in de grond boren. Je volgt een pad langs de voet van de heuvel, en dan keert het terug op zijn schreden en klimt naar de binnenplaats en het kasteel.

Mijn moeder en ik gingen voor, en iedereen kwam achter ons aan.

De geribde eikenhouten deur stond wijd open.

'Een wijdopen welkom,' fluisterde mijn moeder. Weer dat vluchtige glimlachje.

Ik haalde diep adem en liep naar binnen.

Om me heen lange witgekalkte wanden; boven mijn hoofd het gewelfde balkendak dat hoog oprijst; onder mijn voeten biezen waarop sleutelbloemen, takjes rozemarijn en viooltjes zijn gestrooid.

Er was een lange tafel. Daarop lag iets te glinsteren.

Obsidiaan en goud. Ivoor...

Ik hield mijn adem in.

De leesstok van koning Arthur!

'Merlijn!' riep ik. 'Waar ben je?'

Merlijn verscheen in de deuropening. Een donker icoon in een omlijsting van zonlicht.

'Zo!' zei hij met zijn diepe stem. 'Heb je hem gezien?'

Ik pakte de leesstok op. De kleine driehoek van ijs en vuur werd warm in mijn linkerhandpalm.

Ik nam hem tussen mijn duim en wijsvinger en trok een lus rond mijn mensen.

Ik zwaaide hem als een toverstok. Ik vormde woorden uit lucht.

absolutie vergeving van zonden, en kwijtschelding van kerkelijke straffen

Aeolus in de Griekse mythologie de god van de wind

aketon gevoerd kledingstuk van stijf linnen dat tot de knieën reikte en onder een maliënkolder werd gedragen

argent in de heraldiek de kleur zilver of wit

armbeschermer een leren beschermstuk voor de pols, dat gebruikt werd bij boogschieten

avegaar grote boor

azuur in de heraldiek de kleur blauw

Barbarije een streek in Noordwest-Afrika

beukenmast beukennootjes gebruikt als veevoer

blijde belegeringswapen, een soort grote katapult

brokaat zware zijden stof, soms met gouddraad erdoor

Byzantijns uit Byzantium of Constantinopel

categorieën volgens de Griekse filosoof Aristoteles bestaat zinvolle taal uit tien categorieën (substantie, hoeveelheid, hoedanigheid, relatie, plaats, tijd, positie, toestand en de actieve en passieve vorm). Substantie bestaat onafhankelijk; de negen andere behoren toe aan de substantie en ontlenen er hun betekenis aan.

citola een snaarinstrument dat lijkt op een lier

duit een koperen munt die een achtste van een stuiver waard is

eerste nachtwacht aan boord van een schip de wacht van acht uur 's avonds tot middernacht

excommunicatie uitsluiting uit de kerkgemeenschap, kerkban

fleur de souvenance (Frans) een bloem, soms van edelstenen gemaakt, als herinnering of aandenken; hier gebruikt voor een zoen

fustein een ruwe stof die geweven wordt van katoen en linnen, en voor het eerst gemaakt is in Fustat (bij Caïro) in Egypte

gal een bitter uitgroeisel aan bomen dat ontstaat onder invloed van insecten

Gogoniant! (Welsh) goddank! lieve hemel!

keel in de heraldiek de kleur rood

lancetraam een lang en smal raam, met een punt aan de bovenkant

het land overzee het gebied waarom christenen en moslims vochten in de tijd van de kruistochten (onder andere Palestina en de Nijldelta)

latijnzeil driehoekig zeil dat met de punt naar boven aan de mast bevestigd wordt

leesstok een stokje ter grootte van een potlood om bij het lezen de woorden aan te wijzen

leest een houten model van de voet, dat gebruikt wordt door schoenmakers

leucrota een fabeldier met delen van een ezel, een hert, een leeuw en een paard; het maakt een geluid dat lijkt op de menselijke spraak

mangneel belegeringswapen dat op een grote katapult lijkt, waarmee stenen weggeslingerd kunnen worden

metten, terts, sext, none onderdelen van het dagelijkse gebed in kloosters. In de loop van 24 uur bad en zong men daar: metten (in de nacht), lauden (ochtendgebed), prime (begin van het werk), terts (9 uur), sext (12 uur), none (3 uur), vespers (bij het ondergaan van de zon) en completen (voor het slapengaan)

morgen oude oppervlaktemaat voor land, die per streek nogal verschilt; ongeveer een halve hectare

motte kunstmatige heuvel waarop een middeleeuwse versterking is gebouwd

naker een keteltrom

novice iemand die een proefperiode bij een kloosterorde doormaakt en nog niet zijn geloften heeft afgelegd

obsidiaan zwart of grauw vulkanisch glas, waaraan sommige culturen magische krachten toeschrijven

paviljoen grote tent met puntdak

rebec een snaarinstrument

Sais (Welsh) Saks of Engelsman, soms gebruikt als scheldwoord

schalmei een soort hobo, met een dubbel riet in het mondstuk

scharlaken helder rood

staak houten paal, gebruikt bij het oefenen in zwaardvechten

strijdros een oorlogspaard

tincturen, de zeven de hoofdkleuren in de heraldiek: azuur (blauw), keel (rood), purper (paars), sinopel (groen), argent (zilver), or (goud) en sabel (zwart)

toernooi een groot feest waarbij ridders allerlei wedstrijden hielden

tonsuur geschoren hoofdkruin

vellum het beste soort perkament, gemaakt van de huid van kalveren, lammetjes of geitjes

vetlok met lang haar begroeid uitsteeksel aan de achterkant van het onderbeen bij paarden

voetangels ijzeren ballen met vier scherpe punten, die op de grond gestrooid werden om paarden en voetknechten te verwonden

zecchino gouden munt uit Italië

Zevenslapers zeven broeders van Ephese die volgens een legende tijdens een christenvervolging in de derde eeuw in een hol in slaap vielen en pas 150 jaar later wakker werden

Zuilen van Hercules de hoge rotsen aan de ingang van de Middellandse Zee, in Spanje en Afrika

406-7	De Romeinen trekken zich terug uit Brittannië
ca. 500	De legendarische koning Arthur verslaat de Angelsaksen in de slag bij Mount Badon
ca. 597	De missionaris Augustinus wordt door paus Gregorius I naar Brittannië gezonden
1076	Jeruzalem wordt veroverd door de Turken
1095	Paus Urbanus II kondigt de eerste kruistocht af; Usamah ibn-Munqidh, die later een vriend van Saladin werd en *Herinneringen* schreef, wordt geboren
1096-1102	Eerste kruistocht
1099	De kruisvaarders veroveren Jeruzalem
ca. 1118	Enrico Dandolo, doge van Venetië, wordt geboren
1122	Eleanor van Aquitanië wordt geboren
1134	Sir William de Gortanore wordt geboren
1136	Geoffrey van Monmouth voltooit zijn *Geschiedenis van de koningen van Brittannië*
1138	Saladin wordt geboren
1147-1149	Tweede kruistocht
ca. 1150	Geoffroy de Villehardouin, maarschalk van de Champagne en schrijver van *De verovering van Constantinopel*, wordt geboren
1154	Kroning van Hendrik II
1158	Richard I (Leeuwenhart) wordt geboren
1170-	Chrétien de Troyes (schrijver van *Erec en Enide*) begint aan zijn Arthurromans
1180-	Marie de France schrijft haar lais, verhalende gedichten

1183	Saladin verenigt Syrië en Egypte; ibn Jubayr beschrijft zijn bedevaart naar Mekka (1183-1185); Serle de Caldicot wordt geboren
1185	Tom de Gortanore wordt geboren
1186	Arthur de Caldicot wordt geboren, op 1 maart
1187	De sultan Saladin verovert Acre en Jeruzalem; Gatty wordt geboren; lady Tilda de Gortanore sterft bij de geboorte van Grace de Gortanore
1188	Om de derde kruistocht te helpen betalen wordt de Saladin-tiende (een belasting) geheven; Gerald, schrijver van *De reis door Wales* en *De beschrijving van Wales* reist mee met Baldwin, de aartsbisschop van Canterbury; sir William de Gortanore trouwt met lady Alice; Winifred de Verdon wordt geboren
1189	Hendrik II sterft en Richard I (Leeuwenhart) wordt tot koning gekroond
1189-1192	Derde kruistocht, onder aanvoering van Frederik Barbarossa van Duitsland, Philip Augustus van Frankrijk en Richard Leeuwenhart van Engeland
1191	Sian de Caldicot wordt geboren
1192	Richard Leeuwenhart verlaat het Heilige Land en wordt tot in 1194 gevangen gehouden door Leopold van Oostenrijk
1193	Saladin sterft; hij is vierenvijftig geworden
1199	Richard Leeuwenhart raakt gewond bij Chalus en sterft; zijn broer Jan (geboren in 1167) wordt tot koning gekroond; Paus Innocentius III kondigt de vierde kruistocht af, en Fulk de Neuilly roept op om eraan deel te nemen
1200	Lord Stephen de Holt kiest Arthur de Caldicot als schildknaap; ze nemen het kruis aan in Soissons
1201	De Venetianen stemmen erin toe om schepen voor de

kruisvaarders te bouwen; Arthur de Caldicot en lord Stephen keren in april terug uit Venetië; Thibaud de Champagne sterft en Boniface de Montferrat wordt gekozen als leider van de Vierde Kruistocht

1202   Arthur de Caldicot en Winifred de Verdon verloven zich in april; de kruisvaarders verzamelen zich in Venetië en varen begin oktober naar Zara; op 24 november valt Zara

1203   Sir Arthur de Gortanore komt terug naar de Middenmark

1204   Het christelijke Constantinopel wordt verwoest en geplunderd door de kruisvaarders; Eleanor van Aquitanië sterft

1205   De kruisvaarders keren terug naar huis, zonder Jeruzalem bereikt te hebben

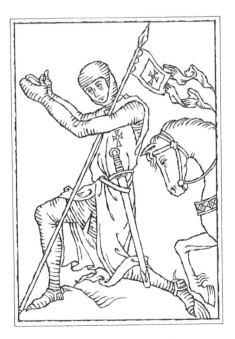

De pers over *Arthur – de zienersteen* en *Arthur – in het tussenland*:

'Een superboek.'

Vrije Opvoedkunst

'*Arthur – de zienersteen* (2001) en *Arthur – in het tussenland* (2002) zijn twee mooie historische boeken.'

Trouw

'Net als het eerste deel is *Arthur – in het tussenland* bijzonder knap geschreven in een prachtige taal die je meesleept.'

De Morgen

'*Arthur – de zienersteen* is het eerste deel van een trilogie en is zo prachtig geschreven dat je verlangend uitkijkt naar de volgende delen.'

Het Noordhollands Dagblad

LEMNISCAAT ROTTERDAM

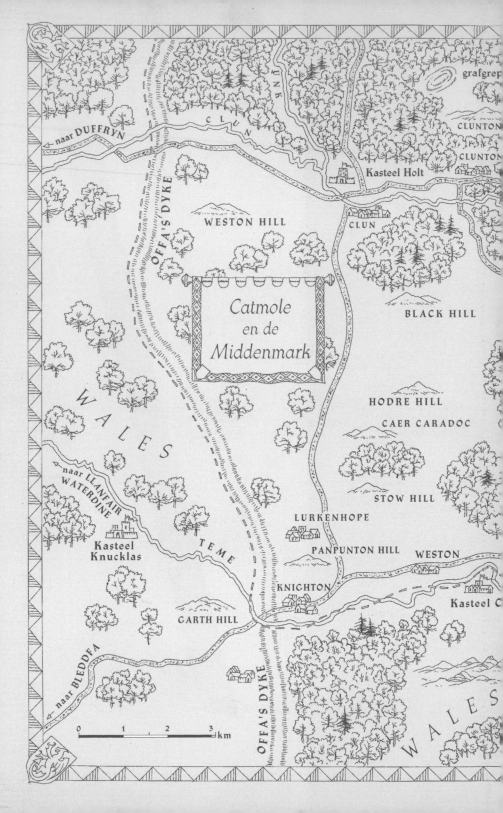